Paul Schreckenbach

Der getreue Kleist

Paul Schreckenbach

Der getreue Kleist

edition mabila

Text der Originalausgabe

edition mabila
Reihe „Europäische Klassiker"
© 2013. Alle Rechte vorbehalten.
ISBN 978-1481825979

I

Der Candidatus Theologiä Martin Garbrecht saß in seinem Informatorstüblein und schrieb in sein Tagebuch. Es war ein kleiner, aber unförmlich dicker Band, der vor ihm lag, verschließbar und für gewöhnlich auch streng verschlossen gehalten. Denn seinen verschwiegenen Blättern pflegte der junge Gottesmann alles anzuvertrauen, was er erlebte, dachte und empfand, das Buch durfte als ein getreues Spiegelbild seiner Seele gelten. Kein Wunder daher, daß er es vor profanen Blicken aufs sorgfältigste verbarg. Jetzt war er fertig und legte mit einem leichten Seufzer die Feder aus der Hand. Er bog sich in seinem roh gezimmerten Lehnstuhle so weit zurück, daß er mit dem Hinterkopfe fast das Fenster in seinem Rücken berührte, hob das Buch hoch empor und begann, die letzten Strahlen der Abendsonne auf diese Weise auffangend, halblaut vor sich hin zu lesen: »Schloß Zeblin, den 30. Junius 1724. Ein dies ater liegt hinter uns. Selten werden die gesegneten Fluren Zeblins und Curows solch ein Malheur erfahren haben. In der neunten Stunde des Vormittags schob sich eine effroyable schwarze Wolkenwand von Köslin heran, und ein Hagelwetter prasselte hernieder, erschröcklich zu sehen und ebenso erschröcklich zu hören, wohl fünf Minuten lang. Die Weibsen lagen auf den Knien und schrien, daß Gott sich erbarmen wolle, und mein Herr von Kleist stand weiß wie eine Wand mit zusammengebissenen Zähnen da. Es ist für ihn ein rechtes Kreuz, daß die schöne Ernte verhagelt ist, sintemalen seine Umstände, wie ich immer mehr sehe, ohnehin nicht die besten sind. Er ist zwar Erb-, Lehns- und Gerichtsherr auf sechs adeligen Gütern in unserem Pommernlande, aber –« Der Kandidat brach plötzlich ab, klappte das Buch zusammen und ließ es blitzschnell in einer Schublade verschwinden. Eilige Kinderfüße kamen die knarrende Stiege emporgestürmt, die Tür flog auf, und ehe der Kandidat den Schlüssel umdrehen konnte, stand ein etwa zehnjähriger Knabe im Zimmer. Man hätte ihn, der barfuß ging und ein vielfach geflicktes Wams anhatte, für einen Bauernjungen halten können, aber die feinen Züge und die großen blitzenden Augen deuteten darauf hin, daß nicht das Blut unterworfener wendischer Knechte in seinen Adern floß. Die wegen der Störung etwas unmutige Miene des Kandidaten entwölkte sich bei seinem Anblick sogleich, und ein Zug väterlichen Wohlwollens erschien in seinem jugendlichen, gewöhnlich etwas strengen Gesichte. Von den Kindern des Herrn Joachim Ewald von Kleist, die er zu erziehen hatte, war dieser Knabe ihm bei weitem der liebste. Denn er war nicht nur geweckt im Unterricht, er hatte sich auch seinem Präzeptor mit einer Zutraulichkeit angeschlossen, die eigentlich gar nicht in seinem ziemlich scheuen Wesen lag.

Darum trat der Kandidat mit freundlichem Lächeln auf ihn zu, faßte ihn scherzhaft beim Ohre und fragte in mild verweisendem Tone: »Junker Ewald, Junker Ewald, wann wirst du lernen manierlich anzuklopfen und ohne Gepolter in die Stube einzutreten? – Aber was ist denn los, mein Jung?« unterbrach er sich, denn er sah die Augen seines Zöglings mit einem so angstvollen Ausdrucke auf sich gerichtet, daß ihm der Gedanke durch den Kopf fuhr, es müsse ein Unglück geschehen sein. »Herrgott, was ist denn?« wiederholte er, als Ewald sich mit einem Male an seinen Arm klammerte und zu schluchzen anfing. »Ach, Herr Garbrecht,« stieß der Knabe hervor, »nicht wahr, es ist eine Lüge, daß die Daniela eine – eine Hexe ist?«

Der Kandidat trat betroffen einen Schritt zurück, und seine kleine zierliche Gestalt reckte sich. »Wer, sagst du? Die Schulmeistersche? Wer hat das gesagt?«

»Die Bauern sind unten beim Vater, ihrer drei aus Curow. Sie sagen, sie hätte das Wetter gemacht und dem Schulzen seine Ochsen hätte sie auch verhext.«

»Selbst Ochsen!« rief der junge Mann und schlug sich mit der Hand gegen die Stirn. »Allmächtiger, wann endlich wird der scheußliche Wahn aufhören in diesem Lande! – Was wollen sie von deinem Vater?« fragte er weiter. »Der Vater soll sie nach Köslin schaffen lassen und nachher soll sie nach Berlin gebracht werden und – und –«

»Nun, und in Berlin?«

»Dort soll sie der König – der König soll sie – verbrennen lassen«, würgte der Knabe hervor und schluchzte wieder ganz verzweifelt auf.

Der Kandidat lachte spöttisch. »Das wird er wohl bleiben lassen. In unserem Lande ist der König neunmal klüger als sein dummes Volk.« Er legte seinem Zögling die Hand aufs Haupt und fuhr freundlich fort: »Sei ruhig, mein Jung. Deiner Daniela wird nichts geschehen. Sind die Leute noch unten? Ja? Nun, da werde ich gleich selbst einmal zu deinem Vater gehen.« – »Aber nicht doch!« wehrte er hastig und fast verlegen ab, als Ewald in stürmischer Aufwallung seine Hand ergriff, um sie zu küssen. »Geh noch eine halbe Stunde in den Park hinab, Ewald, ich komme dann zu dir.«

Als Garbrecht allein war, trat er mit raschen Schritten vor ein Bild, das an der Wand hing und blickte es wohl eine Minute lang unverwandt an. Es stellte einen Mann dar in der steifen Gelehrtentracht der Zeit, aber unter der von der ungeheuren Allongeperücke halb verdeckten Stirn funkelten ein paar ungewöhnlich scharfe Augen hervor, und um den feinen Mund spielte ein ironisches Lächeln. Das war Herr Christian Thomasius, Kanzler und einer der gefeiertsten Lehrer an der jungen Universität Halle, der große Bekämpfer und Überwinder des Hexenprozesses auf deutschem Boden. Durch ihn war der Kandidat einst in die Zahl der akademischen Bürger Halles aufgenommen worden, und auf eine Empfehlung hin hatte er sogar persönlich Zutritt zu dem Hause des berühmten Mannes gefunden. So kam es, daß selbst August Hermann Francke die Seele des jungen Theologen nicht in dem gleichen Maße hatte beeinflussen können wie der erleuchtete Jurist und Philosoph.

Erfüllt und begeistert von seinen Ideen kehrte er nach Hause zurück, aber er hatte damit kein Glück in seiner hinterpommerschen Heimat. Die Geistlichen dort waren fast alle in Greifswald gebildet und also in der starrsten lutherischen Rechtgläubigkeit befangen. Sie betrachteten von vornherein jeden mit Mißtrauen, der von Halle kam; denn der Pietismus Franckes war ihnen fast ebenso zuwider wie die humane Aufklärung des Thomasius. So hatte sich Garbrecht ihrer Gunst nicht zu erfreuen, und da die adeligen Patrone natürlich auf den Rat ihrer Pastoren hörten, so waren seine Aussichten auf eine Pfarrstelle sehr gering. Er wäre vielleicht sogar in Not und Bedrängnis geraten, wenn ihn nicht Herr Joachim Ewald von Kleist auf Zeblin in sein Haus aufgenommen hätte.

Dem war damals gerade die Frau gestorben, und so stellte er seine vier Mädchen unter die Zucht einer französischen Gouvernante, die beiden Knaben unter das Regiment eines Informators. Das war in seiner Lage sehr vernünftig gehandelt, denn er selbst hatte mit der Verwaltung seiner Güter genug zu tun und konnte sich um die Erziehung seiner Kinder wenig kümmern. Auch die Stiefmutter, die er ihnen einige Jahre später gab, nahm die Zügel der Erziehung nicht in ihre Hand. Sie war ein polnisches Fräulein, eine Tochter des königlichen Kammerherrn von Dorpowski auf Grabiana, noch ziemlich jung, hübsch, lebenslustig und sehr geneigt, sich auf Zeblin zum Sterben zu langweilen. Darum verreiste sie überaus häufig zu Verwandten oder Freunden, wo es etwas zu sehen und mitzumachen gab, und so befand sie sich gerade jetzt wieder bereits seit sechs Wochen bei einer Tante in Dresden und schien noch kaum an die Heimkehr zu denken. Daher war Herr von Kleist sehr häufig nur auf den Informator seiner Kinder angewiesen, wenn er mit jemand in seinem Hause ein vernünftiges Wort reden wollte, wozu er ein starkes Bedürfnis besaß. Denn er hatte in der Tat Interessen, die über seine Wirtschaft, die Reitbahn und Wildbahn hinauslagen. Er liebte es, tiefsinnige Gespräche über Gott und die Welt zu führen, wobei er freilich oft verwunderliche Meinungen zum besten gab, aber auch Widerspruch wohl vertragen konnte. Solche Disputationen dehnten sich nicht selten bis weit über Mitternacht aus, und seine Partner mußten sich nicht nur durch eine tüchtige Suada, sondern auch durch eine trunkfeste Kehle auszeichnen. Denn Herr Joachim Ewald war der Meinung, daß zu jedem ernsten Männergespräch Rotwein gehöre, vieler, guter und starker, oder auch ein steifer Grog, bei dem das Wasser gänzlich fehlen durfte. So hatte er schon manchen mundtot gemacht, nicht durch das Gewicht seiner Gründe, sondern durch kräftiges Zutrinken.

Bei Garbrecht hatte er damit allerdings selten Glück, denn der stand in einem festen Trunke, wie in allen anderen Dingen, seinen Mann. Das trug sicher dazu bei, ihm die Achtung und das Wohlwollen des Edelmannes zu erhalten. Erworben hatte er sich beides durch die gerade Ehrlichkeit seines Wesens und die ungeschminkte Deutlichkeit, mit der er seine Meinung äußerte. »Man weiß immer, wie man mit dem Kerl dran ist,« pflegte Herr von Kleist von dem Lehrer seiner Kinder zu sagen.

Auch jetzt war der Kandidat fest entschlossen, ohne alle Umschweife für die von ihm erkannte Wahrheit einzutreten, selbst wenn der Edelmann, was nicht unwahrscheinlich war, den Aberglauben seiner Bauern teilen sollte.

Er schritt die Treppe hinab und trat auf die Diele. Dort öffnete sich eben die Tür, die zu der Wohnstube des Gutsherrn führte. Drei Bauern in ihren Sonntagsgewändern schoben sich heraus, und bei ihrem Anblick vermochte der Kandidat ein schadenfrohes Lächeln nicht zu unterdrücken. Denn ihre Mienen waren so finster und verbissen, daß man ihnen auf den ersten Blick ansah, sie hatten ihren Zweck bei dem Herrn nicht erreicht.

»Nun, Enbschulze, hat Euch der gnädige Herr die Wahrheit recht ordentlich gesagt?« fragte Garbrecht den ältesten und dicksten unter ihnen.

Der Bauer sah ihn mit einem queren Blicke an und murmelte: »Recht möt man doch Recht bliven.« Dann schritt er ohne Gruß mit den anderen dem Ausgange zu.

Der Kandidat blickte ihnen nach. »Wenn die Dummheit weh täte,« dachte er bei sich, »so müßten diese Menschen vor Schmerzen rasen.« Dann klopfte er an, und auf ein mürrisches »Herein« trat er ins Zimmer.

Das Gemach war halb finster, die Lichter waren noch nicht gebracht. Mit Mühe unterschied der Kandidat die große Gestalt des Edelmannes, der sich mit der Stirn gegen das Fensterkreuz gelehnt hatte und sich bei seinem Eintritt nur halb umwandte.

»Was wollt Ihr?« fragte er verdrossen. Die Anrede »Sie« gebrauchte ein pommerscher Edelmann gegenüber einem Geistlichen erst dann, wenn der die Ordination empfangen hatte. Daran änderte alle persönliche Wertschätzung nichts. »Ich will Ihnen danken, Herr von Kleist, dafür, daß Sie die Menschlichkeit und die Vernunft gegen unsere Bauern vertreten haben.«

»Was wißt Ihr denn davon?« fragte der Edelmann verwundert.

»Ewald sagte mir, weshalb die drei gekommen waren.«

»Der Ewald? Der Jung ist überall und nirgends. Er hört alles, was er nicht hören soll,« brummte Kleist.

»Es wird sich keiner so freuen wie er, daß Sie die abscheulichen Anträge der Leute zurückgewiesen haben,« bemerkte Garbrecht.

»Zurückgewiesen? Ich habe ihnen nur gesagt, ich wolle mir die Sache überlegen,« erwiderte der Edelmann langsam und bedächtig.

»Herrgott, was gibt's da noch zu überlegen!« fuhr es dem Kandidaten heraus.; »Man müßte einem Menschen, der einen anderen der Hexerei bezichtigt, fünfundzwanzig Stockprügel zudiktieren. Dann würde die alberne Bosheit bald verschwinden.«

»Meint Ihr?« sagte Kleist und ließ sich schwerfällig in einem Stuhl am Fenster nieder. »Na, ich will Euch was sagen, Kandidat: In diesen Dingen spricht der eine so, der andere so, und der Henker weiß, wem man glauben soll. Eueren Thomasius in Ehren, aber es gibt kuriose Dinge in der Welt.«

»Mein Herr von Kleist will doch nicht sagen, daß er an Teufelsbündnisse glaubt?« gab Garbrecht mit einem überlegenen Lächeln zur Antwort.

Der Schloßherr schlug sich mit der Faust aufs Knie. »Glaubt Ihr, daß es einen Teufel gibt?« fragte er unwirsch.

»Das ist nicht zu leugnen!« rief der Kandidat, »wird auch vom großen Thomasius nicht geleugnet.«

»Ist mir lieb zu hören,« entgegnete der Edelmann, »denn wer nicht an den richtigen Teufel glaubt, der glaubt auch nicht an den richtigen Gott. Warum soll er also nicht mit den Menschen einen Pakt schließen können?«

»Ja, warum sollten die Leute mit ihm einen Pakt schließen wollen?« gab der Kandidat zurück.

»Damit sie reich oder mächtig oder sonst was werden.«

Garbrecht lachte. »Das paßt auf den Fall, der vorliegt, ausgezeichnet. Die Daniela Kluska ist eine arme Schulmeisterswitwe und lebt in dem alten halbverfallenen Schulmeisterhause, das Ihre Gnade ihr überlassen hat. Sie nährt sich und ihre Susanne redlich durch ihrer Hände Arbeit und durch die Heilmittel, die sie für Menschen und Tiere bereitet.«

»Eben dadurch hat sie sich im Dorfe verdächtig gemacht,« warf Kleist ein.

»Natürlich!« sagte Garbrecht hart, und sein Gesicht rötete sich, »wer der Welt wohltut, wird zum Dank von ihr gesteinigt.«

»Man kann auch sagen,« erwiderte Kleist, »die Menschen tragen Scheu vor einem, der an die geheimnisvollen Kräfte der Natur rührt. Das ist nicht wohlgetan.«

»So sprachen Sie nicht voriges Jahr, als die Kunst dieser Frau den Ewald und die Adelheid vom Fieber kurierte,« sagte der Kandidat gelassen.

»Den Ewald hat sie seit der Zeit auch ganz verhext,« knurrte der Edelmann, »der Bengel steckt oft halbe Tage lang in ihrer Spelunke und spielt mit der Schulmeistersgöhre.«

»Das hat wohl seinen triftigen Grund,« entgegnete Garbrecht, »die Frau war seine Amme, und die kleine Susanne ist seine Milchschwester. Und ich will meinem Herrn von Kleist den tieferen Grund sagen, der ihn zu der Frau zieht. Er findet dort die Liebe, die er sonst nirgends wo findet, seit seine Mutter in die Ewigkeit eingegangen ist.«

»Was?« rief der Edelmann und sprang auf, »wollt Ihr sagen, ich liebe meine Kinder nicht?«

»Das durchaus nicht,« fuhr Garbrecht ruhig fort, »aber Sie können ihnen die Mutterliebe nicht ersetzen. Sie sind ein guter Vater, aber ein strenger Vater, wie die allermeisten Väter sind und wohl sein müssen. Deshalb bildet die zärtliche Mutter nach Gottes Ordnung eine Art Gegengewicht gegen die rauhe Art des Vaters. Das fehlt hier. Manche Kinder entbehren es weniger, andere sehr, und Ewald gehört zu diesen anderen. Seine neue Mutter ist, hm, mit Respekt zu sagen, sehr viel verreist. Er hungert nach Liebe und findet sie nicht. Auch seine älteren Schwestern sind nicht zärtlichen Gemüts. Darum läuft er zu der Witwe des Schulmeisters, die ihm von seiner seligen Mutter erzählt und ihr Grab mit ihm schmückt. Das, mein Herr von Kleist, das ist es, was ihn dorthin treibt, nichts anderes.«

Herr von Kleist hatte sich, während er so redete, ganz von ihm abgewendet, als schaue er angelegentlich in den dämmernden Hof hinaus. Er schwieg lange, dann sagte er mit seltsam veränderter, gepreßter Stimme: »Ihr möget wohl nicht unrecht haben. Ja, es war ein Jammer, daß meine selige Frau starb. Sie ist nicht zu ersetzen. Geht jetzt, wir reden über alle diese Dinge ein andermal. Sagt dem Diener, er soll die Lichter bringen; ich habe noch allerlei zu schreiben vor dem Nachtessen, denn ich fahre morgen in Geschäften nach Köslin, dann auf zwei Tage zu meinem Schwiegervater nach Groß-Poplow.«

Der Kandidat verbeugte sich und ging. Er war ergriffen, denn bewegt hatte er den Herrn von Kleist noch nie gesehen. Zugleich war es ihm peinlich, daß er dem Manne, der sonst seine Gefühle so streng vor der Welt verbarg, diese Äußerung entlockt hatte. Es kam ihm vor, als habe er an eine Wunde gerührt, die zu berühren ihm nicht zieme.

Mit einem Seufzer wandte er sich der hinteren Ausgangstür des Hauses zu, die in den Park führte. Dort lief ihm Franz Kasimir von Kleist, sein ältester Zögling, von außen entgegen.

»Wo ist dein Bruder Ewald?« fragte er ihn.

Der Knabe lächelte geringschätzig. »Er bringt die Schulmeistersuse heim.«

»Wen?«

»Na, das Kind von der –,« er machte eine verächtliche Handbewegung. »Sie hat wieder den ganzen Tag auf dem Hofe gesteckt, und nun traut sie sich nicht nach Hause und fürchtet sich.«

»Mit Fug und Recht. Warum bist du nicht mitgegangen?«

»Ich mag nicht. Das dumme Ding geht mich nichts an,« antwortete der Knabe trotzig.

»So! Welchen Weg sind sie?«

»Hinten durch den Park.«

Mit langen Schritten eilte der Kandidat den Kindern nach. Er mußte sich sagen, daß die Furcht der Kleinen keineswegs unbegründet war. Ihre Mutter war ja gewiß jetzt im Munde aller Leute, und rohe Burschen, die nach Feierabend umherschwärmten, mochten wohl auf den Gedanken kommen, an dem Kinde der verfemten Frau eine Gemeinheit zu verüben. Dem Herrensohne drohte allerdings kaum eine Gefahr, denn die Furcht vor der harten Hand des adeligen Gebieters bändigte auch die Frechsten. Aber vielleicht erlebte er etwas Abscheuliches, was ihm auf immer eine quälende Erinnerung blieb.

Seine Ahnung trog ihn nicht. Kaum war er aus dem Parke herausgetreten und den dämmernden Weg etwa hundert Schritte weit gegangen, da hörte er Stimmen, und hastig näher laufend und um eine Ecke biegend, gewahrte er eine eigenartige Gruppe.

Da stand der kleine Junker Ewald an einen Zaun gelehnt. Mit der Linken hatte er ein weinendes kleines Mädchen umfaßt, in der Rechten hielt er eine schwankende Gerte und schrie mit schriller Kinderstimme auf ein paar halbwüchsige Bengel ein, die grinsend vor den beiden standen.

»Geiht ut dem Weg, Lümmels, ich seggs min Vatter!«

»Lat sin, lütt Junker, dir dauhn wi nicks. Wir wölln det Hexenmäden en beten in de Radüe smeiten,« sagte der eine der Burschen mit rohem Lachen und streckte die Hand nach der Kleinen aus. Aber da pfiff die Gerte des Knaben durch die Luft, und er fuhr zurück mit einem breiten, roten Striemen auf dem Gesicht.

»Rackertüg!« knurrte er, indem er sich die getroffene Wange rieb. »Hei hadd mich geslagen. Jo, jo, jungen Spatzen und jungen Edellüt soll man bi Tiden de Köpp indrücken.«

»Was geht hier vor?« rief Garbrecht, der atemlos auf dem Platze erschien. Kaum gewahrten ihn die beiden Burschen, so drehten sie sich um und gaben Fersengeld. Denn wenn sie dem geistlichen Herrn entgegentraten, dann, das wußten sie, nahm die Sache ein sehr böses Ende. Dann setzte es Prügel, das war so sicher wie das Amen in der Kirche, und die Strafbank in der Zebliner Gerichtsstube war beiden schon bekannt.

»Geh nach Hause, Ewald!« sagte der Kandidat ruhig und freundlich. »Du weißt, du sollst nicht in der Dämmerung herumstreichen. Ich selbst werde Susanne zu ihrer Mutter bringen.«

Der Knabe gehorchte ohne ein Wort der Widerrede und wandte sich zum Gehen. Aber da stürzte das Mädchen laut weinend auf ihn zu, warf ihre dünnen Ärmchen um seinen Hals und küßte ihn auf die Wange.

Ewald duldete die Zärtlichkeit still mit einem scheuen Blick nach seinem Erzieher hin. Er erwiderte sie nicht, sondern legte nur leise seine Hand auf den Kopf des Kindes.

Der Kandidat war über den plötzlichen Gefühlsausbruch des Mädchens geradezu erschrocken. Er berührte ihn peinlich. »Gott bewahre mich,« dachte er, »welch leidenschaftliches Wesen steckt in diesem Kinde! Welche Frühreife! Nun ja, es ist polnisches Blut in ihr. Aber für den Knaben ist das nicht gut, nein wahrhaftig, gar nicht gut. Sie darf nicht mehr so viel mit ihm spielen, denn da werden leicht Sentiments geweckt, die noch lange in seiner Seele schlummern sollten. –«

Noch auf dem Heimwege grübelte er darüber, wie er die Kinder voneinander trennen könne, ohne Ewalds Herzen zu weh zu tun. Aber wie er auch sann, er fand keinen Ausweg.

II

In der Morgenfrühe des folgenden Tages hielt die Kalesche des Schloßherrn vor der Freitreppe. Vier Pferde waren davor, zwei Reitknechte saßen rechts und links auf ihren Gäulen. So gehörte es sich bei der Ausfahrt eines adeligen Herrn im Pommernlande.

Herr von Kleist trat aus der Tür, redete noch eine Weile mit dem Kandidaten Garbrecht und seinen Töchtern, erteilte dem Vogt einige schnelle Instruktionen und stieg dann in den Wagen. Die beiden Junker, denen erlaubt war, den Vater ein Stück Weges zu geleiten, kamen auf ihren Ponys von den Ställen her eilig heran, und der Zug setzte sich in Bewegung.

Aber schon am Tore hielt er wieder. Eine Rotte von Bauern schob sich da herein, Weiber und Kinder hinter ihnen.

»Zum Henker, Schulze, was soll's? Sieht er nicht, daß ich verreisen will?« fragte Kleist unwirsch.

Der Bauer räusperte sich und fing dann zu reden an, langsam und breit, wie es seine Art war: »Ich wollt' dem gnä'n Herrn nur vermellen, dat min andrer Ochs ooch noch krepiert is.«

»Tut mir leid,« schnitt ihm der Edelmann kurz das Wort ab. »Kann aber nichts dafür. Jochem, fahr zu!«

»Jo, aber die Hexe!« rief der Bauer und ballte die mächtigen Fäuste, und seine kleinen, grauen Augen funkelten wie die eines gereizten Stieres. »Sell sie frei leddig blieven? Sie gehürt ins Loch und dann aufs Gericht!«

»Da ist man all noch Tid, bis wi wiederkamen,« erwiderte Herr von Kleist, »marsch, Jochem!«

Der Wagen zog an. Um ein Haar wäre sein Vorderrad dem Schulzen über die Füße gegangen. Der stand noch lange auf demselben Fleck und schüttelte die Fäuste und murmelte Flüche und Verwünschungen vor sich hin, während die anderen ihn murrend umringten.

Herr von Kleist war mit finsterem Angesicht in seinen Sitz zurückgesunken. Die Szene war ihm peinlich gewesen, denn er war keineswegs aufgeklärt genug, um das Ansinnen des Erbschulzen aus voller Überzeugung zurückzuweisen. Sein seliger Vater, das wußte er, hätte eine Person, die unter solchem Verdachte stand, ohne weiteres einsperren lassen und dann dem landesherrlichen Gericht überliefert. Dort mochte sie sehen, wie sie los kam. Auch ihm selbst war in früher Kindheit schon eingeprägt worden, daß viele von den Übeln, die das Menschengeschlecht betreffen, durch die Diener und Dienerinnen des bösen Feindes verursacht werden. Dieser Glaube war durch Garbrecht und die Bücher, die er von ihm empfangen hatte, stark erschüttert worden, aber gänzlich ausgerottet war er nicht aus seiner Seele. Er wußte nicht, ob er recht gehandelt hatte, wie seine Pflicht als Gerichtsherr gebot, und fühlte zugleich einen Abscheu vor dem Gedanken, die frühere Dienerin seiner Frau und die Retterin seiner Kinder aus schwerer Krankheitsgefahr in einen peinlichen Prozeß zu verstricken.

So fuhr er dahin im Zwiespalt mit sich selbst, und was er um sich her erblickte, konnte ihn nicht heiterer stimmen. Jetzt erst sah man, was das furchtbare Unwetter des gestrigen Vormittags auf den Feldern angerichtet hatte. Das Korn, das vorgestern noch im Winde gewogt hatte wie ein weites grünes Meer, lag zerschlagen am Boden. Verwüstung und Jammer, soweit das Auge reichte!

Herr von Kleist wußte, was das für ihn bedeutete. Wenn ihm seine Schwiegermutter in Groß-Poplow nicht half, nicht helfen konnte, so standen ihm schwere Tage bevor.

Den beiden Knaben war es kein Vergnügen, neben dem wortkargen, düster vor sich hinblickenden Vater durchs Land zu reiten. Sie waren daher froh, als er sie bei einer Wegbiegung verabschiedete. Sie schwenkten ihre Mützen, wünschten als artige, wohlerzogene Junker dem Herrn Vater glückliche Reise und baten, den Herrn Großvater und die Frau Großmutter sowie den Onkel Christian zu grüßen. Dann aber wandten sie schnell ihre Pferde und jagten davon, als hätte man sie bisher an Ketten gehalten.

»Der Vater ist gar zu verdrießlich,« bemerkte Franz, als die Tiere wieder eine ruhigere Gangart eingeschlagen hatten.

»Er sah aus wie der Bär, den Herr Garbrecht in seinem großen Buche hat.«

»Ich weiß, warum er so verdrießlich ist,« sagte der Kleine wichtig.

»Na, das ist nicht schwer zu erraten,« lachte Franz. »Die Ernte ist ihm verhagelt.«

Ewald schwieg eine Weile, dann sagte er geheimnisvoll: »Du, ich glaube, der Vater hat kein Geld mehr.«

Der Ältere, der einen Schritt vorausritt, warf mit einem Ruck den Kopf herum. »Kein Geld? Wie kommst du auf solchen Unsinn?«

»Als neulich Onkel Christian da war, sagte der Vater zu ihm im Parke: ›Wenn diesmal der Weizen so schlecht gerät wie im vorigen Jahre, so kann ich dem Jüd Abraham in Stettin die Zinsen wieder nicht bezahlen.‹ Und nun hat er gar keinen Weizen.«

Der größere Knabe pfiff durch die Zähne. »Das hast du gehört?«

»Ich saß auf der großen Ulme, sie gingen darunter weg.«

»Na, da wird ihm ja der Großvater schon aus der Patsche helfen,« sagte Franz nach einigem Besinnen. »Ich glaube, der hat viel Geld. Denke einmal, was sie auf Groß-Poplow alles haben, Kronleuchter und seidene Vorhänge und einen Papagei, und die Großmama hat sogar einen echten Mops. Der Vater sagte, der wäre fünfzig Dukaten wert und darüber.«

»Aber ich möchte doch nicht dort wohnen,« warf Ewald ein. »Dort muß man immer in guten Sachen gehen, und wenn man sich barfuß macht, schreit die Großmama: ›Affrös, affrös!‹ Und man muß immer die Hand geben und Komplimente machen und sich gerade halten.«

»Das müssen wir alles können, wenn wir Kavaliere werden und an den Hof kommen,« versetzte Franz Kasimir weise.

»Ach, ich will gar kein Kavalier werden und mag auch nicht an den Hof!« rief der Jüngere.

»So? Was willst du denn werden? Willst du immer auf unserem Gute hocken?«

»Am liebsten würde ich Förster,« sagte Ewald eifrig. »Oder Forstmeister, weißt du, wie der Onkel Hans. Im Walde, da bin ich doch am liebsten. Wenn so die Sonne durch die grünen Zweige scheint und die Vögel singen, da ist's doch zu schön, wie in einem Märchen.«

Das Gesicht des Knaben nahm bei diesen Worten einen fast schwärmerischen Ausdruck an, und die großen blauen Augen blickten traumverloren in die Ferne.

Der ältere Bruder sah es von der Seite und lächelte spöttisch. »Ach was, Forstmann!« rief er. »Ein Kleist muß Offizier werden!«

»Offizier? Ja, wenn Krieg wäre. Aber sonst ist das Exerzieren zu langweilig,« gab Ewald zurück.

»Na, du und Krieg!« erwiderte Franz Kasimir geringschätzig. »Das ist nichts für dich. Du solltest lieber Prediger werden.«

Das Gesicht des Jüngeren rötete sich. »Warum?« fragte er hastig.

»Weil du immer so klug snackst, und Mut hast du auch nicht!«

»Was, ich habe keinen Mut?« schrie der Knabe erbittert. »Sieh man zu, ob du das kannst!«

Er gab seinem kleinen Pferde die Sporen, setzte mit ihm über den Straßengraben, jagte über eine kleine Wiese und überflog einen breiten Abzugskanal, in dem sich trübes, schlammiges Wasser dem Flüßchen Radüe zuwälzte. Dann ritt er mit blitzenden Augen auf seinen Bruder wieder zu.

»Dortau is mien Pierd tau dick,« sagte der gleichgültig.

»Nee, dazu bist du selbst zu faul und ungeschickt, du Großhans!«

»Was bin ich?« rief der Ältere und erhob seine Reitgerte.

»Kurz und dick, Ungeschick!«

sang Ewald spottend und setzte von neuem sein Pferd in Trab. »Fang mich, wenn du kannst!«

Die Knaben waren dabei ins Dorf eingebogen, der Ältere immer dicht hinter dem Jüngeren, doch ohne ihn einholen zu können. Plötzlich aber, um eine Ecke biegend, hemmten beide mit einem Ruck den Lauf ihrer Tiere.

Sie hätten auch beim besten Willen nicht weitergekonnt, denn auf der engen Straße hatte sich die ganze Bewohnerschaft des Ortes zusammengedrängt, Männer, Weiber, Kinder, alles durcheinander. Der Kandidat Garbrecht war auch da. Er stand vor der niedrigen Lehmhütte der Schulmeisterswitwe *Kluska* und hatte beide Arme beschwörend zum Himmel emporgehoben. Laut gellte seine scharfe, durchdringende Stimme über die Menge hin, die ihm murrend und fluchend entgegendrängte.

»Leute!« rief er, »Leute, nehmt Vernunft an! Was ihr hier tut, ist Verbrechen, Landfriedensbruch! Ihr bringt euch in den Kerker!«

»Hei hat uns nicks tau seggen!« tönte es ihm entgegen. »Rut, rut mit die Hexe! Wi wölln se swimmen laten!«

»Herr Garbrecht, ich hole den Vater!« schrie da eine helle Kinderstimme in den Tumult hinein, und blitzschnell, ohne jedes Überlegen wandte der kleine Ewald sein Pferd um und jagte den Weg zurück, den er gekommen war. Wie ein Rasender trieb er sein Tier zum schnellsten Galopp an. Aber er kam nicht weit. Als er in die große Straße einbog, die von Köslin nach Polzin führt, kam ihm in gemächlicher Fahrt ein offener Wagen entgegen. Darin saß der Landrat von Kleist, ein entfernter Vetter seines Vaters, und neben ihm ein fremder Herr mit einem Sterne auf der Brust. Zwei Offiziere ritten links und rechts neben dem Wagenschlage, und mehrere Dragoner folgten in einiger Entfernung.

Der Knabe war im Nu von seinem Pferde herunter, das keuchend stehen blieb. »Herr Landrat, zu Hilfe, zu Hilfe! Der Vater ist nicht zu Hause, und da wollen die Bauern die Daniela tot machen!«

Die Kutsche hielt an, und der fremde Herr bog sich verwundert heraus. »Was ist das für eine tolle Geschichte?« fragte er. »Wer bist du, Jung?«

»Ich heiße Ewald von Kleist.«

»Kennt er den Bengel, Kleist?« wandte sich der Fremde an den Landrat.

»Jawohl, Majestät, es ist der zweite Sohn des Zebliners.«

»Des Zebliners? Kenne ich nicht. Hat er gedient?«

»Das nicht, Majestät, aber er ist ein tüchtiger Landwirt.«

»So. Freut mich zu hören. Nun komm mal her, mein Söhnchen, und erzähl' deine Sache. Ich bin der König.«

Ewald sperrte Mund und Augen auf. Wie? Der untersetzte Mann in der Kutsche war der König, den alle im Lande fürchteten? Er hatte ja einen ganz gewöhnlichen Offiziershut und keine Krone auf dem Kopfe, dachte der Knabe. Aber dabei schoß ihm der Gedanke durchs Hirn, daß er seine eigene Mütze noch auf dem Kopfe habe. Er riß sie eilfertig herunter und sagte höflich: »Guten Morgen, Herr König.«

Die Offiziere lachten. Auch der also begrüßte König schmunzelte. »Nun aber man fix, mein Jung!« rief er, »was ist in eurem Dorf passiert?«

Ewald erzählte hastig, stockend, seine Worte manchmal überstürzend. Je länger er sprach, um so mehr verfinsterten sich die Mienen des Königs, und als der Knabe seinen Bericht beendet hatte, schlug er mit der Faust auf das Kutschenleder, daß es knallte.

»Das ist ja unerhört!« rief er. »Das Volk nimmt sich selbst das Recht, als gäbe es keine gottgeordnete Obrigkeit. Was sagt er dazu, Kleist? He? Na, ich werde die Rackers lehren und ein Exempel statuieren. Vorwärts!«

Der Wagen rollte im schärfsten Trabe ins Dorf. Als er um die Ecke bog, wurden gerade die lauten Hilferufe eines Weibes hörbar. Die Bauern hatten die schwarze Daniela aus ihrem Häuschen ins Freie gezerrt. Sie lag auf den Knien und klammerte sich verzweifelt an den Kandidaten Garbrecht, der vergeblich auf das wütende Volk einredete.

»Wi wollen det Beest im Teiche swimmen laten. Sinkt sei unner, dann is sei schüllig un mag ersupen. Swimmt sei baben, so is sei unschüllig un kann geihn, woan sei will,« dekretierte eben der Dorfschulze mit schallender Stimme. Dann drehte er sich langsam um, betroffen über die Stille, die plötzlich hinter ihm entstand. Da fiel ihm der Stock aus der Hand, und das Wort blieb ihm in der Kehle stecken. Denn da saß im Wagen ein Mann mit zornrotem Angesicht, den er gar wohl kannte. Fast jeder Preuße wußte ja, wie der Monarch aussah, der unermüdlich kreuz und quer in seinem Lande umherfuhr, überall revidierte und streng darauf sah, daß das Rechte getan und das Unrechte gemieden werde.

»Der Düvel, der König!« stotterte der Schulze verwirrt und erschrocken.

»Seine Majestät! Den hat Gott selbst hergeführt,« rief der Kandidat Garbrecht.

Eine tiefe Stille entstand und wurde immer tiefer und beklemmender. Ein Heiduck war vom Bock gesprungen und riß den Wagenschlag auf.

Friedrich Wilhelm stieg langsam aus und schritt durch die Menge, die scheu und stumm zurückwich, der Tür der Hütte zu, wo sich der Kandidat noch immer nicht von der verzweifelten Frau und ihrem Kinde zu lösen vermochte.

»Wer ist er?« fuhr ihn der König an.

»Ich bin der Kandidat der Theologie Garbrecht, Präzeptor beim Herrn von Kleist, und wollte hier ein Verbrechen verhindern,« erwiderte der junge Mann, dem König fest in die durchbohrenden Augen blickend.

»Da hat er Recht getan. Und er? Was hat er hier zu suchen?« schnaubte der König den Erbschulzen an, der jetzt dicht vor ihm stand.

Der vermochte nicht zu antworten, so war ihm der Schreck in die Glieder gefahren.

»Eure Majestät halten zu Gnaden,« sagte Garbrecht, »die Leute hatten die Frau da, die Witwe des seligen Schulmeisters, eine ganz brave Person, der Hexerei beschuldigt. Da Herr von Kleist nicht auf ihr Geschwätz hörte, wollten sie in seiner Abwesenheit die Hexenprobe mit ihr vornehmen.«

Der König wandte sich wieder dem Schulzen zu, und sein Gesicht wurde braunrot vor Zorn. »Ist das wahr? Was hat er zu sagen?«

Der Bauer drehte seine Mütze unschlüssig in den Händen hin und her. In seinem eigenwilligen Gesicht malten sich zugleich Furcht und Trotz. »Dat Wiv«, sagte er, »hat uns Hagelwetter gemacht un uns Veih verhext. Uns gnä' Herr wull nich up uns hüren und fohr wegg. Da hewwen wi sülbst uns Recht schapen wölln.«

»Kanaille!« schrie der Monarch in hellem Zorn und hob den Stock. »Du bist dazu eingesetzt, in deinem Dorfe auf Ordnung zu halten und stiftest die Leute zu Rebellion an? Sind wir beim Großtürken? Weißt du nicht, wo du Recht findest, wo jeder Recht findet in Preußen? Kennst du meine Gerichte nicht? Erfrechst du dich, selbst richten zu wollen? Wart', ich will dich lehren, ich will dich lehren, Bursche!«

Dabei sauste der königliche Rohrstock unablässig auf die Rückseite des unglücklichen Dorfoberhauptes hernieder. Der wandte sich hin und her, sprang von einem Bein aufs andere und bat ächzend um Gnade, aber der König hörte nicht eher auf, als bis der Sünder eine tüchtige Tracht Prügel empfangen hatte.

Dann drehte ihm der Monarch den Rücken zu und wendete sich an Garbrecht. In seinem Antlitz lag mit einem Male nicht der geringste Zorn mehr, es war, als habe der sich bei der kräftigen Motion ganz und gar ausgetobt.

»Nun zu ihm, Theologe,« sagte er, »meint er, daß diese Person unschuldig ist?«

»Majestät!« rief Garbrecht, »sie hat nie etwas Böses getan, wohl aber vielen Leuten viel Gutes erwiesen. Es ist nur die Dummheit der Menschen, die sie verlästert. Die Menschen sehen in allen Dingen Hexerei und Wirkungen des bösen Feindes, während Gott der Herr das Unglück zu unserer Prüfung schickt.«

»Er meint das Hagelwetter? Bong!« versetzte der König; »ist der Gutsherr derselben Meinung?«

»Ich glaube *wohl*, Majestät.«

»Na, dann werdet ihr ja wissen, und mein Amtmann braucht sich nicht mit dem Kasus zu befassen. Solche Prozesse sind mir ohnehin stark zuwider. Gar zu leicht werden Unschuldige dabei übel torquiert. Habe im Sinne, sie ganz abzuschaffen.«

»Gott segne Eure Majestät dafür!« rief der Kandidat und sah dem König mit so inniger Verehrung in die Augen, daß dieser unwillkürlich lächelte.

»Er hat gewiß in Halle studiert,« sagte er wohlwollend.

»Jawohl, Eure Majestät.«

»Bei Francke?«

»Bei demselben. Auch ward ich von dem berühmten Thomasius persönlichen Umgangs gewürdigt.«

»Der Francke und der Thomasius sind beides sehr reputierliche Subjekte,« versetzte die Majestät gnädig. »Und er scheint mir von ihnen profitiert zu haben, scheint mir ein resoluter Mensch zu sein. Kann er denn auch predigen?«

»Ich denke, es passiert,« erwiderte der Kandidat bescheiden.

»Na, dann kann er gleich einmal loslegen. Die Racker hier haben eine Strafpredigt verdient, weil sie sich gegen ihre Obrigkeit aufgelehnt haben. Den Text weiß er also. Wart' er, bis ich wieder in dem Wagen bin, dann fang er an.«

Dem Kandidaten wurde es einen Augenblick schwarz vor den Augen, und es durchfuhr ihn ein gewaltiger Schreck. Hier sollte er reden, auf der Straße, ohne Talar und Bäffchen, und noch dazu vor dem König! Aber er faßte sich rasch. Eine kunstvolle Predigt konnte der Herr nicht von ihm verlangen. So wollte er denn schlicht und von der Leber weg über den Text sprechen: Jedermann sei Untertan der Obrigkeit, die Gewalt über ihn hat.

Als er das Bibelwort sprach, nahm der König den Hut ab und faltete die Hände. Alle machten es ihm auf der Stelle nach.

Der Kandidat sprach zunächst befangen und stockend, allmählich aber redete er sich in Eifer und in Begeisterung hinein. Der König, der mit dem andächtigsten Gesichte im Wagen saß, nickte mehrmals bestätigend und beifällig mit dem Kopfe.

»Komm' er her,« rief er, als Garbrecht geendet hatte, »er ist ein tüchtiger Kerl, er hat mich erbaut. Leider ist seine Statur zu klein, sonst könnte er Feldprediger werden. Aber hör' er, Kleist, die erste Pfarre, die im Kreise aufgeht, kriegt dieser Musjöh. Ganz egal, wer Patron ist, er soll dem Konsistorium präsentiert werden. Keinen Dank – keine Flattusen – will nichts davon hören.«

Darauf winkte er den kleinen Ewald heran und legte ihm die Hand auf den blonden Kopf. »Du bist ein braver Bursch' und ein forscher Bengel. Sage deinem Vater, er soll dich Offizier werden lassen. Wenn ich noch lebe, werde ich dein nicht vergessen. Vor der Hand aber soll er dir eine große

Schlackwurst schenken. Nun aber, Kutscher, fahr zu! Wir haben eine gute halbe Stunde verloren.«

III

Der Tag, der mit diesen Ereignissen begonnen hatte, war für die Junker von Kleist schulfrei. Das Gemüt des Kandidaten Garbrecht war viel zu bewegt, als daß er die Regeln der lateinischen Grammatik hätte dreschen mögen. Noch weniger traute er seinen Zöglingen irgendwelche Sammlung und Aufmerksamkeit zu. Die Knaben waren aufs höchste aufgeregt. Etwas so Interessantes hatten sie noch nicht erlebt, seit vor zwei Jahren ein Wolf in der Gegend aufgetaucht und zur Strecke gebracht worden war. Sie aßen bei Tische kaum ein paar Bissen, erzählten dagegen immer nur Beobachtungen, die sie gemacht haben wollten, und die Schwestern, die den Auftritt leider versäumt hatten, hörten voller Neid und Erstaunen zu. Unter gewöhnlichen Umständen würde der Kandidat solch lautes Sprechen bei Tisch ernstlich gerügt und verboten haben, denn den Kindern geziemte das nicht, sie hatten vom Anfang bis zum Ende den Mund zu halten. Heute aber vergaß der gestrenge Mentor seiner Pflicht ganz und gar. Er hörte offenbar überhaupt nicht, was gesprochen wurde, und als ihn Madame Colette, die Gouvernante der Mädchen, in zierlichem Französisch etwas fragte, gab er eine total verkehrte Antwort. Derselben Dame machte er beim Aufstehen ein so flüchtiges Kompliment, daß sie ihm erstaunt und fast gekränkt nachblickte.

Auf seiner Stube angekommen, riegelte Garbrecht sich ein. Er wollte allein sein, in Ruhe über das nachdenken, was ihm geschehen war. Er zündete sich seine lange Pfeife an und warf sich in seinen Sorgenstuhl. Am Vormittag hatte er vor demselben Stuhl auf den Knien gelegen und Gott für seine Gnade mit Tränen gedankt. Denn er wußte wohl, was des Königs Machtwort für sein Leben bedeutete. Kein Konsistorium, kein Patron hätte gewagt, das Wort des Monarchen unberücksichtigt zu lassen, und im Kreise waren viele bejahrte Prediger, deren Abgang durch Tod oder Emeritierung nahe bevorstehen mußte. So war ihm mit einem Male die schönste Aussicht geöffnet. Er konnte seine alte Mutter bald ganz anders unterstützen als bisher, vielleicht auch einen Traum verwirklichen, in dem ein hübsches blondes Jungfräulein aus Thorn eine nicht unwesentliche Rolle spielte.

Das alles durchdachte er nun noch einmal, starke Tabakswolken ausstoßend und hin und wieder die Hände faltend voller Dank gegen die göttliche Providenz, die so sichtbar in seinem Leben zutage getreten war.

Inzwischen beschäftigten sich die unbeaufsichtigten Herren Junker in weniger rühmlicher Weise. Sie spielten König mit den Kindern der Tagelöhner, die sie auf der hinteren Wiese des Parkes, in weiter Entfernung vom Hause um sich versammelt hatten. Franz Kasimir ward in einer Schiebekarre herbeigefahren und verhieb mit einem Haselstock den dicken Schäfersjungen Andreas ganz natürlich, wie er es am Vormittage von

Seiner Majestät gesehen hatte. Der Inkulpat nahm die Tracht Prügel anfangs gleichmütig hin, wie er schon so manche in seinem Leben hingenommen hatte. Als es aber der König gar zu arg machte, heulte er laut auf und warf den übereifrigen Monarchen zu Boden. Dies gab das Zeichen zu einer allgemeinen Prügelei, denn Ewald stellte sich auf Seite des über Gebühr Gezüchtigten, den der ergrimmte König als einen Majestätsverbrecher in den Schweinestall sperren wollte.

In der Schlacht, die sich nun erhob, siegte der Anhang des Königs gänzlich über die Rebellen. Ewald und die Seinen wurden zerstreut, zersprengt und durch den ganzen Park verfolgt. Der schnelle und geschmeidige Führer schlüpfte in das dichte Gebüsch und erkletterte eine alte Esche, deren Zweige ihn von den nachsetzenden Feinden verbargen. Er stieg gemächlich höher und höher und klomm bis in die Krone hinauf. Dort blieb er still sitzen, auch als das Spiel längst zu Ende war und die schnell versöhnten Widersacher unter seinem luftigen Sitze einen Feldzug gegen etliche Rabennester in den Erlen an der Radüe berieten. Er beschloß, sich an diesem Streiche nicht zu beteiligen, sondern inzwischen seine Freundinnen Daniela und Susanne aufzusuchen.

Der Knabe hatte das Gefühl, daß dieser Besuch von seinem Präzeptor nicht gebilligt werden würde. Er wartete daher vorsichtig, bis sein Bruder und dessen Spielgenossen abgezogen waren. Erst als die Luft ganz rein war, glitt er behend an dem Stamme hernieder, wand sich durch das dichte Gebüsch, schwang sich über die niedrige Mauer und lief klopfenden Herzens übers Feld nach dem Dorfe, an dessen Eingang das kleine, verfallene Haus der Witwe lag. Er klopfte an die Holztür, aber nur der Widerhall antwortete. Er drückte auf die Klinke, aber die Tür war verschlossen. Nun spähte er durch die blanken Scheiben in das Innere, die Stube war leer. Er rief endlich, erst zaghaft, dann mit lauter Stimme, aber nur die große graue Hauskatze kam um die Ecke gelaufen und schmiegte sich schnurrend an seine Knie.

Ewald beugte sich nieder und streichelte das Tier, aber es war ihm in der tiefen Stille bänglich und beklommen zumute. Er setzte sich auf eine schmale Bank, die an der Hauswand hinlief. Hier hatte die Daniela oft gesessen an schönen Sommerabenden und gestrickt und Märchen erzählt, und die beiden Kinder hatten ihr zur Seite gesessen und mit großen glänzenden Augen zugehört. Das Märchen vom Froschkönig fiel ihm plötzlich ein, und es war ihm, als hörte er deutlich die Stimme seiner kleinen Gespielin, die tief aufatmend sagte: »Wenn du einmal verzaubert wirst, rette ich dich auch.«

Und plötzlich stand sie vor ihm, atemlos vom raschen Laufen, die gewöhnlich etwas blassen Wangen hoch gerötet.

Der Knabe sprang auf. »Wo kommst du denn her?« rief er. »Wo ist deine Mutter? Warum hast du dein blaues Sonntagskleid an?«

»Die Mutter wartet auf dich droben am Walde in der Krähenhütte. Du hast mir doch gestern gesagt, du wolltest heute nachmittag dorthin kommen.«

»Ja, das hatte ich vergessen,« sagte Ewald. »Aber was tut deine Mutter dort? Wir zwei wollten doch spielen?«

»Komm!« rief die Kleine und ergriff ihn am Arm. »Wir warten dort schon lange. Die Mutter will dir, glaub' ich, was sagen.«

Schweigend liefen die beiden Kinder quer übers Feld dem Walde zu. Dort stand eine alte, halbverfallene Hütte, die vor vielen Jahren zum Krähenschießen benutzt worden war. Jetzt war sie längst überwuchert von Brombeergestrüpp und wilden Rosen, und nur ein kundiges Auge konnte den schmalen Eingang finden, durch den man in ihr Inneres gelangte. Im Frühling hatte Ewald das verlassene Nest entdeckt, und seitdem war es sein Lieblingsspielplatz geworden, wo er stundenlang in der grünen Dämmerung saß und träumte. Keinem Menschen außer der kleinen Susanne hatte er das Geheimnis anvertraut, auch seine Geschwister wußten nicht darum.

Als jetzt die beiden dem Versteck sich näherten, erhob sich hinter einem dichten Wacholderbusche eine Frau aus dem Grase. Sie trug wie ihr Kind sonntägliches Gewand, neben ihr lag ein großes Bündel und ein Stock auf der Erde.

»Da bist du ja, kleiner Junker,« sagte sie und heftete einen Blick voll heißer Zärtlichkeit auf den Knaben. »Wir haben auf dich gewartet, und wie du übers Feld liefst nach unserm Hause, da hab' ich die Sanna dir nachgeschickt. Ich konnte doch nicht fort, ich mußte dich noch einmal sehen. Und aufs Schloß konnte ich nicht kommen.«

Der Knabe starrte sie erschrocken an. »Du willst fort, Daniela?«

»Ich muß,« sagte die Frau hart, und ein bitterer Schmerz prägte sich in ihrem Antlitz aus. »Sie sagen ja, ich wäre eine Hexe.«

»Das ist nicht wahr!« Der Knabe stürzte auf sie zu und umschlang sie stürmisch. »Der König hat's ja dem Schulzen gegeben!«

Die Frau strich mit zitternden Händen über den lockigen Kinderkopf, der sich an sie schmiegte. »Mein kleiner Junker, der König ist fortgefahren, und die Bauern sind noch da. Wer weiß – sie stecken mir am Ende in der Nacht das Haus an. Wir müssen fort, wir müssen fort,« wiederholte sie tonlos.

»Nein, nein!« schrie Ewald. »Ich will nicht, daß du fortgehst. Du sollst dableiben und Sanna auch. Wenn ihr fortgeht, bin ich zu allein, du mußt dableiben, hörst du. Du sollst aufs Schloß kommen. Herr Garbrecht und der Vater leiden nicht, daß dir die Bauern etwas tun!«

Er brach in ein lautes Weinen aus und umklammerte sie dabei immer heftiger.

In das Gesicht der großen, knochigen Frau trat ein gequälter, hilfloser Ausdruck. Sie konnte kein Kind weinen sehen, dieses am wenigsten. Sie hing an dem kleinen Ewald mit der fast abgöttischen Zärtlichkeit, mit der sie an ihrer toten Herrin gehangen hatte. Er war ihr so ähnlich im Äußeren wie in seinem Wesen, viel ähnlicher als die Töchter, die in ihrer ganzen Art mehr nach dem Vater geschlagen waren. Ja, um dieses Kindes willen wäre sie gern in Curow geblieben. Sonst hielt sie hier nichts als zwei Gräber, das ihrer Herrin und das ihres Mannes, der nach kurzer Ehe schon vor acht Jahren gestorben war.

Sie wußte nicht, was sie sagen, wie sie das schluchzende Kind trösten und beruhigen sollte. Da sprach neben ihr die kleine Susanne mit merkwürdig fester Stimme: »Sei ruhig, Ewald, wir kommen ja wieder.«

»Ja, wir kommen wieder,« wiederholte die Mutter. Mit dieser Lüge hatte sie ihre kleine Tochter dazu gebracht, daß sie ihr still aus dem Hause folgte. Die mußte sie nun auch dem Knaben sagen, damit sein wilder Schmerz sich sänftigte.

»Ihr kommt wieder? Wann kommt ihr? Nächste Woche? Wenn der Vater wieder da ist?« stieß Ewald noch immer schluchzend hervor.

»Ja, mein Jung, wenn dein Vater wieder da ist,« erwiderte die Frau mit zitternder Stimme. »Und nun höre, Ewald, ich will dir noch was geben. Hier ist ein Zettel, ich habe ihn geschrieben. Den gibst du dem jungen Herrn Pastor. Vergiß das ja nicht. Gib ihn gleich ab, wenn du heimkommst. Da ist auch der Schlüssel zum Hause und zum Stalle. Sage dem Herrn Pastor, meine Ziege und auch meine Katze —«

Sie brach ab, und ein würgendes Schluchzen kam aus ihrer Brust. Die mühsam bewahrte Fassung brach mit einem Male zusammen. Sie sank vor dem Kinde in die Knie und riß es an sich. Die ganze wilde Leidenschaft ihres Blutes kam plötzlich zum Ausbruch. Sie bedeckte sein Haar, seine Hände, seine Füße mit brennenden Küssen und stammelte in jammervollen Tönen: »Mein Goldkind, mein allerliebster Junker, mein Herzblatt! Ach, daß ich dich da lassen muß! Ach, daß ich dich nicht mitnehmen kann! Wer hat dich so lieb wie die alte Daniela! Wie mein eignes Kind, wie mein eignes Kind hab' ich dich lieb. Und nun muß ich von dir fort!«

So ging es eine ganze Weile, während der Knabe steif und bleich dastand und die wilden Liebkosungen mit ängstlichen Augen über sich ergehen ließ.

Mit einem Male stand das Weib auf und strich sich die wirren Haarsträhnen aus dem Gesicht. Alle Weichheit war aus ihren Zügen verschwunden, sie waren wieder hart und steinern. »Na, adjüs auch,« sagte sie mit trockener Stimme. »Gib den Zettel ab, vergiß ihn nicht.« Dann ergriff sie die Hand ihres Kindes. »Komm, es wird Zeit!«

»Sanna!« schrie Ewald auf, als die Kleine an der Hand ihrer Mutter dem Walde zuschritt. Das Kind wandte den Kopf und sah ihn mit einem kläglichen Blick an. Da sprang er auf die kleine Gespielin zu, warf die Arme um ihren Hals und küßte sie.

Kaum war das geschehen, so fuhr er zurück und ward glühendrot. Seit seiner Mutter Tode, und das war schon mehrere Jahre her, hatte er nie einem Menschen einen Kuß gegeben. Und nun einem kleinen Mädchen! Mitten in dem tiefen Weh, das sein Kindesherz empfand, kam ihm der Gedanke, daß das eines Jungen unwürdig sei. Wie würde Franz Kasimir spotten, wenn er das gesehen hätte!

Von plötzlicher Scham übermannt, lief er ein Stück abseits, kauerte am Wegrande nieder und barg sein Gesicht in den Händen. So saß er eine ganze Zeitlang.

Als er wieder aufblickte, waren die beiden verschwunden. »Sanna! Daniela!« rief er laut und rannte ein Stück in den Wald hinein. Aber er fand sie nicht und auch, als er von neuem rief, kam keine Antwort. Nur ein Häher flog mit höhnischem Kreischen an seiner Seite auf. Sonst blieb es totenstill im Walde.

Da warf er sich nieder auf das feuchte Moos und weinte, wie nur ein Kind weinen kann, so herzbrechend und zugleich den Schmerz in Tränen fortspülend, das Herz entlastend und befreiend.

Dann stand er auf und ging langsam ins Schloß hinunter. Der Tag hatte sich schon geneigt, purpurnes Abendrot stand am Himmel. Darum war der Herr Garbrecht aus seiner dumpfen Klause in den Park hinabgestiegen, und hier gab ihm der Knabe den Brief.

Der Kandidat las und knüllte dann das Papier zusammen. »Die Bosheit hat also wieder einmal gesiegt,« murmelte er. »Aber es ist gut so, sie sind in ihrer polnischen Heimat sicherer.« Dann heftete er einen langen, mitleidvollen Blick auf das Kind. »Haben sie dir Adieu gesagt?« fragte er.

Ewald nickte.

»So komm, mein Sohn. Wir wollen den Schäfer mitnehmen. Wir müssen ja für die Ziege sorgen. Und die Katze – sie kennt dich ja –, die darfst du behalten.«

»Ich will sie aufheben und füttern, bis Daniela wiederkommt,« sagte Ewald.

»Tue das,« erwiderte der Kandidat und strich ihm sanft über den Kopf.

IV

Einige Tage später kam eine riesige Reisekarosse auf den Schloßhof von Zeblin gefahren. Es entstiegen ihr der Herr des Hauses, dann ein kleiner alter Herr mit einem gutmütigen, roten Gesicht und einem ungeheuren schneeweißen Hängeschnurrbart und eine alte Dame, die ihn um Haupteslänge überragte und sehr vornehm und würdevoll aussah. Das waren die Schwiegereltern des Zebliners, der Gutsherr Franz Heinrich von Manteuffel auf Groß-Poplow bei Polzin und seine Gemahlin.

Herr von Kleist bot seiner Schwiegermutter den Arm und führte sie die breite Freitreppe empor. Da ein reitender Bote die Ankunft der Gäste vorher angemeldet hatte, so waren alle sechs Kinder des Hauses mit dem Informator und der Gouvernante in ihrem besten Staat auf der Diele versammelt. Wie die Orgelpfeifen standen sie da, die beiden Knaben in ihren Sonntagswämsen mit Kniehosen und Schnallenschuhen, die Mädchen mit Reifröcken und hoher Frisur. Sie hielten sich ängstlich gerade, damit der Puder nicht herabstäube, und keines wagte dem heimkehrenden Vater entgegenzulaufen. Erst mußten sie der gnädigen Frau Großmama die Hand küssen und ihr Kompliment gemacht haben, dann durfte die Begrüßung des Vaters und Großvaters stattfinden, die weniger zeremoniell ausfiel. Der alte Herr kniff sogar seine älteste Enkelin, die hübsche dreizehnjährige Elisabeth, in die runden Wangen, aber er tat es mit einem scheuen Seitenblick. Denn seiner Gemahlin waren solche Zärtlichkeiten odiös, und sie wurde dann leicht malcontent.

»Ihre Kinder sind in ihrem Exterieur ganz agréable, lieber Kleist«, sagte die alte Dame, indem sie das Haupt etwas gegen ihren Schwiegersohn neigte. »Aber was ist's mit dem kleinen Patron? Ist er malade?« setzte sie hinzu, auf Ewald deutend, der blaß und mit verträumtem Antlitz dastand.

»Er ist in den letzten Tagen nicht ganz wohl gewesen, gnädige Frau,« bemerkte Garbrecht.

Die alte Edelfrau erwiderte die tiefe Verbeugung, die der Kandidat bei diesen Worten ausführte, durch ein eigentümliches Hochziehen der Augenbrauen. Es war die Art, wodurch sie Leuten ohne Distinktion andeutete, daß sie von ihrem Kompliment Notiz genommen habe. Dann sagte sie, zu dem Knaben gewendet: »Trinke Kamillentee, mein Söhnchen. Kamille ist in allen indispositions überaus salubre. Doch adieu einstweilen, mes enfants, au revoir bei Tisch. Kommen Sie, lieber Kleist. Führen Sie mich in meine Appartements.«

Bei Tische, wo sich die ganze Familie wieder zusammenfand, herrschte eine ziemlich gedrückte Stimmung. Die Kinder, auch hier in großer Tournüre, wagten kein lautes Wort und getrauten sich kaum etwas zu essen von den guten Dingen, die zu Ehren der Großeltern aufgetragen waren.

Aber auch die Erwachsenen redeten nicht viel außer der alten Dame. Sie führte ganz und gar das Wort. Mit größter Umständlichkeit erzählte sie von einem Feste in Dresden, auf dem sie einst als Hofdame mit dem Kurprinzen von Sachsen und Kronprinzen von Polen in einer Quadrille mitgetanzt hatte. Das war der Glanzpunkt ihres Lebens gewesen, und ihr Schwiegersohn hatte die Geschichte schon zehnmal, ihr Gatte weit über hundertmal vernommen. So hörten sie nur mit halben Ohren zu und hielten sich dafür an dem guten Ungarweine schadlos, dem übrigens auch Frau von Manteuffel ganz resolut zusprach. Sie war das so gewohnt von ihrer Jugend an, denn Ungarwein war in den Schlössern des pommerschen wie des polnischen Adels das beliebteste Getränk der Herren wie der Damen. Daher wurde sie auch nicht müde und schläfrig dadurch, und es fiel ihr nicht ein, nach Tisch der Ruhe zu pflegen. Sie begann vielmehr sofort, während die Herren einen Gang auf die verwüsteten Felder unternahmen, das ganze Schloß zu inspizieren, so eingehend und gründlich, als wolle sie es demnächst käuflich erwerben. Sie tauchte überall auf, in den Zimmern der Kinder und der Mägde, im Kuhstall und in der Milchkammer, stets in der Haltung einer Fürstin, die Audienz erteilt, mit hochgetragenem Haupte und so gerade, als hätte sie eine Elle verschluckt. Aber die scharfen, grauen Augen wanderten dabei ruhelos umher und bemerkten jeden Mißstand, alles, was irgend wie fehlerhaft war, auf der Stelle.

Gegen fünf Uhr ließ sie die Herren auf ihr Zimmer bitten. »Wir wollen, lieber Kleist, gleich heute noch über einiges konferieren, denn länger als bis übermorgen früh bleibe ich nicht von meinem Hause fort.«

Dabei lud sie mit einer gebietenden Handbewegung zum Sitzen ein.

»Kannst du die Chose nicht mit Kleist allein traktieren, ma chère?« fragte der alte Herr, durchdrungen von der Erkenntnis, daß er ja doch nichts dabei zu sagen haben werde. Er hatte keine Ahnung, ob seine Gattin in ein Darlehen an den Schwiegersohn willigen werde, und fürchtete eine peinliche Auseinandersetzung.

»Es ist besser, wenn du dabei bist, lieber Manteuffel,« erwiderte seine Gemahlin, und mißmutig warf sich der gehorsame Gatte in einen Sessel.

»Also, mein lieber Kleist,« begann Frau von Manteuffel mit Würde, »Sie sind zurzeit in Ihren Umständen ziemlich stark derangiert. Ist's nicht so?«

Der Schloßherr bejahte durch ein trübseliges Kopfnicken.

»Sie brauchen, um sich zu rangieren, etwa dreitausend Taler, wie mir Manteuffel gesagt hat?«

Kleist nickte wieder.

»Die ich Ihnen ohne weitere Umschweife hiermit offeriere,« schloß die alte Dame mit großer Energie.

Die beiden Herren fuhren überrascht empor, denn daß die pekuniäre Frage so rasch gelöst werden würde, hatte keiner von beiden vermutet. Herr von

Manteuffel hatte noch kurz nach Tische seinem Schwiegersohn gesagt, er glaube kaum, daß seine Frau sich zu einem größeren Darlehen werde bereit finden lassen. Die Zeiten wären zu schlecht, das Geld zu knapp. Nun gab sie es auf einmal ungebeten her, noch dazu ohne die langen und eindringlichen Vermahnungen, die sie sonst bei derartigen Anlässen von sich zu geben liebte. »Unberechenbares Weib«, dachte er bei sich, wußte aber sein Erstaunen gut zu verbergen und nickte dem Schwiegersohn lächelnd und gönnerhaft zu. Der durfte doch nicht merken, wie überrascht er selber war, mußte vielmehr glauben, er habe ihm vorher nur etwas Komödie vorgespielt.

Kleist war aufgesprungen. Sein Antlitz, über dem vorher die düstersten Sorgenwolken gelegen hatten, ward mit einem Male hell. Er hatte sich darauf gefaßt gemacht, durch Bitten und Vorstellungen seine Schwiegermutter zur Hilfe zu bewegen. Das wäre ihm blutsauer angekommen, denn das Bitten ging ihm nicht leicht von den Lippen, am wenigsten einer Frau gegenüber, deren steifes, vornehmes Wesen ihm wenig Sympathie einflößte, obwohl er andererseits ihre resolute Art schätzte. Aber um seiner Kinder willen hatte er sich dazu entschlossen. Nur ward es ihm so unverhofft leicht gemacht! Er strahlte. Am liebsten hätte er seiner Schwiegermutter die Hand kräftig geschüttelt, aber er besann sich noch beizeiten, daß Frau Julianne Eleonore das wohl sehr übel vermerkt haben würde. Sie hielt streng auf die Dehors. »Immer cavalièrement,« dachte er bei sich, »sonst nimmt sie es noch übel.« Darum unterdrückte er die natürliche Regung, ergriff mit aller Feinheit, deren seine derben Fäuste fähig waren, ihre Hand und drückte einen Kuß darauf. Dann rief er mit Emphase: »Sie wollten, teuerste Schwiegermutter, Ihre gütige Hand mir öffnen? Sie machen mich zum Glücklichsten der Sterblichen, und die Dankbarkeit gegen Sie wird unauslöschlich in mein Herz eingegraben sein!«

Diese schönen Worte waren eine Reminiszenz aus einer Komödie, in der er vor zwanzig Jahren als Hofjunker mitgewirkt hatte, als es unter dem hochseligen Vorgänger des Soldatenkönigs in Berlin noch Komödien am Hofe gab. Im Verkehr mit anderen Leuten hätte sich der biedere Landedelmann solcher Floskeln geschämt, der vornehmen Schwiegermutter gegenüber war er froh, eine so feine Wendung zur Verfügung zu haben. Er traf auch damit sichtlich den Ton, der ihr eines Kavaliers würdig erschien, denn bei seinen eleganten Worten hellten sich ihre Mienen so auf, daß man beinahe von einem huldvollen Lächeln hätte reden können.

»Ich habe es nicht anders erwartet, lieber Kleist,« sagte sie gnädig. »Ich gebe Ihnen das Geld in Gedanken an unsere liebe Marie, und weil Sie der Vater meiner Enkel sind. Aber ich würde mich doch mehr reservieren, wenn ich nicht gesehen hätte, daß Sie eine gute Wirtschaft führen. Für ein Haus ohne Frau – à la bonheur. Ich sage ohne Frau, denn es ist ja leider so;

doch es geziemt mir nicht, das weiter auseinanderzusetzen, Sie wissen ja selbst, was ich meine. – Sie sind nicht schuld an Ihrem Malheur, Sie sind ein Opfer der force majeure.«

Kleist verbeugte sich dankend mehrmals hintereinander. Es fiel ihm leider nichts Geistreiches mehr ein, womit er seinen Dank hätte ausdrücken können. Er empfand bei diesen treffenden und freundlichen Worten so warme Dankbarkeit seiner Schwiegermutter gegenüber, wie er nur in jener weit zurückliegenden Stunde empfunden hatte, als sie einst seiner Werbung um ihre Tochter Gehör schenkte. Aber er wagte dem, was seine Seele erfüllte, nicht mit ungeschminkten Worten Ausdruck zu geben.

»Sie werden die Summe Michaelis erhalten,« fuhr die alte Dame fort. »Bis dahin werden ja Ihre Kreditoren sich menagieren. Natürlich, lieber Kleist, unter Kautelen, unter Kautelen! Zeblin ist schon so stark belastet, daß das Geld auch auf Warnim und Ruschitz eingetragen wird.«

»Natürlich, natürlich! Meinetwegen auch noch auf Damen und Zarnekow,« beeilte sich Herr von Kleist zu sagen.

»So wären wir darin d'accord, und es braucht darüber nicht weiter geredet werden,« versetzte Frau von Manteuffel. Sie räusperte sich. »Mit Ihrem Permiß aber, mon cher beaufils, möchte ich Ihnen noch etwas zu überlegen geben.«

»Aha!« dachte ihr Gatte, »diesmal kommt die Rede also nach. Was mag sie wohl noch für Bedingungen stellen!«

Auch über Kleists Gesicht zog eine leichte Wolke, aber er verbeugte sich zustimmend und nahm auf einen Wink ihrer Hand wieder Platz.

Die alte Dame räusperte sich nochmals. »Es betrifft Ihre Kinder, lieber Kleist. Die drei ältesten zumal. Ich sagte Ihnen schon: Sie sind von recht agreablem Exterieur. Die Elisabeth verspricht eine beauté zu werden. Aber ich bitte um pardon, wenn ich's Ihnen gerade heraus sage: In der Haltung fehlt die rechte politesse und elegance. Das Kind ist dreizehn Jahre, fast kein Kind mehr, bester Kleist. Sie müßte viel mehr Schule, mehr Dressur haben. Was jetzt darin versäumt wird, holt sie nie mehr ein. Sie macht dann in einigen Jahren, wenn sie an den Hof kommt, eine malheureuse figure.«

»An den Hof?« sagte Herr von Kleist und zog ein so erstauntes Gesicht, als ob der Vorschlag gemacht worden wäre, seine Tochter auf den Mond zu schicken.

»An den Hof. Wohin sonst? Dachten Sie, das Kind hier beständig unter den Bauern zu lassen?«

»Ehrlich gesagt, ich habe noch gar nicht darüber nachgedacht.«

»So sind die Männer. Wo soll denn das Mädchen sonst ihr fortune machen?«

»Fortune?« sagte Herr von Kleist und seufzte. »Fortune ist jetzt bei Hofe schwer zu machen. In meiner Jugend war das anders. Gott, welch ein Leben gab's zur Zeit des hochseligen Königs! Jetzt soll's ein trübseliges Dasein für die Herren und Damen in Berlin geben.«

»In Berlin?« rief die alte Dame und fuhr förmlich von ihrem Sitz in die Höhe. »In Berlin? Wer spricht davon? Gott behüte uns! Sind Sie nicht ganz wohl, lieber Schwiegersohn?«

»Na, uns Preußen liegt doch eben Berlin am nächsten,« verteidigte sich Herr von Kleist. »Und ich habe immer noch so viele Konnexionen dort, Vettern in der Armee die schwere Menge.«

»Ich bin, Gott sei Dank, keine Preußin,« erwiderte Frau von Manteuffel spitz. »Unser Groß-Poplow gehört glücklicherweise zum Königreich Polen. Grâce à Dieu, sage ich, und ich weiß, was ich damit sage. Was ist denn Preußen? Eine Kaserne und ein Zuchthaus! Was ist dieser König? Ein Korporal! Und der Hof? Mon dieu, was ist das für ein Hof! Ein paar Dutzend Offiziere und ein paar Dutzend Damen! Nie, nie, lieber Kleist, werde ich permittieren, daß meine Enkelin, die Tochter meiner seligen Marie, an diesen Hof gebracht wird. Mir ist dieser Monarch odiös, sein Ton ist mir affrös. Er indigniert mich, dieser Regent ohne allen Respekt vor den Privilegien, die wir von Gottes und Rechts wegen zu maintenieren haben.«

Sie hatte sich in einen wahren Zorn hineingeredet. Herr von Kleist rutschte währenddessen unruhig auf seinem Stuhle hin und her. Er gab ja im stillen seiner Schwiegermutter in manchen Punkten recht, denn der König war außerhalb des Offizierskorps beim Adel nur sehr mäßig beliebt. Daß er die Souveränität stabilieren wollte, wie einen rocher von bronce, ward von den vielen kleinen Herren im Lande gar übel vermerkt, besonders hier, wo man die polnische Libertät des Adels ständig vor Augen hatte. Aber es verdroß ihn doch, daß in seinem Hause so über seinen König geredet wurde, und noch dazu von jemandem, der nicht Preuße war. Einem anderen hätte er das nimmermehr raten wollen – hier zog er es vor, zu schweigen.

»Nein,« fuhr Frau von Manteuffel fort, »ich dachte natürlich an Dresden. Der Hof zu Dresden ist der type eines illustren Hofes.«

»Aber leider schauderhaft liederlich!« fuhr es Herrn von Kleist unbedachterweise heraus.

Seine Schwiegermutter richtete sich noch gerader auf, als das sonst schon ihre Art war. Sie sah mit einem Male äußerst indigniert aus. »Eh, eh!« sagte sie scharf. »Sie vergessen sich, mon cher! Ich habe acht Jahre bei Hofe gelebt, somit enthalten Ihre Worte eine outrage auch gegen mich. Ich denke, äh, mein Leben braucht in keiner relation eine critique zu scheuen. Hier ist mein Gemahl, er kennt die Strenge meiner Prinzipien. Nicht wahr, Manteuffel?«

»In der Tat, in der Tat, äußerst seriöse Prinzipien,« sagte der kleine Mann hastig, indem er seinen unermeßlich langen weißen Schnurrbart zwirbelte. »Sie täten gut, Herr Schwiegersohn –«

Aber Kleist bedurfte keiner Vermahnung weiter. Er hatte schnell begriffen, daß er eine ungeheure Dummheit gemacht habe, denn wenn sich die sensible alte Dame ernstlich ärgerte, so konnte dadurch die Sanierung seiner Finanzen in unbehagliche Ferne gerückt werden. Er sprang also auf, ergriff ihre Hand, die sie ihm nur widerwillig überließ, erschöpfte sich in Entschuldigungen und beteuerte hoch und heilig, daß ihm nichts ferner gelegen habe, als seine teure Schwiegermutter irgendwie zu beleidigen. Die alte Dame spielte noch eine Zeitlang die Gekränkte, gab aber endlich nach, als Kleist versprach, seine Tochter für den Winter nach Groß-Poplow zu geben, damit sie unter den Augen der Großmutter Unterricht in den Regeln des guten Tones, im Tanzen und im Französischen erhalte.

»Dies wäre somit parfait,« sagte Frau von Manteuffel, indem sie sich in ihrem Stuhl zurücklehnte, voller Befriedigung. »Nun kommen die Knaben!«

Durch ein wunderbares Spiel des Zufalls kamen die Knaben in diesem Augenblick wirklich in leibhaftiger Person. Man hörte draußen auf dem Vorsaal polternde Tritte, die Tür ward höchst unzeremoniell aufgerissen, und auf der Schwelle erschien Ewald, gefolgt von seinem Bruder und mehreren dörflichen Spielgenossen. Er hatte eine Heldentat vollbracht, eine Kreuzotter im Sumpfe erschlagen und suchte nun den Vater, um ihm das große Ereignis zu verkünden. Er war dabei allerdings tief in den Morast geraten, und seine Schuhe strömten einen strengen, dumpfigen Geruch aus. Aber das hätte sonst den wenig empfindlichen Vater nicht sehr gestört, er wäre vielmehr stolz auf die Courage seines Jungen gewesen. Jetzt erschrak er heftig, als der Wildfang hereinstürmte, das erlegte Reptil an einem gespaltenen Stocke vor sich hertragend.

Auch Ewald erschrak und verstummte in seinem Jauchzen, als er sich den Großeltern gegenüber sah, an deren Anwesenheit er in seinem Eifer gar nicht gedacht hatte. Er starrte ängstlich die Großmutter an, deren Blicke er plötzlich auf sich gerichtet sah.

Und wie waren sie auf ihn gerichtet! Frau von Manteuffel saß da, als wäre sie vor Schreck zu einem Steinbilde geworden. Wie so viele alte Damen, hatte sie vor Lurchen und Schlangen eine geradezu abergläubische Angst. Schon eine Kröte trieb sie in eilige Flucht, und nun baumelte da vor ihr, nur zwei Schritte entfernt, eine veritable Giftschlange, eine Kreuzotter, tot zwar, aber wer mochte wissen, ob das Vieh wirklich tot war? Das war zu viel! Sie stieß, als ihre Lebensgeister einigermaßen zurückgekehrt waren, zwei, drei schrille Schreie aus und kreischte dann, aller höfischen Bildung vergessend, in unverfälschten pommerschen Naturlauten: »Rut, rut! Enfamter Jung! Fort mit det Veih! Rut, rut!«

»Mach, daß du fortkommst,« knurrte Vater Kleist sein Söhnchen an und schob ihn unsanft rückwärts. Tiefgekränkt und heulend zog der mit seiner Trophäe und den sehr betreten aussehenden Genossen seiner Heldentat ab.

Unterdessen besann sich Frau von Manteuffel auf ihre Würde und fand einen Teil ihrer Haltung wieder. Es schoß ihr durch den Sinn, daß Prinzessin Ludovika Eleonore vor ihren Augen in Ohnmacht gefallen war, als im Parke zu Augustusburg ein Frosch vor ihr aufgehüpft war. Sie schämte sich also ihrer Natürlichkeit, denn eine Ohnmacht wäre viel mehr comme il faut gewesen. Nachholen konnte sie das nun nicht, aber sie hauchte wenigstens im Gedanken an ihre Prinzessin: »Manteuffel, mein Fläschchen!«

Der gehorsame Ehemann sprang herzu, nahm aus einer kleinen Tasche, die sie am Gürtel trug, ein Fläschchen von fein geschliffenem Glase und rieb ihr Stirn und Schläfen mit der wohlriechenden Essenz, die es enthielt.

Ihr Schwiegersohn erschöpfte sich indessen in Entschuldigungen und Komplimenten, auf die sie lange gar nichts erwiderte. Plötzlich aber richtete sie sich kerzengerade auf und streckte die Hand in königlicher Haltung aus.

»Assez«, rief sie, »Sie haben ein Exempel der Manieren Ihrer Söhne gesehen. Wollen Sie mir nicht zugeben, daß für Knaben adeliger Extraktion eine andere Edukation wohl zu wünschen wäre?«

»Mein Gott, ja!« erwiderte Kleist, die Achseln zuckend. »Natürlich. Die Mutter fehlt.«

»Das ist es,« sagte die alte Dame. »Die Knaben haben keine genügende Aufsicht. Ihre Frau, lieber Kleist – doch pardon, wir wollen darüber nichts reden. Sie müssen fort auf eine Schule. Sie müssen, sie verwildern sonst. Ich bin bereit, auch dafür die Kosten zu tragen. Nur versprechen Sie mir, daß meine Wünsche dabei respektiert werden. Ich will die Schule mit aussuchen für meine Enkel.«

»Das verspreche ich Ihnen, teure Frau Schwiegermutter,« sagte Kleist zerknirscht.

»So will ich den affrösen Auftritt vergessen,« erwiderte sie majestätisch. »Gehen Sie jetzt, mon cher. Auch du, Manteuffel, kannst mich allein lassen. Ich bedarf der Ruhe.«

V

Eine breite, aber düstere Treppe führte zu den Bodenräumen des Zebliner Schlosses empor. Sie empfing ihr Licht allein durch ein kleines, halberblindetes Dachfenster, das zugleich einen Seitenkorridor notdürftig erhellte. Er lief als Galerie oben um den Treppenausschnitt und war links und rechts durch zwei halbmannshohe Türen verschlossen. Vor dem Herabfallen wurde der auf ihm Wandelnde durch ein Geländer aus niedrigen Latten geschützt, die hier und da Spuren roher Schnitzarbeit zeigten.

Der Himmel mochte wissen, zu welchem Zwecke diesen Korridor einst der Erbauer des Schlosses angelegt hatte. Zur Zeit diente er gar keinem, stand völlig leer und wurde niemals von einer lebendigen Seele außer etwa einer Maus aufgesucht.

Gerade das hatte Junker Ewald bewogen, sich ihn zu seinem »Rittersaal« einzurichten. Er hatte gehört, daß es in den Schlössern der Fürsten und reicheren Edelleute solche Säle gebe, wo man die Wappentafeln, Stammbäume, Ahnenbilder und vor allen Dingen Rüstungen und Waffen beisammen aufhinge. Nun gab es ja in Zeblin Bilder selig verstorbener Kleiste und derer hochadeligen Gemahlinnen in großer Anzahl, aber sie hingen überall an den Wänden der Zimmer, sogar der Vorsäle und stellten meist keine Ritter in Helm und Harnisch, sondern Offiziere in den verschiedensten Uniformen oder Kavaliere in Hoftracht vor. Und was noch bedauerlicher war: Rüstungen fehlten völlig, und Waffen waren nur durch zwei rostige Kürassiersäbel vertreten. Kurz, es war entschieden notwendig, daß zu Ehren der ritterlichen Vorfahren ein »Rittersaal« auf Zeblin angelegt wurde.

Mit Feuereifer hatte sich der Knabe an die Arbeit gemacht, den alten Korridor in einen solchen ehrwürdigen Raum umzuwandeln. Er schnitzte eine große Menge von Schwertern aus Holz und hing sie gekreuzt an die Wände. Er verfertigte Schilder von Pappe und Holz und bemalte sie mit allerlei Wappenemblemen, blauen, knallroten und weißen Rosen, dottergelben Lanzenspitzen und ziegelroten Füchsen, den Wappentieren seiner Familie. Alles das betrieb er übrigens mit der größten Heimlichkeit, keine Menschenseele wußte darum. Gerade war er dabei gewesen, einen Ritterhelm aus Pappe zusammenzusetzen, da hatte die Flucht seiner Daniela und ihrer kleinen Tochter seinen Gedanken eine andere Richtung gegeben. Er zog sich jetzt weniger in seinen Rittersaal zurück, sondern bevorzugte die Krähenhütte, die er sein Jagdschloß nannte.

Heute aber, als ihn die Frau Großmutter und auch der Vater so tief gekränkt hatten, beschloß er, sein Tuskulum im Bodengeschosse wieder aufzusuchen. Die Jungen des Dorfes hatten es für rätlich gehalten, nicht nur das Zimmer, sondern gleich das Schloß zu verlassen, und sein Bruder war ihnen nachgesprungen. Da durchzuckte ihn, während er trübselig auf dem Vorsaal stand, der Gedanke, er könne ja das erlegte Untier als Trophäe auf den Rittersaal hängen, wie es die Helden der Vorzeit sicher mit den getöteten Lindwürmern auch gehalten hatten. Das tröstete ihn sehr. Er ging sogleich daran und nagelte die Schlange so an die Wand, wie sie sich, wenn sie gereizt wird und beißen will, zu ringeln pflegt, worauf er sein Werk mit Stolz beschaute. Dann setzte er sich auf den niedrigen Holzstuhl, der an der Seite stand, lehnte seinen Kinderkopf an die Wand zurück und begann wachen Auges zu träumen.

Nach einiger Zeit schrak er auf. Sein Vater und sein Großvater kamen die Treppe herauf. Er war sehr verwundert darüber. Was mochten sie wohl auf dem Boden suchen? Vielleicht ihn selbst? Er sollte wohl gar Strafe bekommen, weil er die Schlange ins Zimmer gebracht oder weil er die feuchten Schuhe noch nicht ausgezogen hatte? Er duckte sich tief hinter die niedrige Balustrade und beobachtete durch ein Astloch mit gespannten Blicken, was die beiden wohl beginnen mochten.

Sie waren offenbar nicht gekommen, ihn zu suchen, denn sie schritten, ohne sich umzusehen, zu einem der großen Schränke, die an der Wand standen. Dort wühlte sein Vater in alten Schriften und Rechnungen herum, warf ganze Stöße heraus und fand lange nicht, was er suchte. Der Großvater stand erst eine Weile geduldig daneben, dann ging er langsam an der Wand hin und warf hie und da einen Blick in die dort stehenden Register und Regale hinein, bis er vor einem kleinen Wandschrank stehen blieb. Die Tür war angelehnt, da man den rostigen Schlüssel nicht mehr im Schlosse umdrehen konnte. Der alte Herr warf einen Blick hinein und fragte dann interessiert: »Was haben Sie hier drin, Herr Schwiegersohn?«

Herr von Kleist blickte auf, und sein Gesicht verfinsterte sich auffallend. »Gift«, sagte er scharf.

Sein Schwiegervater fuhr unwillkürlich einen Schritt zurück. »Gift? Mon Dieu! Ich sehe nichts dergleichen. Nur Bücher.«

Kleist legte die Aktenstöße, denen er nunmehr ein umfangreiches Schriftstück entnommen hatte, sorgsam in den großen Schrank zurück und trat dann näher. Eine tiefe Falte war in seine Stirn eingegraben. »Ja, Bücher,« sagte er hart. »Darin steckt es eben, das Gift. Meine arme Marie hat es eingesogen und konnte nicht mehr davon loskommen. In ihrem letzten Jahre brütete sie darüber am Tage, oft noch bis tief in die Nacht hinein. Nichts hat so beigetragen zu ihrem beständigen Trübsinn und ihrer Exaltation; ich glaube, sie haben ihr mit zum Tode geholfen.«

Der Alte schlug die Tür heftig zu und legte dem jüngeren Manne die Hand väterlich auf die Schulter. »Ich weiß es, Sie müssen viel durchgemacht haben,« sagte er. »Unsere arme früh Verstorbene war schon als Kind so eigen, oft schwermütig, weinte manchmal ohne allen Grund und hatte sonderliche Gedanken. Sie stand wohl nie mit ihren zwei Beinen fest auf der Erde, träumte sich immer darüber hinaus. Weiß nicht, wie dieses Wesen in sie gekommen ist, von mir hatte sie's nicht, von meiner Frau noch weniger.«

»Das liegt nun alles dahinten,« erwiderte Herr von Kleist ruhig und freundlich. »Kommen Sie.«

Die beiden schritten die Treppe hinab. Kaum waren ihre Tritte verklungen, so tauchte Ewald aus seinem Versteck auf. Der Knabe war blaß vor innerer Erregung. Er hatte zwar nicht alles verstanden, aber das hatte er deutlich gehört: In dem kleinen Schranke war Gift. Und dieses Gift hatte irgendwie seiner Mutter geschadet, deren Bild er noch so tief in seinem Kinderherzen trug. Wie gräulich und wie interessant war das! Was mochte es wohl mit dem Gifte für eine Bewandtnis haben, und warum litt es der Vater überhaupt in seinem Hause?

Er schlich mit klopfendem Herzen zu dem kleinen Schranke hin und öffnete seine Tür mit zitternden Händen. Aber er erblickte nichts als zwei übereinanderstehende Reihen dicker, stark verstaubter Bücher.

Ja so, das Gift war in den Büchern drin. Das hatte der Herr Vater ja ausdrücklich gesagt. Mit noch stärkerem Herzklopfen streckte er die Hand aus und riß einen der schweren Bände so heftig heraus, daß er polternd zu Boden fiel. Erschrocken fuhr der Knabe zusammen, aber niemand hatte etwas gehört. Unten blieb alles ruhig. So ließ er sich denn auf die Knie nieder und schlug das Buch auf.

In großen geschnörkelten Buchstaben stand da zu lesen: »Die asiatische Banise oder das blut- jedoch mutige Pegu von Herrn Heinrich Anselm von Ziegler und Klipphausen.« Darunter befand sich ein Bild, das einen aus dem Königszelte tretenden Ritter vorstellte, zu dessen Füßen ein Weib auf den Knien lag.

Ewald warf das Buch nach allen Seiten auseinander, hob es empor und schüttelte es, aber nichts Verdächtiges kam zum Vorschein.

Da legte er sich der Länge nach auf den Fußboden hin, schlug die erste Seite auf und begann zu lesen. Dann las er die zweite, die dritte und nun unaufhaltsam weiter. Außer der Bibel hatte er noch nie ein Buch in die Hände bekommen, hatte auch nie die Lust verspürt, eins zu lesen. Er hatte ja nicht geahnt, welch wunderbare, herrliche Geschichten die erwachsenen Leute in solche Bücher geschrieben hatten, sonst hätte er längst dem kleinen Schranke einen Besuch abgestattet. Denn was er da las, verstand er zwar nicht ganz, aber es schien ihm das Wunderbarste und Herrlichste zu sein, was er bisher vernommen. Was waren dagegen die Spinnstubengeschichten der Knechte und Mägde, denen er so manchmal mit atemloser Spannung gelauscht hatte!

Schritte auf dem Vorsaal unten schreckten ihn aus seiner Versunkenheit. Er sprang empor, drückte eilig den kleinen Schrank wieder zu und schlich auf den Fußspitzen, das Buch an die Brust gedrückt, nach seinem »Rittersaal« zurück. Dort las er, bis das rote Abendlicht durch das Fenster hereinfiel.

Damit begann für den Knaben ein neues Leben, eine andere Welt hatte sich ihm aufgetan. Noch weniger als sonst war er unter seinen Altersgenossen zu sehen, jede Viertelstunde, in der er sich frei machen konnte, brachte er droben zu, um zu lesen. Er las nacheinander alle Bücher, die der kleine Schrank enthielt, aber ein so schönes Buch, wie die asiatische Banise, fand er nicht wieder; er kehrte immer wieder zu ihr zurück, bis er fast am Ende der zweiten Reihe auf eines traf, das ihn noch viel tiefer ergriff, und über dem er glühende Tränen weinte. Das war die »Adriatische Rosemund des Herrn Philipp von Zesen«. Sie erzählte das herzbrechende Schicksal zweier unsäglich edlen Liebenden, die einander nicht heiraten durften, weil er Protestant, sie Katholikin war. Das ganze Buch ist voll der empfindsamen Reden und Gegenreden, der leidenschaftlichsten, dabei leider aber recht verschrobenen Gefühle, jedoch sehr geeignet, das Gemüt eines begabten und frühreifen Knaben gänzlich zu überwältigen. Ewald lebte ganz und gar in dieser Traumwelt. Seine Leistungen in den lateinischen Stunden wurden immer bedenklicher, und es war ein Wunder, daß sein Mentor und Präzeptor die Umwandlung, die sich im ganzen Wesen seines Zöglings vollzog, so wenig oder fast gar nicht wahrnahm.

Das hatte allerdings auch wieder seine guten Gründe, denn Herr Garbrecht lebte gleichfalls seit einiger Zeit in einer Traumwelt. Es war eine Pfarrstelle im Kreise aufgegangen und, gestützt auf das königliche Wort, hatte er sich um sie beworben. Irgendein Zweifel, daß er sie erhalten werde, war ausgeschlossen; denn wer hätte auch nur zu mucksen gewagt, wenn der König befohlen hatte! Darauf hatte sich der Kandidat hingesetzt und an das blondlockige Jungfräulein in Thorn geschrieben und nach geziemender Offenbarung seines Herzenszustandes bei ihr angefragt, ob die sein Herz erfüllenden Ströme reiner Liebe auch in ihrem Busen walleten, und ob sie demnach geneigt wäre, Freud und Leid des Lebens mit ihm zu teilen. Seitdem dieser Brief das Haus verlassen hatte, war er wie verwandelt und machte alle Qualen der Besorgnis und Erwartung durch, die einem Liebenden nun einmal nicht erspart bleiben. Er war fast so zerstreut wie seine Schüler, deren einer von den auszunehmenden Habichtsnestern auf dem Koppelberge, deren anderer von der Adriatischen Rosemunde träumte. Außerhalb der Unterrichtsstunden überließ er die Knaben fast ganz sich selbst.

So hätte Ewald wohl ungestört im »Rittersaale« seiner Lesewut frönen können, wenn er nicht eines Tages selbst zum Verräter seines Treibens geworden wäre. Zu den schönsten Stellen des himmlischen Buches gehört nämlich die Episode, wo die reizende Rosemund ihrem geliebten Markhold nachtrauert, der nach Paris gereist ist. Sie kleidet sich während dieser trüben Zeit in blaue Gewänder, sintemalen Blau von alters her unter liebenden Gemütern als die Farbe der Treue gilt. Die besonders zarte Nuance dieser Farbe, die sie sich wählt, bezeichnet sie mit dem wunderbaren Ausdruck »sterbeblau«. Nicht nur ihre Kleider, auch ihr ganzes Zimmer ist sterbeblau, sterbeblau sind die Möbel, sterbeblau sogar der Tisch und die Zimmerdecke, und an der Wand hängt ein Gemälde, aus dem ein sterbeblauer Ritter auf die seufzende Jungfrau herniederblickt.

Allsogleich beschloß Ewald, daß auch sein »Rittersaal« sterbeblau angestrichen werden müsse. Er schlich sich also mit einem umfangreichen Gefäß, das er halb mit Wasser gefüllt hatte, in die Waschküche, entwendete eine beträchtliche Menge Neublau und rührte es sorgfältig ein, um auf diese Weise die sinnige Farbe zu erzielen. Hochbefriedigt wollte er eben den Raum verlassen und sich nach oben begeben, als ein tückischer Zufall die alte Wöllnern seinen Weg kreuzen ließ. Diese Frau pflegte er sonst zu schätzen, weil sie ihm zuweilen Schwanke aus ihrem Leben erzählte und getrocknete Pflaumen schenkte. Jetzt aber sah er sie böser Ahnungen voll auf sich zukommen, und in der Tat, kaum erblickte die Alte die blaue Flüssigkeit, so kreischte sie auf, und mit dem Rufe: »Vertüwelter Jung, mien Neublau!« suchte sie ihm den Topf zu entreißen. Es gelang ihm zwar, mit dem kostbaren Gefäß zu entfliehen, aber die entrüstete Waschfrau verfolgte ihn mit lautem Geschrei die Treppe hinaus, und von dem Lärm aufgeschreckt, erschien Herr Garbrecht auf der Bildfläche.

Nun kam alles an den Tag. Der Rittersaal ward einer gründlichen Besichtigung unterzogen, und dabei fand sich auch die »Adriatische Rosemund«.

Der Kandidat war starr. Er hielt Romane und dergleichen Bücher für eine ebenso einfältige wie seelenvergiftende Lektüre, und nun mußte er hören, daß sein Zögling nicht nur einen, sondern mehr als ein Dutzend der gefährlichen Schmöker gelesen hatte.

»Jung, Jung, wie konntest du das tun!« brachte er endlich nach Luft schnappend hervor.

»Es hat mir's doch niemand verboten!« heulte Ewald.

Der Kandidat zuckte unwillkürlich zusammen. Diese Antwort machte es ihm mit einem Male klar, daß die Schuld an diesem Treiben nicht auf Seiten des Knaben lag, sondern auf seiner eigenen Seite. Er hatte zuviel an seine zukünftige Pfarrstelle und noch mehr an seine zukünftige Pfarrfrau gedacht und hatte darüber seine nächstliegenden Pflichten vernachlässigt. Allerdings wollte er sich ja demnächst von diesen Pflichten freimachen, aber das minderte nicht im geringsten seine Schuld, denn jetzt banden sie ihn ja noch. Durch seine sträfliche Unachtsamkeit war also die Seele des ihm anvertrauten Kindes, das er noch dazu sehr in sein Herz geschlossen hatte, in große Gefahr, vielleicht schon zu Schaden gekommen.

Ihm ward jämmerlich zumute. Mit Tränen in den Augen wandte er sich ab und sagte in ruhigem Tone, aber mit zitternder Stimme: »Gehe hinab in deine Kammer und kleide dich um. Du hast dir ja dein Wams mit der blauen Farbe über und über besudelt. Über die Sache reden wir später.«

Ewald enteilte mit schnellen Schritten, und langsam und mit gesenktem Haupte folgte ihm sein Erzieher. Er wollte sich zunächst auf sein Zimmer begeben und ruhiger werden, ehe er vor den Vater des Knaben hintrat. Denn der mußte alles aufs genaueste erfahren, das stand ihm fest. Freilich würde es da ein fürchterliches Donnerwetter geben; wie Herr von Kleist über das Romanlesen dachte, wußte er ja zur Genüge. Aber das half nun nichts, er mußte die Vorwürfe und harten Worte als wohlverdient hinnehmen.

Indessen waren seine selbstquälerischen Gedanken sofort vergessen, als er sein Zimmer betrat. Denn da lag auf dem Tische ein dicker, mehrfach versiegelter Brief – die Antwort auf sein Schreiben nach Thorn. Er bekam einen dunkelroten Kopf und riß ihn mit einem Sprunge an sich. Dann aber drehte er ihn unschlüssig hin und her, und sein Gesicht erblich vor Aufregung. Denn was dieses Schreiben ihm sagen sollte, das mußte entweder sehr glücklich oder sehr elend machen.

Endlich, nach einem kurzen Stoßgebete, öffnete er die Siegel und begann zu lesen. Dabei verklärten sich zunächst seine Züge immer mehr – es war ersichtlich, die Erwählte seines Herzens verhielt sich nicht ablehnend. Doch mußte noch ein Umstand sein, der ihm nicht gefiel, denn beim Weiterlesen verdüsterte sich sein Gesicht, er schlug mehrmals hart mit der Faust auf den Tisch und starrte, als er die Lektüre beendet hatte, mit einem Blicke vor sich hin, in dem sich Zorn und Angst mischten. Dann nahm er rasch die Blätter auf und schritt eiligen Ganges hinab in das Gemach, wo er Herrn von Kleist zu finden hoffte. Der Edelmann saß am Fenster und rauchte seine Pfeife.

»Was bringen Sie denn da?« fragte er bei Garbrechts Eintreten – er nannte den Kandidaten seit dessen Erlebnis mit dem König »Sie« – »Wohl die Vokation von dem allerheiligsten Konsistorium. Na, hören Sie mal, das braucht Sie doch nicht so aufzuregen! Die mußte doch kommen, aber Sie zittern ja ordentlich und sind ganz blaß!«

»Nein, nein, das ist es nicht. Von diesem Briefe nachher. Zuvörderst muß ich meinem Herrn von Kleist eine Beichte ablegen, wozu ich mir gütigsten Permiß erbitte.«

»Setzen Sie sich und legen Sie los,« sagte Kleist verwundert.

Langsam und oftmals stockend erzählte Garbrecht von dem sonderbaren Zeitvertreib seines Zöglings, von der Einrichtung eines Rittersaales und der Lektüre der Asiatischen Banise sowie der übrigen Bücher bis zur Auffindung der Adriatischen Rosemund. Zu seinem Erstaunen unterbrach ihn Herr von Kleist mit keinem Worte, die erwarteten Kernflüche blieben aus. Dagegen sah er, wie das Gesicht des Edelmannes blasser wurde, und wie er sich ein paar Schweißtropfen von der Stirne wischte.

Als er geendet hatte, entstand eine Stille. Herr von Kleist war aufgestanden und wanderte mit langen Schritten in der Stube auf und ab. Dann blieb er vor dem Kandidaten stehen und sagte ruhig und freundlich: »Sie sehen aus dem allen, daß wir den Jungens nicht gewachsen sind. Ich nicht und Sie nicht. Franz wird, wenn's so weiter geht, ein veritabler Bauernjunge und Gassenlümmel, und Ewald – pfui Deibel! – vielleicht ein Poet. Par conséquence – sie müssen aus dem Hause. Meine Schwiegermutter hat recht.« Wieder ging er ein paarmal auf und nieder, blieb dann aufs neue vor Garbrecht stehen und sah ihm mit einem trüben Blicke in die Augen. »Es tut mir leid, daß wir uns trennen müssen. Sie hatten mein Vertrauen gewonnen. Aber Sie wären ja ohnehin gegangen.«

Er seufzte und setzte dann mit gepreßter Stimme hinzu: »Es kommt mich auch hart an, meine beiden Jungens auf einmal wegzugeben und das Mädchen, die Liese, dazu. Aber das ist man bei allen Eltern so. Die Jungen werden flügge und fliegen aus, die alte Krähe bleibt im Neste zurück.«

Der Kandidat faßte seine Hand. »Behalten Sie die Kinder da und nehmen Sie sich einen anderen Erzieher, der's besser versteht als ich,« sagte er.

»Nee, nee,« erwiderte Herr von Kleist. »Sie waren schon gut. Aber die Bengels haben hier zu viel Freiheit, das taugt nicht. Es wird auch nie anders werden, denn ich habe zu viel zu tun, und meine Frau –« er brach ab und fuhr sich hastig über die Stirn. »Wann ist Ihre Ordination zu erwarten?«

»Wohl erst in vier Wochen. Aber ich bin gezwungen, meinen Herrn von Kleist zu bitten, meinen Kontrakt schon eher zu lösen, am liebsten gleich.«

»Warum?« fragte der Edelmann verwundert.

»Wichtige Umstände machen es nötig, daß ich sobald wie möglich nach Thorn reise.«

»Nach Thorn?« rief Kleist noch verwunderter. »Was wollen Sie dort? Da ist ja jetzt sozusagen der Deuwel los.«

»Wir haben von den Thorner Exzessen öfter gesprochen,« erwiderte Garbrecht, »aber was wir wußten, war wenig und entsprach nicht der wahrhaft greulichen Wirklichkeit. Hier aber habe ich einen Brief aus Thorn, der mir das Nähere meldet.«

»Nun sagen Sie, wie kommen Sie dazu? Sie haben doch keine Anverwandten dort, wenn ich mich recht besinne.«

Über das Gesicht des Kandidaten lief ein helles Rot, als er zur Antwort gab: »Ich habe meine Installierung als Pastor so gut wie in der Tasche, Sie wissen ja. So wollte ich mich denn ehelich versprechen mit einer Jungfrau, die ich von früher her kenne und die jetzt in Thorn lebt.«

»So ist's recht,« warf Herr von Kleist ein. »Erst die Pfarre, dann die Quarre.«

Aber der Kandidat ging nicht auf den Scherz ein, er fuhr vielmehr sehr ernsthaft fort: »Sie war im Hause eines Oheims, eines angesehenen Ratsherrn, ihres Vormundes, denn sie ist Waise. Dort wußte ich sie wohl geborgen in einer würdigen und behaglichen Position. Nun aber ist schwere Heimsuchung über das Haus gekommen, denn vor einigen Wochen ist polnisches Kriegsvolk in die Stadt eingerückt, und ganz plötzlich sind die vornehmsten Bürger verhaftet und in die Kustodie gebracht worden. Darunter der besagte Ratsherr. Herr Konsul Rösner ist gleichfalls im Kerker —«

Der Edelmann machte eine Gebärde des Schreckens. »Sie kennen ihn ja auch gut, den würdigen Mann. Was nun aus den Inhaftierten werden wird – Gott weiß es. Dort fürchtet man das Ärgste. Die Angehörigen der so schuldlos Inkriminierten haben sich an unsern König um Fürbitte gewandt.«

Herr von Kleist schlug sich mit der Faust gegen die Brust. »Unerhört!« rief er. »Weil der Pöbel, von den Jesuiten gereizt, eine Prozession stört, deshalb setzt man die Ratsherrn fest! Das ist ja eine schreiende Ungerechtigkeit. Wie kann das ein König zulassen, der früher selbst unseres Glaubens war?«

»Gerade deshalb muß er es zulassen,« versetzte Garbrecht. »Der starke August ist katholisch geworden, weil er König werden wollte. Nun muß er seine Gläubigkeit beweisen, indem er die Verfolgung der Protestanten zuläßt. Übrigens – wie wollte er sie auch verhindern? Seine Königsmacht in Polen ist ja nur ein Schatten.«

»Sehr wahr!« bestätigte Herr von Kleist. »Da drüben regiert nicht die Krone, da herrschen die Krummsäbel und die Kutten. In Preußen kann so etwas nicht vorkommen. Was wollen Sie denn aber in Thorn? Doch nicht etwa sich in ein Abenteuer stürzen, die Gefangenen befreien oder dergleichen?«

»Wo denken Sie hin?« rief der Kandidat.

»Na, zuzutrauen wäre Ihnen das schon, denn Courage haben Sie ja.«

»Nein,« sagte Garbrecht. »Will's Gott, befreit die Gefangenen das Fürwort unseres Königs. Ich will nur zu dem Oheim meiner Braut zu dringen versuchen und seinen Konsens erbitten für die Heirat. Dann will ich die Jungfrau aus der Stadt fort zu meiner Mutter bringen. Zuvörderst möchte ich morgen nach Köslin, um mir einen Paß ausstellen zu lassen, will mich auch mit dem Herrn Superintendenten besprechen.«

Der Edelmann drückte ihm kräftig die Hand. »Sie sind ein tapferer Mensch. Wann wollen Sie fort?«

»Am liebsten gleich morgen früh.«

»Ich lasse Sie fahren. Nein, halt, ich habe dort Geschäfte und werde also selbst mitfahren.«

Garbrecht erhob sich. »So werde ich jetzt meine wenigen Habseligkeiten zusammenpacken. Und um eins bitte ich Sie noch: Lassen Sie mich meinen Eleven selber und zwar erst beim Schlafengehen sagen, daß ich sie morgen verlasse. Ich möchte nicht, daß wir den letzten Abend in gedrückter Stimmung verleben. Denn es wird sie ja wohl betrüben, daß ich fortgehe, besonders Ewald.«

Herr von Kleist nickte. »Er war immer Ihr Liebling.«

»Er brauchte mich am nötigsten,« erwiderte Garbrecht. »Ach, sehen Sie zu, Herr, daß Sie ihn zu recht guten, liebevollen Menschen bringen, wenn Sie ihn nun fortgeben. Er wird sehr schwer leiden unter der Trennung von seiner Heimat, vom Grabe seiner Mutter, von uns allen. Denn er hängt allzu fest an dem, was er liebt, er kann sich davon nicht loslösen. Das ist nun einmal die Anlage seiner Natur. Darin wird er sich nie ändern. Und deshalb glaube ich, trotz seiner schönen und reichen Gaben wird ihm das Leben nicht leicht werden.«

Damit wandte er sich und verließ in tiefer Bewegung das Zimmer.

Am Abend, als die Knaben bereits in ihren Betten lagen, ging Garbrecht zu ihnen hinein, um wie gewöhnlich mit ihnen zu beten. Dann sagte er ihnen, daß er morgen ganz früh abreisen werde, und ermahnte sie, immer fromm und gut zu bleiben, dem Vater stets Freude zu machen, und bat sie auch, ihn nicht zu vergessen. Selbst der kühle Franz Kasimir reichte ihm unter Tränen die Hand zum Abschied, der kleine Ewald aber umschlang ihn mit leidenschaftlichem Weinen, und Garbrecht hatte die größte Mühe, ihn einigermaßen zu beruhigen. Er schluchzte noch lange in seine Kissen hinein und nahm sich fest vor, am Morgen wach zu werden, um seinen geliebten Lehrer noch abfahren zu sehen. Aber endlich kam doch die Müdigkeit über ihn, und er entschlummerte. Als Garbrecht in der Morgenfrühe, zur Reise gerüstet, noch einmal an ihre Betten trat, da lagen beide Knaben in tiefstem Schlafe. Der Kandidat machte das Kreuzeszeichen über sie und sagte leise: »Der Herr behüte euch und bewahre euch vor allem Argen.« Dann ging er hinaus und bestieg den Reisewagen.

VI

Als Herr von Kleist an einem der nächsten Tage zur Vesper vom Felde heimkehrte, vernahm er im Hausflur die fröhlichen Stimmen seiner Kinder, die durch die offene Hintertür aus dem Garten hereinschallten. Selbst das Lachen der sonst meist sehr würdigen und steifen Madame Colette tönte dazwischen. Erstaunt und neugierig trat er näher und sah die ganze Schar ein Spiel spielen, das er nicht kannte. Bunte Reifen warfen sie einander zu und fingen sie mit weißen, geschnitzten Stöcken auf. Ein hochgewachsener Herr, der ihm gerade den Rücken zukehrte, stand in ihrer Mitte und leitete das Spiel.

Kaum sahen die Knaben den Vater aus der Tür treten, so warfen sie ihre Reifen auf die Erde und stürzten ihm entgegen. »Onkel Christian ist da!« schrien sie aus vollem Halse. »Er hat uns ein Reifenspiel mitgebracht. Das ist aber brillant! Er bleibt auch ein paar Tage da!«

Herr von Kleist war sehr angenehm überrascht. Von der ganzen Familie seiner seligen Frau liebte er diesen ihren älteren Bruder am meisten, und es mochte wohl überhaupt wenige Menschen geben, die ihn nicht liebten, wenn sie ihn näher kennen lernten. Denn Christian von Manteuffel war eine von den sonnigen Naturen, deren es leider in der Welt so wenige gibt, ein Menschenfreund, der allen wohlwollte, und insbesondere ein Kinderfreund, der erklärte Liebling aller seiner Neffen und Nichten. Er war Ewalds Pate, und schon von frühester Kindheit an hatte der Knabe eine schwärmerische Zuneigung zu dem Oheim an den Tag gelegt. Leider konnte er nur selten nach Zeblin kommen, denn er stand als Kapitän im fernen Dresden in Garnison.

Bis zum Sonnenuntergang hatte der Hausherr wenig von seinem so freudig willkommen geheißenen Gaste. Er mußte ihn mit seinen Kindern teilen, und die Jungen beanspruchten den Löwenanteil. Überall hin schleppten sie den Onkel Christian, und der ließ sich auch gutmütig überallhin schleppen. Er mußte notwendigerweise ihre Ponys sehen, dann folgte die Besichtigung des gefangenen Eichhörnchens und eines von Franz Kasimir aus dem Neste geholten jungen Raben, zu dessen Aufzucht und Fütterung der Onkel sachkundigen Rat erteilen mußte.

»Hier ist für deine Kinder das wahre Paradies,« sagte er zu Herrn von Kleist. »Denn wo kann sich ein richtiger Junge glücklicher fühlen als da, wo er sich in der Freiheit austoben kann! Es ist mir wahrhaftig leid, daß gerade ich dazu helfen soll, sie aus diesem Paradiese zu vertreiben.«

Er saß, während er so sprach, am Abend mit seinem Schwager allein in der großen Familienstube. Vor ihnen standen ein paar bauchige Flaschen alten Ungarweines, und beide Herren, die starke Raucher waren, qualmten so heftig, als ob sie im Tabakskollegium des Preußenkönigs zu Gaste gewesen wären.

Als ihn Herr von Kleist auf seine Worte hin fragend anblickte, fuhr er fort: »Ich habe dir nämlich eine Botschaft meiner Mutter zu bringen, lieber Schwager. Ihr habt ja wohl neulich über die Zukunft der Jungen gesprochen, und du hast ihr plein pouvoir gegeben, etwas Passendes auszusuchen.«

»Na, wenn auch nicht gerade Vollmacht, so doch das Versprechen, daß ich auf ihren Rat hören will.«

»Sie hat nun in ihrer rasch entschlossenen Weise sich umgetan und an deine Schwester, die Generalin Staffelt in Fridericia, geschrieben. Mit wendender Post ist von deinem Schwager die Antwort eingetroffen, er wolle einen deiner Söhne zu sich nehmen, daß er dort in der Kriegsschule erzogen und später als Fahnenjunker in die dänische Armee eingestellt werde. Er glaube sicher, daß ein junger Kleist dort bei seiner Verwandtschaft mit den Zeppelins und Folckersambs rascher Fortune machen werde als sonst irgendwo in der Welt. Denn Konnexionen müsse man haben, sonst prosperiere kein junger Mann.«

Herr von Kleist, der sich inzwischen in gewaltige Rauchwolken gehüllt hatte, lachte. »Da hat der gute Staffelt den Nagel auf den Kopf getroffen! In der ganzen Welt gilt der Grundsatz: Eine Hand wäscht die andere. Nur bei uns in Preußen soll er nicht gelten, denn der König gebärdet sich wie ein Wilder, wenn er etwas von Vetternwirtschaft hört.«

»Gut für den Staat, aber schlecht für den, der drunter leidet,« bemerkte Manteuffel.

»Der König fragt nur nach dem Staate, der einzelne ist ihm ganz gleichgültig,« sagte der Schloßherr. »Er wird übrigens ein ungnädiges Gesicht machen, wenn er hört, daß ich einen Jungen zu den Dänen gehen lasse. Hat er doch meinem Ewald direkt gesagt, ich soll ihn Offizier werden lassen, er werde ein Auge auf ihn haben.«

Er erzählte seinem Schwager die Geschichte von dem Besuch des Königs in seinem Dorfe. Als er geendet hatte, zuckte der die Achseln. »Darauf ist gar nichts zu geben,« meinte er.

Herr von Kleist nickte. »So denk ich auch.«

»Aber du fürchtest die Ungnade Seiner Majestät?« fragte Manteuffel.

Kleist lachte noch kräftiger als vorher und klopfte seine Pfeife aus. »Nee, nee,« erwiderte er. »Soweit sind wir doch noch nicht hier in Pommern, daß wir bei allem, was wir vorhaben, erst nach dem König schielen. Drüben in Mecklenburg hat ein Bülow auf seinen Grabstein den Vers setzen lassen:

»Ick bin ein mecklenbörgisch Edelmann,
  Wat geiht di Dübel meine Supen an?«

Der fürchtet sich also nicht einmal vor dem Teufel. Etwas davon lebt in uns allen. Wir lernen es nie, uns zu ducken, und fragen nach niemandes Stirnrunzeln. Zudem traten von alters her deutsche Junker in die Armee ein, die ihnen am meisten Fortune verspricht. Das ist so der Brauch. Daran wird auch der König nichts ändern. So bin ich meinem Herrn Schwager sehr obligiert, wenn er meinen Franz Kasimir zu sich nehmen und protegieren will. Denn Ewald wird nicht Offizier.«

»Ja, das hast du so mit meiner Mutter abgekartet, lieber Kleist,« sagte Manteuffel. »Aber warum eigentlich?«

»Weil der Junge ganz und gar nicht dazu taugt.«

»Was, dieser forsche kleine Bengel soll nicht zum Offizier taugen?«

»Nee, lieber Christian. Forsche, ja, die hat er, und Courage auch. Aber was hilft ihm das? In Friedenszeiten gar nichts.« Er steckte sich seine frischgestopfte Pfeife in Brand und fuhr dann fort: »Was ist der Dienst? Drill, Drill, Drill! Nicht nur in Preußen. Und das kann der Junge nicht leisten, das ist ihm von Natur zuwider. Andere Väter sagten vielleicht: Nun erst recht! Ich will den Bengel schon gerade biegen lassen, und was er nicht mag, das soll er müssen. Ich sage: Schmeißt einen Fisch in die Luft und einen Vogel ins Wasser, da wird nichts Gescheites daraus. Jeder, wohin er gehört!«

Manteuffel wiegte nachdenklich den Kopf hin und her. »Sehr verständig,« sagte er. »Nur zweifle ich, ob man bei einem Kinde schon so sicher bestimmen kann, wohin es später neigen wird.«

»Sieht man's nicht dem kleinen Eichenschößling an, daß er eine Eiche werden will?« fragte Kleist.

»Potztausend, Schwager, du bist ja der reine Poet! Lauter Bilder und Gleichnisse!« erwiderte lachend der Kapitän.

Kleist schüttelte sich. »Na, na, nur keine Injurie. ›Poet‹ ist eine in meinen Augen. Ich mache doch keine Versche! Aber Scherz beiseite. Deine Mutter, die überhaupt eine sehr kluge Frau ist, hat auch gleich herausgefunden: Der paßt besser zum Zivildienst. Darum wollen wir ihn studieren lassen. Der Bengel hat einen höllisch offenen Kopf, spricht besser Französisch als ich, hat das Polnische nur so en passant aufgeschnappt. Es ist fast kurios.«

»Wenn er aber studieren soll,« fiel der Schwager ein, »so muß er vor allen Dingen Lateinisch lernen. Und da ist die beste Schule weit und breit das Jesuitenlyzeum in Deutsch-Krone. Das läßt dir meine Mutter vorschlagen.«

»Was? Zu den Jesuiten soll ich ihn schicken? Plagt denn deine Mutter der – nee, diese Schwefelbande ist mich gänzlich zuwider!« polterte Herr von Kleist.

»Mir auch, aber Lehrer sind sie, wie es sonst keine gibt, das muß ihnen der Neid lassen,« gab Manteuffel zurück. »Die bringen ihren Eleven die schwierigsten Dinge im Handumdrehen bei, auch der Dümmste kann da noch profitieren.«

»Und jeder profitiert wohl auch etwas von ihren Glaubenslehren,« knurrte Kleist. »Und nach ein paar Jahren kommt der Bengel nach Hause und will katholisch werden. Das fehlte mir gerade noch! Beten wir etwa für nichts: Führe uns nicht in Versuchung?«

Manteuffel lächelte. »Darüber kann ich dich völlig beruhigen. Die Schüler unseres Glaubens wohnen nicht im Alumnat, sondern in der Stadt. Sie kommen außer in den Unterrichtsstunden weder mit den Patres noch mit den Alumnen zusammen. Der Verkehr zwischen protestantischen und katholischen Eleven ist sogar streng untersagt, nur in den Stunden müssen sie wohl oder übel nebeneinander sitzen. Am katholischen Gottesdienste nehmen die protestantischen Schüler nicht teil. Wo und wie also die Patres ihre Netze auswerfen sollten, ist mir unerfindlich.«

»Und warum nehmen sie denn überhaupt Kinder von unserem Glauben auf? Warum verlangen sie kein Geld für ihre Mühe? Lieben sie uns so, daß sie uns aus lauter Liebe unsere Kinder umsonst erziehen? Ich denke, sie haben jetzt eben wieder in Thorn so recht gezeigt, welcher Art ihre Liebe zu uns ist. Sie haben uns, wie der Wolf, zum Fressen lieb.«

»Ja, lieber Schwager, die Thorner Vorgänge beklage auch ich aufs bitterste,« entgegnete Manteuffel. »Es ist ein Jammer, daß der deutsche Fürst, der nun König von Polen ist, das Recht in dieser Weise beugen läßt. Aber warum sollen wir deshalb nicht mitnehmen, was uns geboten wird? Die Jesuiten wissen natürlich sicher, warum sie auch unsere Kinder mit unterrichten. Entweder wollen sie sich mit ihrer Toleranz brüsten, oder sie meinen, sich dadurch auch unter uns Freunde heranzuziehen. Was geht uns das an? Wir nehmen unseren Vorteil wahr und sehen darauf, daß unseren Kindern kein Schaden geschieht.«

»Wenn das man nur möglich ist!« brummte Kleist, indem er von neuem ungeheure Rauchwolken vor sich hin paffte.

»Das wird am besten zu erreichen sein, wenn wir den Jungen bei dem lutherischen Pfarrer in Pension geben. Meine Mutter kennt den würdigen Mann und hat schon an ihn geschrieben. Er ist bereit, deinen Ewald aufzunehmen. Der kommt dort auch in gute Gesellschaft, denn neben einem bürgerlichen Knaben hat der Propst noch einen jungen Unruh und zwei kleine Goltze in seinem Hause.«

Herr von Kleist fuhr überrascht empor. »Was? Auch Goltze sind auf der Jesuitenschule?«

»Deren drei,« versetzte Manteuffel. »Zwei wohnen in der Stadt, einer fährt täglich von seinem nahen Schlosse aus in die Schule.«

Herr von Kleist schlug sich kräftig mit der Hand auf den Schenkel. »Donnerwetter!« rief er, »wenn die von der Goltz ihre Söhne dahin schicken, dann kann ich freilich meinen Jungen auch schicken. Die Goltze sind das treueste Protestantengeschlecht von ganz Preußisch-Polen. Alles um Deutsch-Krone herum wäre längst katholisch, wenn die von der Goltz nicht wären. Da werde ich doch wohl vor deiner Mutter die Segel streichen und ihr den Willen tun müssen.«

So wurde denn noch an demselben Abend festgesetzt, daß schon zu Michaelis Franz Kasimir nach Dänemark zu seinem Onkel, Ewald nach Deutsch-Krone kommen sollte. Doch sagte ihnen der Vater vorläufig nichts davon und ließ sie in sorgloser Freiheit dahinleben bis zum Zeitpunkte ihrer Abreise. –

Der Abschied der beiden Brüder von ihrem Elternhause gestaltete sich sehr ungleichartig. Zuerst erschien ein dänischer Werbeoffizier, der gerade von Danzig nach der Heimat zurückreiste, um Franz Kasimir mitzunehmen. Der Knabe erschrak anfangs und vergoß einige Tränen, als ihm der väterliche Beschluß eröffnet wurde, aber er beruhigte sich bald. Was der Fremde erzählte von dem Leben in der großen dänischen Festungsstadt und im Hause seines dortigen Oheims, das berauschte ihn fast. Glänzende Bilder gaukelten ihm vor der Seele, er sah sich selbst schon als General mit dem Kreuze des Danebrogordens. Er bemitleidete seinen jüngeren Bruder geradezu, weil er nicht dazu ausersehen war, diese glänzende Zukunft mit ihm zu teilen, und beim Abschiednehmen war an ihm von besonderer Betrübnis nichts zu bemerken.

»Der wird gut!« sagte der dänische Offizier zu dem Vater, der neben dem Wagen stand, um seinem Ältesten noch allerhand Mahnungen und gute Lehren mit auf den Weg zu geben. »Mein Herr Bruder hat ganz wohl getan, diesen Monsieur zum Soldaten zu bestimmen und den dort zum Federfuchser.«

Er deutete dabei geringschätzig auf den kleinen Ewald, der mit tränenüberströmtem Gesicht an der Haustür lehnte. Denn dem ging das Scheiden von dem Bruder tief zu Herzen, obwohl bei der Ungleichheit der Charaktere ein enges innerliches Verhältnis zwischen den beiden Brüdern nicht bestand. Aber Franz Kasimir war doch sein Spielkamerad gewesen, solange er denken konnte; sie hatten immer alles gemeinsam gehabt und vieles, was Kindern wichtig dünkt, gemeinsam erlebt. Darum fühlte er sich sehr unglücklich, daß er nun allein bleiben sollte und nur auf den Verkehr mit den Bauernjungen angewiesen war.

Aber wie ward ihm erst zumute, als etwa eine Woche später der Onkel Christian angereist kam, um ihn nach Deutsch-Krone zu geleiten! Die Kunde, daß er die Heimat verlassen sollte, traf ihn wie ein Blitzstrahl. Er weinte nicht, aber er ward bis in die Lippen blaß, und in den folgenden Tagen war er kaum zum Essen und Trinken zu bewegen und ging wie im

Traume umher. An dem Morgen, an dem der Wagen vor der Haustür hielt, um ihn wegzutragen, war er verschwunden. Alles Suchen und Rufen im Schlosse half nichts, er war nirgends zu finden. So mußte man sich entschließen, Leute auszusenden, und Herr von Kleist stand innerlich eine mächtige Angst aus, der Junge könne sich ein Leid angetan haben. Schließlich ging er selbst auf die Suche in den Park, während Onkel Christian mit sorgenvollem Antlitz zum Hoftor hinausschritt.

»Kamm Sei, Herr Baron,« sagte dort die alte Wöllnern zu ihm und vollführte einen grotesken Knix. »Ick werd woll weiten, wo die Junker hen is.«

Sie führte ihn in die Nähe der Kapelle, wo die Gräber der Familie Kleist lagen. Auf einem dieser Hügel saß Ewald, einen großen Strauß mit Astern in der Hand haltend, und rührte sich auch nicht, als der Onkel herankam. Das Gesicht des Jungen sah so gequält und unglücklich aus, daß der Anblick dem gutmütigen Manne ins Herz schnitt. Daher sagte er weich und gütig: »Ewald, wolltest du noch diese Blumen deiner Mutter bringen? Das ist ja gut. Aber nun lege sie hin und komm! Wir müssen fort.«

Er neigte sich hinab und wollte seine Hand ergreifen. Aber Ewald warf sich plötzlich wild über das Grab und schrie, sich an den Stein anklammernd: »Nein, nein! Ich will nicht! Ich will nicht! Alles geht fort, meine Mutter ist fort, und Franz Kasimir ist fort, und Herr Garbrecht und auch die Daniela ist nicht wieder gekommen. Nun soll ich auch fort. Aber ich will dableiben. Ich will nicht fort!«

»Ewald,« sagte der Oheim nach einer Pause, »deine Mutter ist bei Gott, und du kannst sie einst wiederfinden, wenn du gut und brav bist. Auch deinen Bruder und Lehrer kannst du noch oft sehen. Und deine Daniela darfst du von Deutsch-Krone aus besuchen. Die Großmutter hat sie nach Battrow zur Frau von der Goltz gebracht, da lebt sie jetzt mit ihrer kleinen Tochter. Aber nun komm, mein Jung. Tu deinem Vater nicht das Leid an, daß er dich vor dem Abschied noch strafen muß.«

Er löste sanft die Hände des Knaben von dem Stein und fand dabei keinen Widerstand mehr. »Ist wirklich die Daniela dort, wo ich hin soll?« fragte Ewald noch schluchzend.

»In der Nähe, du wirst sie sicherlich wiedersehen.« Da legte der Knabe seinen Strauß auf den Hügel und ließ sich still hinwegführen.

VII

Ein Knabe, der aus der Freiheit des Landlebens in die Stadt und zugleich in die Schule kommt, erlebt damit eine der größten Veränderungen, die ein Mensch überhaupt erleben kann. Es ist ihm zumute wie einem gefangenen Vogel, der gewohnt ist, in unermeßliche Weite zu fliegen, wie einem wilden Fohlen, das bisher über Steppen und Wiesen jagen durfte, nun aber in den engen Stall gesperrt wird und einen Wagen ziehen lernt, dessen Last sich täglich vermehrt. Da gibt es im Anfang viele Tränen und trotziges Aufbegehren wider die Unfreiheit, aber wie der wilde Vogel es allmählich verlernt, gegen die Gitterstäbe anzufliegen, und wie das junge Roß mit der Zeit des nutzlosen Aufbäumens müde wird, so fügt sich auch das Menschenkind in den Zwang und gewöhnt sich an seine Fesseln.

Die ungemeine Klugheit der Lehrer, in deren Hand Ewald von Kleist gegeben worden war, brachte es fertig, ihm die schwere Zeit der Eingewöhnung sehr zu erleichtern. Sie vollführten das durch ein höchst einfaches Mittel, nämlich dadurch, daß sie den Ehrgeiz weckten, der bisher in der Seele des begabten Jungen völlig geschlummert hatte. Wie hätte er auch in Zeblin ins Kraut schießen sollen? Ewalds Bruder, der mit ihm zusammen unterrichtet wurde, war groß, stark und kräftig, aber weder körperlich noch geistig gewandt, auch waren Scharfsinn und Gedächtnis bei ihm nur mäßig entwickelt. Ihn hatte der Jüngere jederzeit und in allen Fächern weit übertroffen, aber da er das gar nicht anders kannte, so hatte er sich nie Gedanken darüber gemacht und sich niemals etwas darauf eingebildet. Überdies würde sein Präzeptor dafür gesorgt haben, daß solche Regungen der Eitelkeit in der Kinderseele auf der Stelle nach Kräften unterdrückt wurden.

In Deutsch-Krone war es ganz anders. Was man zu Hause ausgerottet hätte, ward hier aufs sorgfältigste gepflegt. Ewald war noch nicht vier Wochen Schüler des Lyzeums, da erlebte er einen Tag, der einen Feuerfunken in sein junges Herz warf.

An einem Morgen nämlich wurden die Schüler statt in die Unterrichtsräume in den großen Saal neben dem Hauptgebäude geführt, wo die Eleven der oberen Klassen hin und wieder lateinische oder französische Schauspiele aufführen mußten. In diesem Saal saßen auf einem Podium der Pater Rektor, der Dechant, sämtliche Lehrer und viele angesehene Männer aus der Stadt. Zur Seite war ein kleines Musikkorps aufgestellt, das auf den verschiedensten Instrumenten eine feierliche, getragene Weise spielte. Als sie verklungen war, trat der Pater Rektor auf ein Katheder, zu dem mehrere Stufen hinaufführten. Ein Diener brachte darauf ein verdecktes Tablett und stellte sich neben dem Katheder damit auf.

Nun hielt der Pater Rektor eine Rede, in der er ausführte, daß Fleiß und Sittenreinheit das höchste Lob eines Schülers bildeten, und daß diejenigen, die sich durch beide Tugenden auszeichneten, einer öffentlichen Ehrung würdig seien. Hierauf rief er aus jeder Klasse drei Schüler zu sich heran. Jedem von ihnen heftete er unter schmeichelhaften Worten eigenhändig einen kleinen silbernen Palmenzweig an die Brust, den besten an einem roten, den zweiten am blauen, den dritten am weißen Bande. Dazu wurde jedesmal ein Tusch geblasen, der mit dem roten Bande Geschmückte erhielt sogar einen dreimaligen. Dann setzte eine schmetternde Musik ein, unter deren Klängen die Anwesenden, der Rektor und die mit dem Schulorden Ausgezeichneten an der Spitze, den Saal verließen.

Ewald hatte dem ganzen Vorgang mit brennenden Blicken zugesehen, und als er jetzt nach dem Kollegiengebäude hinüberschritt, waren seine Wangen noch vor Aufregung gerötet.

»Das rote Band möchte ich auch haben!« sprach er halblaut von sich hin.

Sein Nebenmann Hans von Unruh hatte es gehört und blickte ihn spöttisch von der Seite an. »Du?« flüsterte er, »das schlage dir aus dem Kopfe. Die Orden kommen selten an uns. Die kriegen meist die Alumnen, die im Kolleg wohnen.«

»Wir wollen einmal sehen,« sagte Ewald.

Von Stund an begann der Knabe, der bisher nur mit geringem Eifer gearbeitet und in den Unterrichtsstunden oft vor sich hin geträumt hatte, der Fleißigste und Aufmerksamste der Klasse zu werden. Sehr bald wurde das auch in seinen Leistungen sichtbar, denn an Auffassungsgabe und Gedächtnis übertraf er ohnehin alle, die hier der Zufall mit ihm zusammengewürfelt hatte. Daher sagte schon gegen Weihnachten der Pater, der die Klasse unterrichtete, voller Anerkennung in den sonst meist unbeweglichen Mienen: »Ich bin mit deinem Fleiß und deinen Sitten recht zufrieden, mein Sohn. Fahre so fort, und du wirst demnächst von mir zu einer Auszeichnung vorgeschlagen werden.«

Er schlug ihn auch wirklich vor, als er kurz nach dem Feste dem Pater Rektor, wie es von Zeit zu Zeit üblich war, über jeden Schüler Bericht zu erstatten hatte. Er befand sich dabei mit dem Vorgesetzten allein in dessen Studierzimmer und stand nach Ordensbrauch an der Tür, während der Rektor am Tische saß.

»Der kleine Kleist entwickelt sich zu einem der strebsamsten unter meinen Schülern,« sagte er. »An Ingenium ist er allen überlegen, die Ihre Weisheit mir anvertraut hat. Er wird mit der Zeit der Beste in der Klasse.«

Der Rektor ließ seine kalten, durchdringenden schwarzen Augen eine Weile auf dem Gesichte des Paters ruhen und entgegnete dann ruhig und freundlich, als ob er etwas Verbindliches sage: »Der Knabe ist auch der Hübscheste unter den Neueingetretenen. Ich hoffe, Pater Eustach, daß nicht das Wohlgefallen an seiner äußeren Erscheinung Ihr Urteil mitbestimmt.«

Der Jesuit errötete vor Unwillen, aber die Gewohnheit sich zu beherrschen, war so mächtig in ihm, daß er mit keiner Wimper zuckte und seine Stimme den gewöhnlichen sanften Ton behielt, als er antwortete: »Ich bemühe mich eifrig und erflehe dabei ständig die Hilfe der heiligen Jungfrau, von den äußeren Vorzügen meiner Schüler abzusehen, wenn ich berufen bin, über ihre Wissenschaft und Sitten zu urteilen. Mein hochwürdiger Vater wolle sich aus diesem Hefte selbst überzeugen, welchen Fleiß jener Knabe auf seine Exerzitien verwendet.«

Der Rektor nahm das Heft und blätterte eine Weile darin herum. »In der Tat sehr erstaunlich,« murmelte er. Dann reichte er es dem Pater zurück und sagte: »Der junge Kleist scheint ebenso ehrgeizig wie geweckt zu sein. Mit wem verkehrt er?«

»Mit den lutherischen Knaben aus seiner Pension. Von unsern Glaubensgenossen unter den Externen scheint er sich nur noch zu Grabowski hingezogen zu fühlen.«

»Grabowski wohnt in der Stadt bei dem Starosten, nicht wahr?« fragte der Rektor weiter, und fuhr fort, als der Pater bejahend das Haupt neigte: »Der Starost von der Goltz ist lutherisch, und Grabowski unseres hochwürdigen Bischofs Neffe. So geht in diesem Lande alles durcheinander, der eine Schwager ist katholisch, der andere ein Ketzer, die Gläubigen wohnen mit den Ungläubigen zusammen, essen und trinken miteinander. In diesem Falle können wir aus dem heillosen Zustande vielleicht Nutzen ziehen, denn in des Starosten Haus zu gehen kann der lutherische Prediger seinem Pensionär nicht wehren. So kann Kleist mit Grabowski dort zusammenkommen; denn diese Knabenfreundschaft muß ausnahmsweise begünstigt werden. Sitzen die beiden beim Unterricht nebeneinander? Nicht? So sorgen Sie dafür, Pater Eustach, daß sie sobald wie möglich nebeneinander ihre Plätze erhalten. Zeigt er sonst noch Hinneigung zu einem Knaben unseres Glaubens, und wird Ihnen das bemerkbar, so melden Sie mir's auf der Stelle.«

Der Pater verneigte sich demütig und ging. Er hatte seinen Vorgesetzten sofort verstanden.

Ewald von Kleist aber erhielt bei der nächsten Preisverteilung die silberne Palme am weißen Bande, und der Pater Rektor verhieß ihm, wenn er brav und fleißig weiter lerne, eine noch größere Auszeichnung.

Er gewann sie auch, denn er ward bald unbestritten der Erste unter seinen Mitschülern. Sein Bemühen hielt an, denn sein Ehrgeiz wurde immer brennender und mächtiger. Wenn einmal bei einer Preisverteilung ein anderer mit dem roten Band geschmückt wurde, so war er tief unglücklich und gab sich in den folgenden Wochen doppelte und dreifache Mühe, seinen Nebenbuhler aus dem Felde zu schlagen.

So ging das Jahre hindurch, und Ewald wuchs zu einem hochaufgeschossenen Knaben heran, der an der Schwelle des Jünglingsalters stand. Er verkümmerte dabei nicht zu einem blassen, hohlwangigen Stubenhocker, dazu war der Erziehungsplan viel zu vernünftig, der seinem Leben zugrunde gelegt war. Zwar die Kunst des Turnens war dazumal unbekannt, und wenn junge Leute in den Fluten des herrlichen Sees bei Deutsch-Krone hätten herumschwimmen wollen, so wäre das jedermann in der Stadt anstößig gewesen. Aber das Reiten, Fechten und das Schießen mit der Pistole mußte ein adliger Knabe lernen und üben, er mochte wollen oder nicht. Das erschien den Herren Vätern und Großvätern ebenso wichtig, wenn nicht noch wichtiger als der gelehrte Krimskrams, den ihre Nachkommenschaft bei den Jesuiten lernte.

An der alten Stadtmauer, nahe bei dem Pförtchen, durch das man an den See gelangt, stand ein graues ziemlich verfallenes Haus. Den Unterstock dieses Gebäudes bewohnte Monsieur Ledoux, ein alter Franzose, der einst mit einem Fürsten Sapieha aus seiner Heimat nach Polen gekommen war und nach einem abenteuerlichen und nicht immer einwandfreien Leben hier seinen Hafen gefunden hatte. Er war ein kleiner, überaus behender, dabei spindeldürrer Greis mit scharfen, listig blickenden Äuglein und einem Bärtchen à la Turenne, das er kohlschwarz zu färben pflegte. Zu ihm pilgerte die ganze adelige Jugend der Stadt, um von ihm in der edlen Kunst des Florettfechtens unterwiesen zu werden, und sie hätte darin keinen besseren Lehrer finden können. Denn niemand sah ihm seine sechzig Jahre an, wenn er die Stöße seines Gegners parierte, blitzschnell erwiderte, endlich mit unfehlbarer Sicherheit, sich weit vorbiegend, den Knopf seines Floretts dem anderen auf die wattegepanzerte Brust stieß.

Zu ihm wandelte denn auch Ewald, nachdem er sein zwölftes Jahr vollendet hatte, jeden Tag in der Morgenfrühe, um eine Stunde lang zu lernen, wie man avanciert, retiriert und passadiert, und was sonst die Geheimnisse der Fechtkunst sind. War ihm aber in der Klasse schon längst keiner mehr gewachsen, so glückte es ihm auf dem Fechtboden nicht ganz so gut. Hier fand er eine ganze Reihe ebenbürtiger Gegner, besonders unter den Knaben polnischer Herkunft, ja, mehrere waren ihm sogar entschieden über. Denn das sarmatische Blut rollte schneller durch die Adern als das deutsche und gibt den Polen eine natürliche Lebhaftigkeit und Behendigkeit, die den Menschen germanischen Blutes zumeist versagt ist.

Besonders gefährlich war ihm da ein gewisser Lubowiecki. Der übertraf ihn sonst in nichts, zeigte sich in der Schule faul und indolent, obwohl er der Älteste in der Klasse war. Aber auf dem Fechtboden war er der Schnellste und Geschmeidigste von allen. Nie konnte es Ewald fertig bringen, diesem Rivalen einen entscheidenden Stoß zu versetzen, obwohl er ihm an Körperkräften überlegen war. Trat er mit ihm zum Kontrafechten an, so ward er jedesmal besiegt.

Darob verhöhnte ihn hier und da Lubowiecki weidlich, und Ewald rächte sich, indem er ihn mit seiner Unkenntnis fremder Sprachen aufzog. Ja, als ihn der Polenjüngling einst besonders gereizt hatte, verfaßte er einen kleinen lateinischen Spottvers auf ihn, der unter den Mitschülern viel belacht wurde. Das war eine schlimme Fügung; denn kaum merkte der unglückliche Dichter, welchen Anklang er damit fand, so setzte er diese Versübungen fort, weniger um den Gegner zu ärgern, als um den lächelnden Beifall der anderen zu genießen. Er ahnte dabei nicht, was er anrichtete; denn noch wußte er nicht, daß ein beschränkter Mensch alles eher verzeiht als eine Bloßstellung seiner geistigen Gebrechen. Lubowiecki weinte daheim vor Wut und Scham über die Nadelstiche, die ihn verwundeten und die er nicht zu erwidern vermochte. Es setzte sich in seiner Seele ein Haß fest, den er nur mühsam bändigte, und der bei seinem leidenschaftlichen Naturell früher oder später in offenen Flammen emporlodern mußte.

Vorläufig konnte er dem verhaßten pommerschen Jungen freilich wenig schaden. Denn Ewald war bei seinen Mitschülern beliebt, obwohl er eigentlich mit keinem außer Grabowski näher verkehrte. Infolge eben dieser Freundschaft kam er aber auch bei seinen Lehrern immer mehr und mehr in Gunst. Die klugen Jesuiten schienen ganz richtig kalkuliert zu haben, als sie die Annäherung der beiden Knaben aneinander nach Möglichkeit begünstigten. Ewald wurde dadurch in Kreise geführt, in denen er katholisches Leben und Wesen kennen lernte, und es war nicht zu leugnen, daß es ihn in manchen Stücken mächtig anzog.

Als er eben sein fünfzehntes Jahr vollendet hatte, ließ er sich durch seinen Freund bereden, einmal den katholischen Gottesdienst anzusehen. Der Pfarrer, bei dem er wohnte, hatte das natürlich seinen Hausgenossen streng untersagt. So schlich er sich denn mit Herzklopfen in die katholische Kirche und wurde von Grabowski in eine dämmernde Nische hinter einem Pfeiler postiert, von wo er alles aufs genaueste sehen konnte und nur von wenigen wahrgenommen wurde. Der feierliche Ritus, die Pracht der Gewänder, der getragene Gesang eines wohlgeschulten Chores machten einen tiefen Eindruck auf sein Gemüt. Dazu kam der Reiz des Neuen, Ungewohnten und das Bewußtsein, etwas Verbotenes zu tun, das nicht ohne Gefahr für ihn war. Das alles zusammen versetzte ihn in einen eigenartigen Zustand, er meinte, etwas so Wunderbares und Geheimnisvolles noch nie erlebt zu haben.

Das zweite Mal brauchte Grabowski keine Überredungskünste anzuwenden, um ihn zu dem Abenteuer zu veranlassen. Diesmal war der Gottesdienst noch viel prächtiger inszeniert, denn ein durchreisender Bischof hielt selbst das Hochamt ab. Die Kirche war aufs festlichste geschmückt, um den hohen geistlichen Würdenträger zu ehren, und eine große Zahl geputzter Frauen und polnischer Edelleute in phantastisch-bunten Schnürröcken hatten vor dem Altarraum Platz genommen.

Als Ewald sich eben in seinem dämmernden Winkel niedergelassen hatte und neugierig die glänzende Gesellschaft musterte, schreckte ihn plötzlich das Rascheln eines seidenen Frauenkleides an seiner Seite auf. Er wandte schnell den Kopf und sah neben sich ein Mädchen stehen, das wohl jünger sein mochte als er selbst, aber sich schon ganz als kleine Dame trug. Das reiche blonde Haar war hoch frisiert, und auf der oberen Spitze schwebte kokett ein winziges Hütchen mit buntem Bande. Ein eng geschnürtes Mieder von blauem Sammet und ein Reifrock von gleichfarbigem feinem Tuch umschloß die zierliche Gestalt.

Das Jungfräulein schien etwas überrascht zu sein, jemand hier zu finden. Sie blieb erst unschlüssig stehen, als ob sie wieder weglaufen wollte. Dann aber besann sie sich eines Besseren und nahm auf der äußersten Kante des Bänkchens Platz, auf dem Ewald saß. Eine Weile saß sie still und schaute mit gefalteten Händen sittsam vor sich hin, aber bald darauf merkte er, daß sie ihn verstohlen immer wieder von der Seite beäugte.

Dem Jünglingsknaben ward es heiß und schwül unter diesen Blicken, zumal er bei einer Wendung des Kopfes wahrgenommen hatte, daß es große, glänzende, kornblumblaue Augen waren, die auf ihm ruhten. Sein Herz begann unruhig zu pochen, und er fühlte, wie er über und über errötete. Das ärgerte ihn so, daß er plötzlich mit einem Ruck in die Höhe fuhr und der fremden Erscheinung entschlossen ins Gesicht blickte.

Fast im gleichen Augenblick wandte auch das Mädchen ihr Antlitz nach seiner Seite hin und zuckte nicht zurück, als sein voller Blick sie traf, ein Blick, in dem etwas von Zorn und Bewunderung zugleich lag. Vielmehr umspielte ein Lächeln ihren Mund, und sie hielt ihm mit einem Male die Hand hin.

»Kennen Sie mich nicht mehr, Monsieur de Kleist?« fragte sie flüsternd.

Ewald ergriff, sichtlich verwirrt, die Fingerspitzen der kleinen Dame, ließ sie aber sogleich wieder fallen, als ob er sich an ihnen verbrannt habe. Er ward noch röter als zuvor und stotterte: »Ich weiß nicht – es ist mir so – ich muß Sie schon gesehen haben, aber ich kann mich wirklich nicht besinnen.«

Das Mädchen verzog schmollend die Lippen. »Sie sind mir ein galanter Kavalier! Waren Sie nicht bei uns in Battrow vor vier Jahren, um Ihre Amme, die Daniela Kluska, zu besuchen?«

Ewald sah sie erstaunt an. »So sind Sie die kleine Wilhelmine von der Goltz?«

»Na, erlauben Sie!« sagte das Dämchen gekränkt. »Die kleine Wilhelmine! Ich glaube, Sie sind nicht viel größer als ich, Monsieur.« Sie warf dabei das Köpfchen zurück und sah sehr hoheitsvoll aus.

»Nein, nein!« stammelte Ewald, von neuem errötend, »damals, ich meine damals. Jetzt sind Sie nicht mehr klein, Sie sind ja eine Dame.«

Das große Kind lächelte geschmeichelt und warf ihm einen wohlgefälligen Blick zu. »Ja, sehen Sie,« entgegnete sie altklug, »man kann nicht immer ein bébé bleiben. Sie sind ja auch enorm gewachsen und sind ein junger Mann geworden.«

Diesmal wurde der gute Junge bis unter die Haarwurzeln rot, denn daß er in den Augen dieses liebreizenden Fräuleins ein junger Mann war, hob ihn unendlich vor sich selbst, und so etwas Schmeichelhaftes hatte ihm überhaupt noch niemand gesagt. Er lächelte blöde vor sich hin und fühlte sich dem sicheren und gewandten Mädchen gegenüber ungemein verlegen und befangen, obwohl sie jünger sein mußte als er selbst. Er hatte die Empfindung, daß er jetzt eigentlich etwas Verbindliches sagen mußte, es fiel ihm aber nichts Rechtes ein. Endlich fragte er, um nicht ganz als Stock dazusitzen: »Sind Sie denn katholisch?«

Wilhelmine lachte leise auf. »Wie kommen Sie darauf?«

»Nun, ich dachte, weil Sie hier sind.«

»Ja, sind Sie denn nicht auch hier? Und sind Sie katholisch?« gab sie zurück, und als er nach einer Antwort suchte, fügte sie hinzu: »Es geht Ihnen wahrscheinlich wie mir. Ach, in unseren Kirchen ist es so langweilig, man sieht gar nichts und hört nur die Predigt, die so lang ist, und bei der man einschlafen möchte. Hier sieht man so viel, und alles ist so ganz anders und so viel schöner als bei uns, und die Musik, die ist himmlisch, nicht wahr?«

In diesem Moment setzte der Chor ein, wodurch er der Antwort überhoben wurde. Ein lateinischer Hymnus ward vierstimmig gesungen, eine Melodie von eigentümlicher Weichheit und Schönheit. Als die Töne verklungen waren und Ewald sich seiner Nachbarin wieder zuwandte, sah er, daß sie weinte.

»Mein Gott,« murmelte er, »verstehen Sie denn, was sie da vorn singen?«

»Das brauch' ich gar nicht,« erwiderte sie leise. »Die Musik rührt mich schon so.«

Während des weiteren Verlaufes der Feier sprachen sie nicht miteinander. Das Mädchen sah so andächtig und ergriffen aus, daß Ewald sie nicht anzureden wagte.

Als der Gottesdienst vorüber war und die Kirche sich leerte, wandte sich die kleine Schönheit wieder zu Ewald und bot ihm mit einem anmutigen Lächeln die Hand. »Adieu, Monsieur,« sagte sie. »Wir müssen uns jetzt trennen, denn ich werde vor der Kirche erwartet.«

»Darf ich Sie nicht begleiten?« fragte Ewald, und indem er über seine eigene Kühnheit erschrak, machte er eine Verbeugung, die sehr linkisch ausfiel.

»Warum nicht, wenn es Ihnen Pläsier macht?« entgegnete sie. »Ich werde dann wie eine große Dame von zwei Kavalieren heimgeleitet.«

Sie traten währenddessen aus dem Gotteshause, und aus dem Torwege eines benachbarten Hauses kam eiligen Schrittes ein junger Mann auf sie zu, der den Schnürrock der polnischen Slachtitzen trug. Es war Lubowiecki.

»Ist das Ihr Begleiter?« fragte Ewald hastig, und ein scharfer Stich fuhr ihm durchs Herz.

»Gewiß. Er ist ein entfernter Vetter meiner Mutter und wohnt in demselben Hause, in dem wir wohnen, wenn wir hier sind, bei meinem Schwager, dem Landrichter von Gruszczynski,« plauderte sie, und als Lubowiecki herantrat, stellte sie mit der Sicherheit einer großen Dame die beiden einander vor.

Der junge Pole nahm mit einer galanten Verbeugung ihren Arm und sagte: »Bitte, dessen bedarf es nicht. Wir sind ja Klassengenossen. Und so gute Freunde,« setzte er mit einem bösen Blick auf Ewald hinzu. Dann überschüttete er seine teure Cousine, wie er sie einmal über das andere nannte, mit einem Schwalle von zierlichen Redensarten und Galanterien, die ihm nur so von den Lippen flossen. Von Ewald nahm er nicht die geringste Notiz.

Der ging schweigsam und wie auf den Mund geschlagen nebenher. Diese Art Konversation konnte er nicht machen, darin war ihm der andere weit über, das fühlte er wohl. Er hatte bisher diesen Patron verachtet, jetzt aber empfand er etwas wie Neid ihm gegenüber, und zugleich stieg eine brennende Eifersucht gegen ihn in seinem Herzen empor.

Er hätte wohl gar nichts zu der Unterhaltung beigetragen, wenn nicht Wilhelmine hin und wieder eine Frage an ihn gerichtet und ihn so zum Sprechen veranlaßt hätte.

Das Haus des Landrichters war bald erreicht. Das Mädchen ließ Lubowieckis Arm los und bot ihm die Hand. »Wir bleiben noch drei Tage hier,« sagte sie. »Meine Mutter wird sich gewiß freuen, wenn Sie ihr eine Visite abstatten.«

»Ich werde kommen,« erwiderte Ewald und verbeugte sich mehrmals mit großer Heftigkeit.

Lubowiecki öffnete seiner Dame die Tür und sagte über die Achsel mit impertinenter Freundlichkeit: »Und einstweilen dürfen wir wahrscheinlich der gnädigen Frau dein gehorsamstes Kompliment ausrichten? Das hattest du wohl vergessen?« Er lachte spöttisch, trat dann rasch ins Haus und schlug die Tür zu.

Blaß vor Ärger stand Ewald da und starrte hinter ihm her. Am liebsten wäre er ihm nachgeeilt und hätte ihn gewürgt. Die Rüge seiner gesellschaftlichen Unbeholfenheit in Gegenwart dieses Mädchens hatte ihn wie ein Peitschenhieb getroffen.

Auf dem Heimwege verwandelte sich dann rasch sein Grimm in tiefe Bekümmernis über sich selbst. Warum war er nur so linkisch und blöde? Warum ging ihm so ganz und gar die Fähigkeit ab, in glatten Worten zu plaudern wie dieser Polenjüngling, der sonst so viel dümmer war als er? Er begriff sich selbst nicht und schwur sich heilig, er wolle bei seiner Visite das Versäumte doppelt nachholen und so gesprächig und unterhaltend sein, daß sich alle über ihn verwundern sollten.

Es blieb jedoch beim guten Vorsatz. Denn am folgenden Tage umschlich er wohl das Haus von allen Seiten und stand noch in der Dämmerung davor und blickte zu den Fenstern empor. Aber er fand nicht die Kühnheit hineinzugehen, und als er tags darauf wiederkam, stand schon die Reisekutsche vor der Tür, und sein Mitschüler Lubowiecki reichte eben der lieblichen Wilhelmine einen Strauß von Maiglöckchen mit zierlicher Verbeugung in den Wagen hinein. Ewald mußte von ferne sehen, wie sie die Gabe freundlich nickend entgegennahm, und wie die blauen Augen, die ihn in der letzten Nacht ganz um den Schlaf gebracht hatten, den Frechen holdselig anlachten.

Da rannte er davon wie gehetzt, ohne sich umzusehen, warf sich daheim in seinem Dachstübchen über sein Bett und weinte laut und lange vor Scham und Schmerz. Dann setzte er sich verdrossen über seine Bücher und nahm sich vor, überhaupt nicht mehr an das Mädchen zu denken. Aber es gelang ihm heute nicht und ebensowenig in der Folgezeit. Wenn er manchmal ganze Tage nicht an sie dachte und glaubte, er habe sie vergessen, so tauchte dann mit einem Male der feine Kopf mit den lachenden Augen wieder deutlich vor seiner Seele auf und erregte von Zeit zu Zeit in seinem Herzen eine quälende Sehnsucht.

VIII

»Warum kann man in deutscher Sprache nicht dichten?« fragte an einem schönen Novembertage Ewald den alten Pfarrer, bei dem er wohnte.

Dem hochwürdigen Herrn fiel fast die lange Pfeife aus dem Munde bei dieser Frage. Er zog die buschigen weißen Augenbrauen hoch und fragte erstaunt: »Dichten? Wie kommst du darauf?«

»Wir müssen doch immer in der Schule dichten,« entgegnete Ewald. »Lateinisch und auch französisch. Jetzt eben wieder haben wir einen lateinischen Gesang zum Lobe des Winters auf, der in Distichen verfaßt sein muß. Ich versuchte das auch im Deutschen, aber ich brachte keinen einzigen Hexameter fertig.«

»Hm, hm, das glaub' ich dir,« sagte der Pfarrer. »Für solche Versmaße ist unsere Sprache zu holprig. Sie ist nur für den Alexandriner geeignet, in dem auch Herr Martin Opitz von Boberfeld seine unsterblichen Carmina meistens verfaßt hat. Dieser war nämlich das einzige Dichtergenie unserer Nation im abgelaufenen Säkulo. Neben ihm sind nur etwa noch Herr Paulus Flemming zu nennen und Herr Andreas Gryphius, der schöne Komödien schrieb. Unseren teuren Gottesmann Paulus Gerhardt erwähne ich hier nicht, denn der gehört in eine andere Rubrik.« Er paffte einige Züge aus seiner Pfeife und fügte dann hinzu: »Du kannst mir nota bene dein Gedicht zum Lobe des Winters einmal zeigen.«

»Ich habe es noch nicht ins Reine geschrieben,« antwortete Ewald.

»Tut nichts,« versetzte der Pfarrer. »Du hast ja eine gute, leserliche Handschrift, und ich habe gerade einmal Zeit.«

Ewald holte ein ziemlich umfangreiches Heft herbei, in dem alle seine poetischen Übungen im Konzept aufgezeichnet waren. Der alte Herr, der ein fester Lateiner war, las die Verse aufmerksam durch, tadelte hier und da einmal eine Wendung, war aber mit dem Ganzen sehr zufrieden. »Man muß es den Dienern des römischen Antichrists lassen, tüchtige Magister sind sie,« murmelte er fast unhörbar vor sich hin. »Sie bringen den Bengels einen guten Duktus bei.« Dann blätterte er in dem Hefte rückwärts, las mehrere frühere Karmina und nickte mehrmals zustimmend. Ewald, der daneben stand, erwartete schon eine beifällige Äußerung und lächelte im voraus geschmeichelt. Plötzlich aber zuckte der Pfarrer zusammen, riß das Heft ganz nahe an die Augen und hielt es dann wieder weit von sich ab, als könne er etwas nicht lesen oder begreifen, was da geschrieben war. Dabei waren seine Züge mit einem Male ganz verstört, und sein rundes, glattrasiertes Antlitz war fast bleich geworden.

»Jung, Jung!« stöhnte er und deutete mit zitternden Fingern auf ein Blatt. »Solche Exerzitien geben euch eure Präzeptors? Davon hast du mir ja niemals etwas gesagt.«

Erstaunt trat Ewald näher und las die Überschrift eines seiner Gedichte: In honorem Beatae virginis Mariae.

»Also Lieder zu Ehren der Maria müßt ihr in der Schule verfertigen?« ächzte der Pfarrer weiter.

»Nein,« sagte Ewald arglos. »Dieses Thema war nur den anderen, den Katholischen, aufgegeben. Wir brauchten es nicht mitzumachen, ich habe es aber doch gemacht.« Daß es für seinen Freund Grabowski geschehen war, dem das Dichten schwer fiel, verschwieg er aus Zartgefühl.

Noch entsetzter starrte ihm der Pfarrer ins Gesicht. »Also freiwillig?« rief er. »Nicht gezwungen, sondern freiwillig? Ja, Herrgott, mein Sohn, bist du denn katholisch? Oder willst du's werden?«

»Aber nein!« erwiderte der Jüngling mit aufsteigenden Tränen. »Wie können Sie mir eine so große Schändlichkeit zutrauen, daß ich meine Religion verleugnen sollte?«

»Ja, wenn nicht, wie kannst du denn ein Marienlied verfertigen?«

»Ich habe mir gar nichts Böses dabei gedacht,« versicherte Ewald ehrlich. »Ich dachte nicht, daß es eine Sünde sein könne, denn sie ist doch Christi Mutter gewesen, und sie war gewiß eine sehr gute Frau.«

»Du nennst sie aber hier ›heilige Jungfrau‹ und ›Königin des Himmels‹!« klagte der Pfarrer und fuhr sich dabei erregt durch das dichte weiße Haar. »Glaubst du denn das? Es ist ja schrecklich!«

»Ich habe mich nur in die Seele eines Katholiken hineingedacht,« entgegnete Ewald, und das hatte er wirklich, denn er hatte es ja für einen Katholiken so verfaßt, daß es als dessen Arbeit gelten sollte.

Der Pfarrer blickte ihn ganz verdutzt an. »Hat jemand schon so einen Unfug gehört?« polterte er. »Was du immer für Ausdrücke hast! ›In die Seele eines Katholiken hineingedacht!‹ Es ist kaum zu glauben.« Mit einem Male leuchtete in seinen scharfen, grauen Augen ein Strahl des Verständnisses auf, und sein Antlitz ward heller.

»Aha,« sagte er, »das Karmen war wohl für einen Freund angefertigt, der selbst nichts kann? Sprich, mein Sohn, ich habe ein Recht, dich danach zu fragen,« setzte er ungeduldig hinzu, als Ewald nichts erwiderte.

Das Antlitz des Jünglings überzog sich mit tiefer Röte. »Ja,« sagte er leise.

»Und wer ist dieser Freund?«

»Das kann ich Ihnen nicht sagen, denn ich habe es ihm fest versprochen, zu schweigen.«

»Ich weiß es ohnehin,« versetzte der Pfarrer. »Es ist Grabowski.« Ewald schwieg.

Der Pfarrer fuhr sich von neuem durch die Haare und seufzte. »Ich habe diese Freundschaft jederzeit gemißbilligt, aber was konnte ich tun? Dieser junge Mensch hat zu einflußreiche Verwandte. Verbot ich ihm das Haus und untersagte ich dir den Verkehr mit ihm, so konnte ich die größten Molesten davon haben; denn wir Protestanten müssen uns ja ducken hierzulande, wenn wir nicht von altem Adel sind. Jetzt aber muß ich von dir verlangen, daß du den Menschen in Zukunft möglichst meidest.«

»Grabowski?« schrie Ewald. »Er ist mein einziger Freund.«

»Bedauerlich genug,« erwiderte der Pfarrer, »daß du dich nicht an Knaben unserer Konfession angeschlossen hast. Die Auswahl hattest du. Nun zeigt sich, wohin die Freundschaft mit einem Menschen dieser Art führt. Du bist durch ihn zum Teilnehmer an einem Betruge geworden.«

Ewald zuckte zusammen, aber er schwieg.

»Darum ist es deine Pflicht, dem Menschen in Zukunft aus dem Wege zu gehen,« fuhr der Pfarrer eindringlich fort. »Er verführt dich zur Unlauterkeit und Sünde. Und so fordere ich von dir das Versprechen, daß du die Freundschaft mit ihm abbrichst.«

Er hielt ihm die Rechte hin, aber Ewald legte die seine nicht hinein, sondern rührte sich nicht.

Das Gesicht des Pfarrers rötete sich. »Mein Sohn,« sagte er scharf, »ich stehe hier an deines Vaters Statt. Von ihm habe ich den Auftrag, über deine Seele zu wachen, und in seinem Namen verlange ich Gehorsam. Nun? Willst du mir die Hand nicht geben?«

»Ich bitte Sie um Verzeihung, weil ich mich – weil ich – die Lehrer getäuscht habe,« murmelte er. »Aber den Grabowski lasse ich nicht.«

Der Pfarrer ließ die Hand sinken und erhob sich. Eine tiefe Zornesfalte stand ihm zwischen den Augen.

»Du gehst sogleich auf dein Zimmer und hast bis auf weiteres Stubenarrest,« befahl er streng. »Und so sehr mir's widerstrebt, mit den Jesuiten in irgendwelchen Verkehr zu kommen, so werde ich doch euren Betrug ihnen schriftlich mitteilen, falls du mir nicht bis heute abend sieben Uhr erklärt haben wirst, daß die Geschichte mit dem Grabowski ein Ende hat.«

»Herr Pfarrer,« schrie Ewald außer sich, »das werden Sie nicht tun! Grabowski hat auf das Karmen einen Preis bekommen. Den nehmen sie ihm dann ab, und die Schande übersteht er nicht!«

»Ein sauberer Patron, dein Grabowski!« entgegnete der Pfarrer mit einem verächtlichen Lächeln. »Läßt andre für sich arbeiten und heimst die Ehren dafür ein. Wärst du nicht ganz verblendet in deiner Schwärmerei, so würdest du einsehen, wie erbärmlich das ist. Denk' einmal darüber nach, mein Sohn, und jetzt geh und komme zur Besinnung.«

Ewald ging mit gesenktem Haupte hinaus, aber schon auf dem Vorsaal warf er den Kopf trotzig zurück, und seine Augen blitzten auf. Er kam sich wie ein Märtyrer vor, der für den geliebten Freund schuldlos leidet. Ganz schuldlos leider freilich nicht, denn an einer Schulschwindelei hatte er sich um seinetwillen beteiligt. Aber wie oft wurden derartige Unterschleife verübt, und wenn sie herauskamen, meist nicht allzu streng bestraft! Hier allerdings lag die Sache gefährlicher, denn es hatte sich um eine Preisarbeit gehandelt, und die ehrwürdigen Väter würden vielleicht recht zornig werden, wenn sie die Täuschung erfuhren. Wie dumm von ihm, daß er das Karmen in sein Konzeptheft eingeschrieben hatte! Aber es war noch nie vorgekommen, daß der Pfarrer das Heft zu sehen verlangte.

Niedergeschlagen setzte er sich auf seiner Stube hin und versuchte zu arbeiten. Als die Dämmerung hereinbrach, kam jemand die Treppe herauf. Ewald erwartete die alte Suse mit dem Lichte und war nicht wenig erstaunt und erschrocken, als statt ihrer der Pfarrer in der Tür erschien. Er trug ein Blatt Papier in der Hand, und sein Gesicht hatte einen schmerzlichen Ausdruck. Er trat an den Fenstersims und legte den Zettel darauf. »Komm her, mein Sohn, und lies das,« sagte er.

Verwundert gehorchte Ewald und nahm das Papier in die Hand. Als er den ersten Satz gelesen hatte, ward er blaß und warf einen scheuen Blick auf den neben ihm stehenden Pfarrer. Denn hier teilte ein Unbekannter Seiner Ehrwürden mit, daß der bei ihm wohnende Ewald von Kleist nicht nur einmal, sondern mehrmals die heilige Messe in der katholischen Kirche besucht habe. Ja, er benutze sogar diese Gelegenheit, um dort mit jungen Mädchen zusammenzukommen.

Wie betäubt starrte der Jüngling auf das Blatt und legte es dann mechanisch wieder dahin, woher er es genommen hatte.

Der Pfarrer, der ihn währenddessen nicht aus den Augen gelassen hatte, schwieg eine Weile. Dann fragte er, ohne allen Zorn, aber mit Trauer in der Stimme: »Zunächst – weißt du, wer das geschrieben hat?«

»Ein gewisser Lubowiecki, der mit mir in die Klasse geht Die Handschrift ist nur wenig verstellt.«

»Und beruht die Denunziation auf Wahrheit?«

»Ja.«

Wieder eine längere Stille. Ewald erwartete einen fürchterlichen Zornesausbruch des alten Herrn, aber der Pfarrer fragte ganz ruhig weiter: »Bist du in Wahrheit dahin gegangen, um dich mit einem Mädchen zu treffen?«

»Niemals. Das ist eine Lüge!« rief Ewald. »Ich habe aus Zufall einmal dort ein Mädchen getroffen. Aber das ist schon Monate her.«

»Und wer war das?«

»Die Demoiselle Wilhelmine von der Goltz aus Battrow.«

Der Pfarrer schlug die Hände zusammen. »Auch die in dem Götzentempel!« rief er. »O, wie gehet der Teufel umher und suchet mit List, wen er verschlinge!« Er machte eine Pause und fragte dann so ruhig wie vorher: »Und was bewog dich, einen konfirmierten evangelischen

Christen, die Zeremonien der Römischen mit anzusehen? Um Gotteswillen, hast du denn gar nicht an deine Seele gedacht, die dabei verloren gehen konnte?«

Es lag ein solcher Schmerz in diesem Ausrufe des Greises, daß Ewald erschüttert wurde. Er sank auf einen Stuhl, barg das Gesicht in die Hände und brach in Tränen aus.

Der Pfarrer sah dem schweigend zu und wartete, bis sich die Erregung des jungen Menschen etwas gelegt hatte. Dann fragte er noch einmal: »Also wer verlockte dich dazu?«

»Zuerst war ich neugierig,« erwiderte Ewald, sich mühsam fassend.

»Und dann?« fragte der Pfarrer mit einem tiefen Atemzuge.

»Ach, sie singen dort so schön!« brachte Ewald unter erneutem Schluchzen heraus. »Und es ist alles so bunt und so halbdunkel und so feierlich. Es war gar nicht wie in einer Kirche. Gepredigt wurde auch nicht. Aber die Lieder waren so rührend. Es war wie eine schöne Komödie. So wie das Leben der heiligen Genoveva, das die Lyzeisten im vorigen Jahre spielten.«

Dem Pfarrer entrang sich noch einmal ein tiefer Atemzug, diesmal ein Aufseufzen der Erleichterung. »Gott sei Dank,« murmelte er, »da ist noch nichts verloren.« Laut aber sagte er: »Ja, mit Singsang und Klingklang hebt's an; denn mit Speck fängt man Mäuse. Wenn die süßen Chorliedchen erklingen, so verdrehen die Weiblein und die Kinder im Geist die Augen und fallen auf die Knie. Und du, mein Jung, bist eben auch noch ein Kind, obwohl du an der Schwelle des Jünglingsalters stehst. Deine Seele ist noch weich und solchen Eindrücken leicht zugänglich. Zudem ist dein Gemüt phantastisch, und es steckt wohl in dir etwas von einem Poeten – leider Gottes! Denn Leute dieser Art werden selten glücklich. Aber für die Seelenfänger bist du darum eine um so leichtere Beute. Nun, noch ist es nicht zu spät, und ich will dir die Augen öffnen. Du hast das römische Wesen bisher nur in rosenroter Beleuchtung gesehen, ich will dir's in blutroter zeigen.«

Er trat an den Tisch und legte ein kleines Buch darauf nieder. »Die alte Suse wird dir Licht bringen. Dann nimm diese Schrift, mein Sohn, und lies! Sie wird dir besser und eindringlicher erzählen, wes Geistes Kinder die sind, die dich in ihrer Schule mit Lobsprüchen und Ehrenpreisen kajolieren und durch Weihrauchwolken und süßliche Gesänge deine Seele zu verführen trachten. Von dem, was dir das Buch sagt, wirst du mancherlei schon haben munkeln hören. Laut geredet werden darf nicht darüber in unserem Lande, und solange du zu den Patres in die Schule gehst, hätte auch ich dir's nicht gesagt, wenn ich nicht die Gefahr wahrnähme, in die sie dich gebracht haben.«

Er schritt hinaus und stieß schon in der Tür mit der alten Dienerin zusammen, die ein Licht und ein Tablett mit dem Abendessen niedersetzte.

Ewald ging, verwirrt und aufgeregt durch des Pfarrers feierliche Rede, an den Tisch heran und nahm das Büchlein neugierig in die Hand. Er schlug es auf und las den Titel. »Drei Aktus der Thorner Tragödie« stand auf dem ersten Blatt zu lesen.

Er schob sich einen Stuhl heran und begann sich in die Lektüre zu vertiefen. Schon die ersten Seiten fesselten sein Interesse, und je weiter er las, desto erregter wurde er. Den letzten Teil des Buches verschlang er mit fieberhaft brennenden Wangen, und als er geendet hatte, starrte er so entsetzt vor sich hin, als vermöchte er das Ungeheuerliche, das er erfahren hatte, gar nicht zu fassen.

Denn wie standen sie da vor ihm, die Leute, die seine Lehrer waren, und deren Lob und Beifall zu gewinnen sein höchster Ehrgeiz gewesen war! Wie erschienen sie ihm, diese frommen Väter, die so würdig und salbungsvoll zu reden wußten und so freundliche Mienen zu zeigen verstanden! Es war ihm zumute, als sähe er mit einem Male an der Stelle bekannter und vertrauter Menschengesichter lauter Wolfsgesichter und Teufelslarven.

Da hatte sich in der Stadt Thorn ein Volksauflauf ereignet, hervorgerufen durch maßlose Frechheiten der Jesuitenschüler. Das gemeine Volk war geradezu absichtlich zur Wut gereizt worden. Es hatte ein Kollegium der Jesuiten gestürmt und alles darin zerschlagen; auch ein paar Heiligenbilder waren dabei zertrümmert worden. Deshalb hatten dann die beleidigten Väter Jesu ein fürchterliches Strafgericht über die unglückliche Stadt heraufbeschworen. Auf ihr Betreiben war polnische Soldateska eingerückt, hatte in den Häusern der Bürger viel Übermut und mutwilligen Frevel verübt, der Stadt die eine ihrer lutherischen Kirchen entrissen und dem ganzen Gemeinwesen eine ungeheure Geldbuße zur Sühne auferlegt. Eine Reihe der angesehensten Bürger und Ratsherren hatte man verhaftet und monatelang im Gefängnis hingequält, um sie zum Übertritt zu bewegen. Aber nur einer hatte aus der Todesfurcht seinen Glauben abgeschworen, zehn waren fest geblieben, und diese zehn hatte man auch wirklich zu Märtyrern gemacht. Der Bürgermeister Rößner, ein im ganzen Lande geachteter Mann, hatte in der Morgenfrühe eines Dezembertages das Blutgerüst besteigen müssen, das im Hofe des alten Rathauses errichtet war. Die anderen neun hatte man auf dem Marktplatze hingerichtet, nachdem ihnen vorher die Hände abgehackt worden waren.

Mit grauenhafter Anschaulichkeit war die Marterszene beschrieben. Aber das Gräßlichste an der Geschichte war, daß sie etwas erzählt, was erst vor wenigen Jahren geschehen war. Das alles lag nicht etwa weit zurück in den Zeiten des großen Glaubenskrieges, sondern Ewald hatte mit eigenen Augen Leute gesehen, die in dem blutigen Drama eine Rolle spielten,

Starosten, Geistliche, Edelleute, die um das Schafott mit herumgestanden hatten, die vielleicht sogar Mitschuldige waren an den in Thorn verübten Greueln. Es war dem Knaben zumute, als befände er sich im Banne eines bösen, furchtbaren Traumes, den er nicht abzuschütteln vermöchte. Er brütete, das Haupt in die Hände gestützt, finster vor sich hin und achtete es nicht, daß die schwache Kerze schon fast ganz heruntergebrannt war. –

Der Pfarrer hatte eben seiner alten Schwester, die ihm das Hauswesen führte, gute Nacht gesagt und sich dann noch einmal in sein Studierzimmer begeben. Er gedachte sich früher niederzulegen als gewöhnlich, denn der folgende Tag war ein Sonntag, an dem er viel zu tun hatte. Er sah nach, ob der Pelz und die Kappe bereit lagen, denn er mußte bereits beim Morgengrauen über Land fahren. Eben ergriff er das Licht, um sein Nachtlager aufzusuchen, da öffnete sich die Tür, und Ewald trat ein – so blaß und verstört, daß der alte Mann erschrak.

Der Knabe hielt ihm in zitternder Hand das Buch entgegen und fragte mit heiserer Stimme: »Ist das, bei Gott, alles wahr, Herr Pfarrer?«

»Leider alles. Mein eigener Bruder hat neben dem Herrn Konsul Rößner gestanden, als er auf dem Schafott kniete.« »Dann kann ich nicht mehr zu den Jesuiten in die Schule gehen,« sagte Ewald trotzig und hart. »Das sind ja Bestien.«

Der Pfarrer hob einen Brief von seinem Schreibtische empor. »Hier habe ich selbst deinen Herrn Vater gebeten, daß er dich auf eine andere Schule sende. Die Achtung vor deinen Lehrern mußte ich dir zerstören, um deine Seele zu retten. Das ging nicht anders. Aber es ist nun hier kein Boden mehr für dich, auf dem du gedeihen könntest, und das wird dein Vater einsehen. Solange er indessen seinen Permiß noch nicht erteilt hat, bist du an den Befehl gebunden, hier deine Schuldigkeit zu tun, auch wenn du deine Präzeptors verabscheuen müßtest. Jetzt gehe zu Bett, mein Sohn. Wir reden morgen noch darüber. Heute ist keine Zeit mehr. Gute Nacht.«

Ewald gehorchte und suchte sein Lager auf. Aber es kam in dieser ganzen Nacht kein Schlaf auf seine Lider.

IX

In den Nachmittagsstunden des folgenden Tages saß Ewald einsam auf seiner Stube. Er hatte das Buch, das ihm der Pfarrer gegeben, noch einmal durchgelesen, und jetzt dachte er darüber nach, wie sich wohl von nun an sein Leben gestalten werde.

Hier konnte er nicht bleiben. Sollte sein Vater wider Erwarten sein ferneres Verweilen auf der Jesuitenschule verlangen, so wollte er ihn auf den Knien anflehen, ihn fortzulassen. War aber der väterliche Wille nicht zu beugen, so war er entschlossen, irgend etwas zu tun, was seine sofortige Entfernung von der Schule zur Folge haben mußte. Denn um den Beifall oder das Mißfallen der Lehrer kümmerte er sich nicht mehr, er empfand gegen sie alle einen unaussprechlichen Widerwillen. In jeder Freundlichkeit und Auszeichnung, die er von ihnen empfangen hatte, sah er nun nachträglich einen Köder, mit dem sie ihn hatten in ihre Falle locken wollen, und mit Schrecken und Beschämung fühlte er, daß er auf dem besten Wege gewesen war, ihrem Zauber zu verfallen. Ja, es war das beste, daß er hinwegkam, und zwar so bald wie möglich, denn hier war ihm alles verleidet. Aber wo würde man ihn nun hintun? Nach Hause zurückkehren konnte er auf keinen Fall, und er wollte es auch nicht. Er war in den letzten Jahren nur selten in Zeblin gewesen und hatte die Heimat so verändert gefunden, daß er sich abgestoßen und erkältet fühlte. Der Bruder und zwei seiner Schwestern waren nicht mehr daheim, der Vater erschien fast immer mißmutig, verstimmt, von Sorgen gedrückt, seine Frau, die der Knabe Mutter nennen mußte, war zwar freundlich gegen ihn, aber kühl und gleichgültig. Wen er als Kind geliebt hatte, war fort oder gestorben. Ein tiefes Gefühl der Heimatlosigkeit kam mit einem Male über die Seele des einsamen Knaben. Er empfand, was ihm noch nie zum Bewußtsein gekommen war, daß er nirgendwo in der Welt mehr fest wurzelte, daß es keinen Ort gab, nach dem er sich sehnte, und keinen Menschen, der sich viel um ihn sorgte. Dieses Gefühl ward so stark in ihm, daß ihm die Tränen in die Augen traten, und am liebsten hätte er laut hinausgeheult.

In solcher Stimmung traf ihn sein Freund Grabowski, der, die Pelzmütze keck aus der Stirn geschoben, die Schlittschuhe unterm Arm, ins Zimmer trat. Der flotte, frische junge Pole prallte ordentlich zurück, als er den Freund so blaß und trübsinnig am Tische sitzen sah, und rief erschrocken: »Mensch, bist du denn krank? Du siehst ja erbärmlich aus. Und in die Frühmette bist du auch nicht gekommen, was du doch versprochen hattest.«

Ewald blickte ihn kummervoll an. »Damit ist es nun vorbei, Stephan,« sagte er leise, aber bestimmt.

Grabowski pfiff durch die Zähne und setzte sich rücklings auf einen Stuhl. »Aha, ich merke, der Prediger hat Lunte gerochen. Na, zu verwundern ist das nicht, du warst reichlich unvorsichtig geworden.«

Ewald lächelte bitter. »Ja, er hat's erfahren, aber nicht durch meine Unvorsichtigkeit. Es hat ihm einer einen Zettel geschrieben und die Sache verraten. Ich habe die Schrift gesehen, es war Lubowiecki.«

»Der Halunke!« rief Grabowski. »Man sollte ihm wirklich einmal das Wams versohlen. Das ist denn doch eine Gemeinheit, die nicht zu glauben ist. Weißt du, der Kerl ist eifersüchtig auf dich, seitdem du mit der kleinen Goltz in der Kirche zusammengetroffen bist.«

»Auch das stand mit auf dem Zettel«, erwiderte Ewald und ward glühend rot.

Grabowski stieß wieder einen lauten Pfiff aus. »Na, siehst du. Da ist ja alles klar. Wilhelmine ist nämlich gestern wieder hier eingerückt mit ihrer Mutter und großem Gefolge. Sie werden wohl länger hier bleiben, wie viele vom Adel im Winter tun. Da hat der Kerl vorbeugen wollen, daß du sie nicht etwa wieder in der Kirche triffst und hat den Prediger benachrichtigt. Aber dem alten Philister kannst du immer einmal ein Schnippchen schlagen.«

»Nein,« sagte Ewald hart. »Damit ist's vorbei.«

Grabowski sah ihn verwundert an. »Du hast wohl dein Ehrenwort geben müssen? Oder hat dich der Alte etwa gar schwören lassen?«

Ewald schüttelte den Kopf. »Ich habe mir's selber geschworen.«

»Aber Mensch!« rief Grabowski noch erstaunter. »Wie kommst du mir denn eigentlich vor?«

»Und damit es mir leicht wird, den Schwur zu halten habe ich meinen Vater gebeten, mich von hier wegzunehmen,« setzte Ewald traurig hinzu.

Jetzt blickte ihm Grabowski geradezu erstarrt ins Gesicht. »Bis du unsinnig, Junge?« fragte er, und als Ewald schwieg, fuhr er heftig fort: »Warum? Das sollst du mir sagen. Hat dir jemand etwas getan? Hast du nicht an mich gedacht?«

Ewald sprang auf und umarmte ihn leidenschaftlich.

»Doch, Stephan, an dich habe ich gedacht. Aber ich kann doch nicht hier bleiben, ich mag nicht. Mir ist alles verekelt. Ich will und kann zu den Paters nicht mehr in die Schule gehen.«

»Ja, was ist denn nur geschehen? Das verstehe ich doch alles nicht!« rief der andere ratlos und bestürzt und sah ihn an, als zweifle er an seinem Verstande.

»Ich will dir's sagen. Aber dein Wort, dein Ehrenwort, daß du es keinem Menschen weitersagst.«

»Meine Hand und mein Ehrenwort.«

Ewald nahm das Büchlein, das ihm der Propst gegeben hatte, aus der Schublade des Tisches und hielt es ihm hin. »Da lies,« sagte er. »Du wirst kaum eine halbe Stunde brauchen. Weil die Jesuiten das getan haben, hasse ich sie und kann nicht mehr zu ihnen in die Schule gehen.«

Grabowski nahm das Buch und las. Ewald setzte sich so lange auf die Fensterbank und starrte hinaus in den Abendhimmel, an dem schwere weiße Wolken vorüberjagten.

Plötzlich hörte er, wie sein Freund das Buch auf den Tisch warf. Er wandte sich um und sah, wie jener, rot im Gesicht, sich heftig bekreuzte.

»Ich lese nicht weiter,« sagte der junge Pole mit unruhig flackernden Augen. »Das ist ein böses Buch. Solche Schriften sind uns zu lesen streng verboten.« Er bekreuzte sich nochmals.

»Aber es erzählt eine ganz wahre Geschichte,« versetzte Ewald.

»Das weiß ich nicht, und das weißt du nicht. Ich habe von der Geschichte in Thorn gehört, und mein Onkel hat mir gesagt, die Leute hätten eine Rebellion angestiftet. So wird es wohl auch sein. Daß die frommen Väter etwas Böses getan haben, glaube ich nicht. Ich will es auch nicht glauben. Und wie kannst du das glauben, gerade du? Sie behandeln ja alle gut, dich aber mit am besten, und du bist doch Lutheraner. Zum Danke traust du ihnen alles Greuliche zu, was du zu lesen kriegst. Aber das kommt nicht aus dir selbst. Der Prediger hat dich aufgestachelt. Er verdiente wahrlich Prügel. Er verdiente, daß ich ihn anzeigte, weil er gegen die heilige Kirche hetzt.«

»Stephan, ich habe dein Ehrenwort!« rief Ewald.

»Das hast du, und das halte ich,« entgegnete Grabowski stolz. »Aber es tut mir leid, daß ich's gegeben habe. Dem alten Schleicher gönnt' ich einen tüchtigen Denkzettel. Und du, überlege dir die Sache, überlege dir, ob du wirklich fort willst wegen dieses – dieses Hetzbuches da. Sei doch kein Kind, alter Jung, du bist doch so ein lieber Kerl, und es wäre wirklich ganz gräßlich, wenn du mich hier im Stiche ließest mit dem Lubowiecki und den anderen Kamelen. Übrigens, mon ami, überlege dir's ein andermal. Heute gibt es Besseres zu tun, und ich wollte dich dazu abholen. Es ist großes Eislaufen auf dem Radunsee. Es soll auch noch gelaufen werden, wenn's dunkel ist, der Starost läßt Pechpfannen aufstellen, und eine Musikbande spielt. Alle jungen Leute von Distinktion sind dort.«

»Mir ist nicht danach zu Mute,« sprach Ewald frostig. Der Leichtsinn des Freundes, der dem ernsten Gespräche so auswich, berührte ihn unangenehm.

»Ich sagte es ja: Der Prediger verdient Prügel, daß er dir solche Raupen in den Kopf setzt,« erwiderte Grabowski. Er nahm seine Schlittschuhe auf und wandte sich zum Gehen. »Du kommst vielleicht doch noch nach, mon cher. Denn Wilhelminchen ist natürlich auch dort. Sie fragte heute früh schon nach Verschiedenen, auch nach dir. Der Lubowiecki, der's mit anhörte, wurde grün vor Wut. Ich glaube, der lange Bengel hat es ernstlich auf die kleine Goltzin abgesehen.«

Die Tür fiel ins Schloß, und Ewald war allein. Er ging an den Tisch und nahm das Buch auf, das sein Freund zornig hingeschleudert hatte, um es wieder wegzuschließen. Aber er tat es fast mechanisch, seine Gedanken waren ganz wo anders. Vor seinen Augen tauchte wieder das liebliche Gesicht auf, das er nicht vergessen hatte und nicht vergessen konnte, soviel Mühe er sich auch gegeben hatte. Sie war also in der Stadt, er brauchte nur seine Schlittschuhe aus dem Schranke zu nehmen und zehn Minuten zu gehen, so konnte er sie leibhaftig vor sich sehen und ihre Stimme hören. Eine Unruhe kam über ihn, die immer mehr wuchs, und die ihm schließlich ganz unerträglich wurde. Mit pochendem Herzen wanderte er in der Stube auf und nieder. Er dachte nicht mehr an die Paters und ihre wirklichen oder vermeintlichen Schändlichkeiten. Er sah immer nur die niedliche kleine Wilhelmine auf dem Eise stehen, umringt von einer Schar junger Kavaliere, und es war ihm, als sähe er den langen Lümmel, den Lubowiecki, sich galant zu ihr niederbeugen und seine faden Komplimente ihr ins Ohr flüstern.

Endlich hielt er es nicht mehr aus. Der Propst war fort und kehrte vor dem späten Abend nicht heim, seine Schwester lag im Bett, denn heute war ihre Migräne fällig, und die alte Suse saß am Bette der Herrin und pflegte sie. So zog er denn seine schwarze Pikesche an, nahm die Schlittschuhe unter den Arm und schlich sich aus dem Hause. –

Auf dem Radunsee, der seit einigen Tagen fest gefroren war, tummelte sich eine bunte Menschenmenge. Am Ufer standen die ältern Leute und sahen der Jugend zu, die auf stählernen Sohlen über die spiegelglatte Fläche dahinglitt. Außer den Schülern des Jesuiteninternates, die von jedem Verkehr mit dem weiblichen Geschlecht ängstlich behütet wurden und also solche Vergnügungen nicht besuchen durften, waren fast alle jungen Leute der Stadt auf den Beinen. Allerdings waren auch hier die Stände scharf voneinander geschieden. Der Starost hatte einen Teil des Sees, der das beste und glatteste Eis aufwies, mit weithin leuchtenden, brennend roten Bändern abstecken lassen, und innerhalb dieses Raumes war es nur den jungen Leuten von Adel gestattet, sich mit ihresgleichen dem Pläsier des Eislaufes hinzugeben. Hier war auch auf etwas erhöhter Bretterbalustrade eine kleine Musikkapelle aufgestellt, die eben, als Ewald ankam, einen schwermütig-feurigen Tanz spielte. So gut sie es vermochten, drehten sich die jungen Herrn im Takte dazu; die Damen wurden in kleinen Schlitten umhergefahren.

Ewald schnallte sich, so schnell er konnte, die Schlittschuhe an und fuhr in den umzäunten Kreis. Er suchte mit den Augen nach allen Seiten, aber in dem Gewirr schwebender und gleitender Paare vermochte er zunächst die nicht zu erspähen, um derentwillen er hierher gekommen war. Plötzlich stutzte er. Sein Blick war flüchtig über die Bürgermädchen hingeglitten, die jenseits der roten Schnur auf ihren Schlittschuhen standen und neugierig den tanzenden Paaren der Vornehmen zuschauten. Da sah er zwei schwarze, glänzende Augen auf sich gerichtet, die ihn erstaunt, fast erschrocken anstarrten. Verwundert blickte er schärfer hin, und plötzlich ging über sein Gesicht ein heller Freudenschimmer. Er fuhr dicht an die Schnur heran und streckte dem Mädchen die Hand entgegen.

»Sanna, Sanna!« rief er. »Bist du es wirklich?«

Das Mädchen legte befangen ihre Hand in die seine. »Ja, ich bin es, und ich habe dich, ich habe Sie gleich erkannt,« sagte sie leise.

Ewald lachte. »Du wirst mich doch nicht Sie nennen? Wie kommst du hierher?«

»Die Mutter und ich sind mit der gnädigen Frau von der Goltz gekommen,« entgegnete sie und suchte ängstlich ihre Hand zu befreien. Die Musik hatte gerade aufgehört, und schon blickten viele dahin, wo ein junger Edelmann so vertraulich mit einer Bürgersdirne plauderte und sie sogar bei der Hand hielt.

Ewald merkte davon nichts. Er hatte die kleine Gespielin nie vergessen und war ehrlich erfreut, sie wiederzusehen. Sie stand nun als großes, hübsches Mädchen vor ihm, aber ihr Gesicht trug noch ganz die Züge des Kindes, mit dem er früher so oft im Parke von Zeblin Häuser gebaut und Erdbeeren gesucht und Bäume erklettert hatte. Hundert Erinnerungen kamen über ihn, er stand wie im Traume und ließ sie nicht los.

»Wie geht es deiner Mutter? Ist sie mit hier? Wo wohnt ihr? Ich werde euch besuchen,« sprach er endlich.

»Wir wohnen mit bei Gnaden dem Herrn Landrichter,« sagte das Mädchen noch ängstlicher und verlegener, denn immer mehr Blicke wandten sich der Gruppe zu. Sie war wie von Blut übergossen. »Lassen Sie – laß mich doch,« raunte sie. »Du kannst uns ja besuchen. Aber jetzt nicht. Es schickt sich nicht für dich. Sehen Sie, die gnädige Demoiselle sieht schon her und lacht.«

Ewald wandte sich rasch um und blickte gerade in die blauen Augen der reizenden Wilhelmine hinein, die etwa zehn Schritte entfernt mit spöttisch geschürzten Lippen der eigenartigen Szene zuschaute.

»Es ist die Tochter einer Dienerin meiner Mutter,« hörte Ewald sie in hochmütigem Tone zu Lubowiecki sagen, der an ihrer Seite stand.

Ewald riß die Pelzmütze vom Kopfe und machte dem kleinen Fräulein eine Verbeugung. Leider aber glitt er dabei aus und wäre um ein Haar hingefallen. Das vermochte er zwar noch glücklich abzuwenden, aber sein Kompliment fiel sehr grotesk aus, und es erhob sich ringsum ein Flüstern und Kichern.

»Ich bitte um Entschuldigung, daß ich Sie nicht gleich begrüßt habe,« sagte Ewald puterrot und sehr verlegen. »Ich sah hier eine Freundin und wurde dadurch aufgehalten.« Der lange Pole an der Seite Wilhelmines lachte laut auf, und wieder ging ein Kichern durch den Kreis. Das Fräulein zog das feine Näschen kraus und versetzte kühl: »Bitte, wir wollen Ihr tête-à-tête mit Ihrer Freundin nicht stören.« Damit wandte sie sich seitwärts und schritt auf eine Gruppe älterer Damen zu, die am Ufer standen.

»Dummkopf,« flüsterte Grabowski, der an seine Seite getreten war. »Wie kann man vor aller Welt ein Stubenmädchen seine Freundin nennen! Das hat dir Wilhelminchen mächtig übelgenommen. Sieh zu, daß du den kleinen Racker wieder gnädig stimmst.«

»Nein,« sagte Ewald hart und ließ ihn stehen. Ein unbändiger Trotz stieg in ihm empor. Sein knabenhaftes Selbstgefühl war tödlich verletzt. Sie wollte ihn nicht. Sie hatte über ihn gelacht, wie alle die anderen, so wollte er ihr nicht nachlaufen, und nun erst recht, nun erst recht wollte er sich zu der gesellen, auf die sie hochmütig herabsah.

Langsam fuhr er um die Pfähle herum, die den Adel von dem gemeinen Volke schieden. Er suchte sie an dem Platze, wo er mit ihr geredet hatte, aber sie war verschwunden. Er suchte sie überall im Gewühl des Volkes, aber er sah sie nirgendwo. Doch halt – dort in ziemlicher Ferne fuhr eine einsame Mädchengestalt über die glitzernde Fläche, auf der sich der blutrote Schein der sinkenden Abendsonne widerspiegelte. Sie wollte offenbar an einer entlegenen Stelle die Schlittschuhe ablegen und nach der Stadt zurückkehren.

Bei dem Anblick durchfuhr ihn ein furchtbarer Schrecken. Sie kannte jedenfalls den See nicht, sonst hätte sie nicht den Teil aufgesucht, der von allen gemieden war. Dort, das wußte er, gab es Stellen, wo auch im kältesten Winter das Eis nur dünn blieb, so daß es kaum die Last eines Kindes tragen konnte. Wehe ihr, wenn sie an eine solche Stelle geriet! Dann war sie vielleicht verloren.

Pfeilschnell schoß er hinter der Enteilenden her, und als er in Rufweite an sie herangekommen war, schrie er mit aller Kraft seiner Lunge: »Sanna! Sanna!« Aber das Mädchen wandte den Kopf nicht, schien ihn nicht zu hören oder nicht hören zu wollen. Wie ein Wahnsinniger stürmte er nun hinter ihr her auf dem spiegelglatten Eise und schrie noch einmal: »Sanna! Zurück!« Aber es war zu spät. Noch etwa fünfzig Schritte war er von ihr entfernt, da krachte berstend das Eis, und mit einem gellenden Schrei brach das Mädchen in die splitternden Schollen ein und verschwand vor seinen entsetzten Blicken.

Heulend raste er auf die Stelle zu, noch einmal tauchte sie empor und klammerte sich mit den Händen an das Eis an. Ewald warf sich plötzlich zu Boden, rutschte heran und konnte eine ihrer Hände packen.

Er umklammerte sie mit eisernem Griff und brüllte : »Hilfe! Hilfe!« Da krallte sie sich in der Todesangst mit der anderen Hand in seine Pikesche ein und riß ihn an sich. Nun konnte die dünne Scholle, auf der er lag, die Last nicht mehr tragen, sie brach, und auch er stürzte ins Wasser.

Verzweifelt suchte er mit der freien Hand nach einem Halt. Aber er fand keinen. Er fühlte, wie er sank, schrie noch einmal auf und verschwand in dem gurgelnden Wasser. –

Als er wieder zum Bewußtsein kam, lag er, in dicke Decken eingehüllt, in einem großen Himmelbett, dessen Vorhänge von blaßrosa Kattun zurückgeschlagen waren. Er blickte, noch halb verständnislos, in ein kleines Gemach, das von einer Öllampe notdürftig erhellt wurde. Offenbar war er in die Werkstatt eines Uhrmachers geraten, denn überall an den Wänden hingen Uhren in allen Größen, die meisten mit reichlichem Schnitzwerk versehen. Am Tische saß ein kleiner Mann, der ihm den Rücken zudrehte, und den er deshalb nicht zu erkennen vermochte. Er trug ein buntes Sammetkäppchen auf dem Kopfe und bastelte, leise vor sich hinpfeifend, an einem Uhrwerke herum. Zu seinen Füßen dehnte sich vor dem wärmeausstrahlenden Kamin behaglich schnurrend eine weiße Angorakatze von ungewöhnlicher Größe.

An diesem Kater merkte Ewald, wo er sich befand. Denn solch ein Tier gab es sonst nicht in der ganzen Umgegend, es war der Stolz und der Liebling des alten Fechtlehrers Ledoux. Auch die Geschicklichkeit des wunderlichen Alten in Anfertigung kunstvoller Uhren war ja stadtbekannt.

»Monsieur Ledoux!« rief Ewald mit schwacher Stimme. Der kleine Greis fuhr mit einem krächzenden Freudenlaut von seinem Sessel empor und saß in demselben Moment auch schon auf dem Rande des Bettes. »O mon dieu! Monsieur de Kleist, wie aben Sie mich erschrocken!« rief er und faßte die Hand des Liegenden, um sie zu drücken und mit Inbrunst an sein Herz zu pressen. »Was aben Sie gemacht für Dummheit, su nehmen ein so kaltes Bad su diese Jahreszeit! Aben ich doch gekriegt ein großer Schreck, wie mir hat gebracht der Schiffer Kühne einen meiner liebsten Eleven in mein Haus wie eine tote Leichnam.«

So schwatzte der aufgeregte kleine Franzose noch eine ganze Zeit, während Ewald still dalag und seine Gedanken zu sammeln suchte. Plötzlich hob er den Kopf mit einem Ruck in die Höhe. »Wo ist das Mädchen, die Sanna? Ist sie auch gerettet?«

»Das kleine Frauensimmer liegen drüben in das Bett von meiner Hausälterin. Ihre Mutter ist bei ihr und Madame von der Goltz und Mademoiselle von der Goltz.«

Ewald fuhr noch mehr in die Höhe. »Wer ist bei ihr?«

»Madame von – ah, die gnädige Frau auf Battrow!« Der Greis sprang auf und verbeugte sich respektvoll vor der hohen Frauengestalt, die eben in das Zimmer trat.

Frau von der Goltz war eine Dame von etwa vierzig Jahren mit einem feinen blassen Gesicht und ebenso schönen blauen Augen wie ihre Tochter. Als sie den Blick des Knaben auf sich gerichtet sah, lächelte sie freudig überrascht und sagte lebhaft: »Ei, das ist ja schön, mein junger Herr, daß Sie von selbst wach geworden sind. Wir hatten eben zum alten Doktor Hoffmaier geschickt, der sollte Ihnen eine Ader schlagen. Das ist nun nicht mehr nötig.«

Sie setzte sich neben das Bett auf einen Stuhl und fuhr mit der gleichen Freundlichkeit fort: »Wie ähnlich sind Sie doch Ihrer seligen Mutter, meiner lieben Marie! Und auch darin so ähnlich, daß Sie treu festhalten an denen, die Sie lieb haben, selbst wenn es niedrig geborene Leute sind. Sie sind ein guter und treuer Mensch und haben sich benommen wie ein Held.«

Während sie so sprach, wurde mehrmals an der Tür ein blonder Mädchenkopf sichtbar, der aber immer sogleich wieder verschwand.

»Komm nur herein, Wilhelmine,« rief Frau von der Goltz. »Sage es unserem jungen Freund selber, wie leid dir dein schnippisches Benehmen tut. – Sie hat mir gesagt, wie schlecht Sie von ihr behandelt worden sind,« setzte sie zu Ewald gewendet hinzu.

Wilhelmine trat zögernd ins Zimmer – jetzt gar nicht mehr die hochmütige kleine Dame, sondern ein scheues, verweintes Mädchen von dreizehn Jahren, das offenbar seine Unart tief bereute. Als sie sah, wie er so bleich in den Kissen lag, schluchzte sie von neuem laut auf. »Verzeihen Sie mir!« bat sie. »Ich war so schlecht.«

Sie hielt ihm die Hand hin, und er wollte die seine hineinlegen. Da bemerkte er, daß er dazu nicht imstande war, denn man hatte ihm die an dem scharfen Eise blutig geschundenen Finger mit dicken Tüchern umwickelt.

»Ich bin Ihnen nicht böse,« sagte er leise und sah sie mit glücklichem Lächeln an. Dann schloß er die Augen und ließ den Kopf auf das Kissen zurücksinken, denn von neuem umfing ihn eine tiefe Ohnmacht.

X

Noch mehrere Tage mußte Ewald in der Klause des alten Franzosen zubringen, wohin man ihn geschafft hatte, weil das Haus der Unfallstelle am nächsten lag. Erst gegen Ende der Woche konnte er wieder in die Pfarrei übersiedeln und die Schule besuchen. Denn da die väterliche Entscheidung noch nicht eingetroffen war, so bestand der Pfarrer darauf, daß er wieder bis auf weiteres am Unterricht der Paters teilnehme.

Niedergedrückten Gemütes betrat Ewald den altvertrauten Klassenraum und setzte sich an seinen Platz. Er fühlte ganz deutlich, daß er nicht mehr hierher gehöre, daß sich zwischen ihm und seinen bisherigen Lehrern eine Kluft aufgetan habe, die nicht mehr zu überbrücken war. Bald aber merkte er mit immer wachsendem Befremden, daß auch die anderen ihn vollkommen kühl und achtlos behandelten. Zwar von seinen Mitschülern traten einige an ihn heran und drückten ihm die Hand und erkundigten sich nach seinem Befinden. Unter ihnen war auch Grabowski; doch fiel ihm das scheue, verlegene Wesen des Freundes auf. Andere aber schnitten ihn ganz und gar, und die Lehrer schienen gar nicht wahrzunehmen, daß er wieder da sei, und nahmen nicht die geringste Notiz von ihm. Das wurmte ihn doch, und er begann über diese sonderbare Nichtachtung nachzugrübeln. War man ungehalten über sein Abenteuer, weil ein Mädchen mit darin verwickelt war? Oder hatte sein Feind Lubowiecki etwas Ungünstiges über ihn verbreitet? Oder endlich – aber das war ja gar nicht möglich – sollte Grabowski über seinen Plan, die Schule zu verlassen und die Gründe dazu geplaudert haben? Das war ihm doch nicht zuzutrauen; denn ein junger Edelmann mußte wissen, was das Ehrenwort bedeute.

So ging er denn noch niedergedrückter, als er gekommen war, nach dem Vormittagsunterricht aus der Schule nach Hause. Dort empfing ihn der Pfarrer schon auf dem Vorsaale mit finster umwölkter Miene und befahl ihm, sogleich mit in sein Studierzimmer zu kommen.

»Mein Sohn,« begann er dort und sah den Knaben streng und durchdringend an, »es ist eine Büberei gegen mich verübt worden. Man hat mich zum Landrichter zitiert, und es ist mir aufgegeben, die Bücher verbotenen und in Sachen der Religion aufreizenden Inhalts sofort abzuliefern. Ich wußte gleich, auf welches Buch das zielte und lieferte es ab. Dafür soll ich zehn Gulden an Pöngeldern erlegen und habe es nur dem persönlichen Wohlwollen des Landrichters zu danken, daß man von einer Haussuchung Abstand genommen hat. Was hast du dazu zu sagen?«

»Ich?« stammelte Ewald, der während dieser Worte totenblaß geworden war. »Ich?«

»Ja, du. Denn nur durch dich kann es herausgekommen sein, daß ich die ›Drei Aktus der Thorner Tragödie‹ besitze. So wenig ähnlich dir's sieht – ich muß fast glauben, du hast mich verraten.«

»Herr Pfarrer!« schrie Ewald. »Wie können Sie das glauben! Ich habe das Buch niemandem gezeigt als Stephan Grabowski, und der hat mir sein Ehrenwort gegeben, daß er keinem etwas sagen wolle.«

Er zitterte dabei so heftig, daß die Schulbücher, die er noch unter dem Arm trug, polternd zu Boden fielen.

»Und warum hast du es ihm gezeigt?«

»Ich wollte ihm doch erklären, warum ich fort will und von den Jesuiten nichts mehr wissen mag.«

Der Pfarrer blickte ihn noch einmal scharf an, und sein Gesicht wurde dabei immer freundlicher. So sah kein Lügner aus, das erkannte er wohl. Dem großen Jungen war nichts passiert als eine Unvorsichtigkeit, er hatte zuviel vertraut und war in seinem Vertrauen getäuscht worden. Darum sagte er in weitaus milderem Tone: »Das kommt davon, wenn man sich mit dem polnischen Gelichter einläßt. Denn natürlich hat der edle Schuftislauski sein Wort gebrochen.«

»Das kann doch nicht sein!« rief Ewald so entsetzt und sah dabei so jammervoll aus, daß den alten Herrn mit einem Male ein großes Mitleid ergriff und er ihm herzlich die Hände auf die Schultern legte.

»Mein Sohn,« sagte er in gütigem Tone, »du hältst deinen Freunden die Treue, wie du das erst kürzlich gezeigt hast. Deshalb meinst du, andere müßten auch die Treue halten. Ach, gutes Kind, da bist du leider Gottes in einem schweren Irrtum! Ich, ein alter Mann, sage dies aus der Erfahrung eines langen Lebens heraus: Treue und Glauben halten ist eine Ausnahme unter den Menschenkindern, besonders aber unter den Kindern dieser Sarmatenrasse, die durch unsere Uneinigkeit dieses Landes Herren geworden sind. Sie sind nicht ohne Gaben und auch nicht ohne Tugenden, zwei Dinge aber mangeln ihnen ganz und gar: Ehrliche Geradheit und schlichte Treue. Darum wird jeder eine schwere Enttäuschung erleben, der einem Polen seine Freundschaft schenkt. Er wird früher oder später Untreue und Falschheit erfahren, wie du sie also jetzt erfahren hast, mein Sohn. Nun ziehe daraus die Konsequenz. Es steht in der Schrift: Wenn dich dein Auge ärgert, so reiße es aus und wirf es von dir. Tue danach. Reiße die Freundschaft zu diesem edlen Polen aus deinem Herzen, wenn dir's vielleicht auch bitter weh tut.«

»Erst will ich ihn selber fragen,« murmelte Ewald mit erstickter Stimme. Er wandte sich, und ehe der Pfarrer noch etwas sagen konnte, war er zur Tür und zum Hause hinaus.

Er rannte wie gehetzt die lange Straße hin, aber je näher er der Wohnung Grabowskis kam, um so mehr verlangsamte er seine Schritte. Es ward ihm elend und immer elender zumute. Eine unsägliche Bitterkeit quoll in ihm empor. Er dachte an die vielen schönen Nachmittage, die er mit diesem Jungen verbracht hatte, an ihre gemeinsamen Spaziergänge und die Angelfahrten auf dem Radunsee, wo sie einander alles mitgeteilt und anvertraut hatten, was ihre Herzen bewegte. Größeres Vertrauen hatte er nie einem Menschen entgegengebracht, und nun kam ihm der Freund so!

Es würgte ihn im Halse, und er konnte zuerst kein Wort hervorbringen, als er in Grabowskis Zimmer eintrat. Dann stieß er hastig nur die Worte hervor: »Warum hast du mich verraten?«

Der junge Pole sprang erbleichend auf. »Was willst du? Was soll das heißen?«

»Der Propst hat zehn Gulden Strafe zahlen müssen, weil er ein verbotenes Buch im Hause hatte. Nur ich und du wußten von dem Buche. Du mußt es also jemandem verraten haben.«

Grabowski sank auf seinen Stuhl zurück. »Ich habe es nicht getan,« stammelte er.

»Du mußt es gesagt haben!« schrie Ewald. »Nun lügst du auch noch? Niemand anders hat es gewußt, und nun ist es heraus.«

»Ich habe es keinem Menschen gesagt.«

Ewald blickte ihn starr an. »So? Kannst du sagen: ›So wahr mir Gott helfe?‹« Er sah ihm mit blitzenden Augen ins Gesicht, während Grabowskis Blicke scheu über den Boden hin irrten.

»Nun natürlich« – flüsterte er. »Einem habe ich's gesagt – dem muß ich ja alles sagen. Meinem Beichtvater.«

Ewald fuhr zurück. »Du hast es dem Pater Marcell gesagt?«

Grabowski suchte seine Hand zu fassen, die ihm aber heftig entzogen wurde. »Aber Kleist!« sagte er ganz kläglich. »Das muß doch sein! Das ist doch nun einmal so. In der Beichte muß man alles sagen.«

»Und du hast mir dein Ehrenwort gegeben!« rief Ewald heftig.

»Aber das gilt doch von der Beichte nicht! Das mußt du einsehen.«

»Nein, das sehe ich nicht ein,« versetzte Ewald hart. »Ein Mensch, der kein Lump ist, hält immer sein Ehrenwort.«

Grabowski fuhr puterrot in die Höhe. Seine Augen flackerten. »Das nimmst du zurück, Kleist. Sonst ist es aus mit unserer Freundschaft.«

»Wie kann einer mein Freund sein, der einem anderen alles sagen muß?« erwiderte Ewald kalt. »Dem kann ich ja nie wieder Vertrauen schenken. Mit unserer Freundschaft ist es aus. Adieu.«

Erhobenen Hauptes, aber tiefen Jammer im Herzen schritt er heim. Dort erzählte er dem Propst den ganzen Vorgang. Der lächelte bitter und sagte: »Dann ist er doch nicht so schuldig, wie ich glaubte.«

»Nicht?« fragte Ewald verwundert. »Er hat doch sein Ehrenwort gebrochen.«

»Das wohl. Aber er hat dabei unter einem Zwange gehandelt – du weißt und verstehst nicht, unter welch furchtbarem Zwange. Von frühester Kindheit an wird ja diesen armen Menschen eingeredet, daß sie ewig verdammt und verloren sind, wenn sie dem Priester nicht alles beichten, was sie auf dem Herzen haben, und was er sie fragt. So sind und bleiben sie unfreie Knechte, immer unter der geheimen Herrschaft eines anderen ihr Leben lang. Wir Evangelischen können uns in den Zustand einer solchen Seele gar nicht hineindenken, und was sie in solchem Gewissenszwange tun, dürfen wir wohl milder beurteilen.«

»Aber er hat sein Ehrenwort gebrochen,« gab Ewald starrsinnig zur Antwort. »Er hat mich verraten, und ich will nichts mehr mit ihm zu tun haben.«

In der Tat hatte er keinen Blick für den ehemaligen Freund, als er in der Klasse ihm notgedrungen wieder begegnete. Auch Grabowski tat, als sähe er ihn nicht. Obgleich sie nebeneinander saßen, grüßten sie sich nicht, blickten beide beharrlich nach der anderen Seite, und jeder plauderte forciert und aufgeregt mit seinem Vordermann.

Für die lieben Mitschüler bedeutete das eine große Sensation. Kleist und Grabowski, die man Orestes und Pylades nannte, waren auseinander! Warum? Was war geschehen? Sicher war Kleist der schuldige Teil, und die Lehrer wußten um die Sache; denn es mußte ja einem jeden auffallen, daß sie ihn mit einem Male völlig ignorierten. Was mochte da wohl noch zutage kommen! Jedenfalls etwas Hochinteressantes, was vielleicht Wochen hindurch Stoff zu Beobachtungen und Gesprächen bot.

Am aufgeregtesten war Lubowiecki, der gerade hinter Ewald saß. Er hatte seinen Haß gegen Kleist oftmals bezähmt mit Rücksicht auf Grabowski, mit dem er es nicht verderben mochte. Nun war diese Schranke gefallen, und er beschloß, das Versäumte redlich nachzuholen.

Gleich beim Beginn der zweiten Nachmittagsstunde ersah er dazu eine günstige Gelegenheit. Es sollte da eine kleine Disputation zwischen zwei Schülern abgehalten werden, wie sie in der Jesuitenschule mit Vorliebe geübt wurden. Zu diesem Zwecke ward ein größerer Saal im Obergeschoß aufgesucht, in dem zwei Katheder einander gegenüber angebracht waren. Paarweise verließen die Schüler das Klassenzimmer und schritten den Korridor entlang. Da geschah es, daß Ewald von Kleist von dem hinter ihm wandelnden Lubowiecki heftig auf die Ferse getreten wurde. Unwillig wandte er sich um, aber ein höfliches »Pardon Monsieur« tönte ihm entgegen. So mochte es denn aus Unachtsamkeit geschehen sein. Als aber der Tritt sich noch zweimal wiederholte und jedesmal dieselbe Redensart erfolgte, da erfaßte den Getretenen eine blinde Wut. Er drehte sich blitzschnell um und hieb mit dem Rufe »Pardon Monsieur!« dem Frechling eine wohlgezielte Ohrfeige ins Gesicht.

»Hundsblut!« schrie Lubowiecki und wollte sich auf ihn stürzen. Aber schon streckte sich ein langer, hagerer Arm zwischen die beiden aus, und der schnell herbeigeeilte Pater Präzeptor rief mit seiner scharfen Stimme: »Halt! Alles in die Klasse zurück und die Plätze wieder eingenommen!«

Als alle saßen, trat der Jesuit auf das Katheder und ließ seine Blicke zornbleich über die lautlos und geduckt dasitzende Schülerzahl hinschweifen. Ein solcher Auftritt war ihm in der ihm anvertrauten Klasse noch nie vorgekommen. So was passierte kaum in den unteren Klassen. Es war unerhört.

»Was bewog Sie, Kleist,« fragte er endlich mit schneidender Stimme, »einen Ihrer Lektionsgenossen ins Gesicht zu schlagen?«

Zitternd vor Empörung erzählte Ewald, was ihm begegnet war.

»Was haben Sie darauf zu sagen?« wandte sich der Jesuit an Lubowiecki.

»Es ist, wie es ist,« gab der in frechem Tone zur Antwort. Der Pater ward dunkelrot und dann wieder bleich. Er richtete sich hoch auf und sah den jungen Menschen mit einem Blicke an, vor dem dieser unwillkürlich erbebte.

»Stanislaus von Lubowiecki, kommen Sie sofort hierher!« gebot er.

Lubowiecki erhob sich und gehorchte. Sein Trotz war mit einem Male verflogen, er sah aschfahl aus und wagte nicht, das Auge zu dem Pater zu erheben.

»Ich will Ihre Frechheit und Ihre Arroganz bändigen, mein Sohn,« sagte er. »Knien Sie nieder!«

Alles hielt den Atem an. Das war noch nie dagewesen, war noch von keinem verlangt worden. Würde er gehorchen?

Lubowiecki machte eine unschlüssige Bewegung und hob den scheuen Blick zum Katheder empor. Aber das durchbohrende Auge des Paters und dessen eisernes Gesicht schienen eine solche Macht auf ihn auszuüben, daß er keinen Widerstand wagte. Er kniete schwerfällig nieder.

»Nun küssen Sie den Boden!« befahl der Jesuit. »So! Nun noch einmal und noch einmal!« Und wirklich, dreimal senkten sich die Lippen des jungen Polen hinab und berührten den Estrich.

»Gehen Sie auf Ihren Platz! Kleist, kommen Sie hierher.«

»Niemals!« schrie Ewald und sprang mit glühenden Wangen auf.

»Ich befehle Ihnen, Kleist, zum zweiten und dritten Male, hierherzukommen!«

Ewald blieb starr auf seinem Platze stehen.

»Sie weigern den Gehorsam? So nehmen Sie Ihre Bücher und gehen Sie heim. Ich werde dem Pater Präfektor über Sie berichten. Er wird entscheiden, ob Sie ferner noch ein Schüler unseres Lyzeums sein können.«

Ewald ergriff seine Bücher, und ohne einen Blick auf den Pater und die Klassengenossen zu werfen, schritt er zur Tür hinaus. Hierher kam er nie wieder, das empfand er mit aller Deutlichkeit. –

»Wir können das Prävenire spielen,« sagte der Propst, als ihm Ewald, noch blaß vor Erregung, die Szene geschildert hatte. »Hier ist der Brief deines Vaters, der mich ermächtigt, dich sofort nach Groß-Poplow zu deinem Oheim zu entsenden. Du mußt freilich bis übermorgen warten, denn eher findet sich keine Gelegenheit, aber von dem Lyzeum werde ich dich auf der Stelle abmelden.« –

So machte sich denn am folgenden Tage Ewald auf, um seine Abschiedsvisiten abzustatten. Aber er hatte Unglück damit, denn Frau von der Goltz war auf ein benachbartes Gut gefahren und hatte ihre Tochter und auch seine Daniela mitgenommen. Nur Sanna traf er zu Hause an. Doch befangen und wortkarg saßen sich die beiden gegenüber, und als er ging, gab er ihr einen Kuß, wie er einst als Kind getan, als sie von ihm schied. Er weinte auch nicht, als er ihr die Hand zum Abschied bot, wie damals, und ebensowenig fand er am anderen Morgen eine Träne, als er die Stadt verließ. Denn sie war ihm nur ein Aufenthaltsort gewesen, nicht eine Heimat – die hatte er längst verloren. Auch einen Freund ließ er nicht in ihren Mauern zurück – der einzige, der seinem Herzen nahe gestanden hatte, war ihm verleidet. Einsam war er schon als Kind gewesen, und einsam war er geblieben.

I

Im Hause des Obristen von Schulze, des Kommandeurs der Königlichen Leib-Grenadiere in Potsdam, war große Galatafel. Der junge Prinz Wilhelm zu Brandenburg-Schwedt, ein naher Verwandter des Königlichen Hauses, erwies dem verdienten Kriegsmanne die Ehre, bei ihm zu speisen.

Außer der Hausfrau, die zur Rechten des hohen Gastes saß, nahmen nur Herren an dem Mahle teil, lauter Offiziere in den Uniformen der verschiedensten Regimenter. Ein einziger trug bürgerliches Gewand, und der saß ganz unten am Tisch. Es war der Sekretär des Prinzen, ein junger Rechtsgelehrter namens Gleim, der bei seinem Herrn sehr in Gunst stand, und den man aus Rücksicht auf diesen mit eingeladen hatte. Übrigens wurde er auch von dem Hausherrn, dessen Kinder er zurzeit mit unterrichtete, freundlichen Wohlwollens gewürdigt.

Die Unterhaltung, die im Anfang steif und einsilbig verlief, wurde bald sehr lebhaft. Denn der Prinz war ein feuriger, lebendiger Herr, der selbst vorzüglich zu plaudern verstand und heitere, anregende Geselligkeit liebte. Ein weiteres tat der Champagner, die Herzen der Gäste froh zu stimmen und ihre Zungen zu lösen.

Der Prinz hatte eben eines der hohen Gläser mit einem Zuge geleert. Nun beugte er sich nach links und flüsterte dem Gastgeber vertraulich zu: »Ist es nicht charmant, lieber Schulze, daß man in Preußen wieder lustig sein darf? Denken Sie einmal nach, wie das noch vor drei Jahren war, als der hochselige König lebte. Hätten Sie damals Ihren Gästen solchen Wein verabreicht, Sie hätten riskiert, als Verschwender nach Spandau zu kommen. Ich habe, weiß Gott, Diners im Königlichen Schlosse mitgemacht, wobei es nichts gab als Pökelfleisch mit Erbsen und Sauerkohl. Dazu trank man Ducksteiner Bier aus Zinnkrügen.«

Der Obrist lächelte. »Es war eine Zeit straffer Zucht. Aber sie hat sicher auch ihr Gutes gehabt, Durchlaucht.«

»Ohne Zweifel!« bestätigte der Prinz. »Der alte Herr hat viel, viel vorbereitet. Ohne das Heer und den Schatz Seiner hochseligen Majestät hätte der König nicht bei Mollwitz und Czaslau gesiegt und Schlesien konqueriert. Und dennoch – ein Vivat der neuen Zeit und ihrer Sonne, König Friedrich!«

Er hob sein von neuem gefülltes Glas und hielt es dem Obrist entgegen. »Ein Vivat Seiner Majestät und Viktoria über alle seine Feinde!« rief der und stieß mit dem Prinzen an.

»Sie sind auch der Meinung, lieber Obrist, daß uns die Dame in Wien attackieren wird, sobald sie kann?« fragte der Prinz.

»Sicherlich, Durchlaucht. Die Königin von Ungarn ist eine mutige Frau, hat mehr Valeur als die meisten Männer. Und sie kann den Verlust ihrer schönen Provinz und das Malheur der letzten Kampagne nicht überwinden. Man erzählt, sie breche in Tränen aus, wenn sie nur den Namen Schlesien höre. Da kann man leicht erraten, wohin ihre Gedanken gehen.«

Der Prinz nickte. »Wir stehen vielleicht am Vorabend einer neuen großen Kampagne.«

Während dessen war ein Diener mit einem Billett neben den Stuhl des Obristen getreten. »Dienstlich?« fragte der. »Es ist vom Diener des Herrn Leutnants von Kleist abgegeben,« war die Antwort.

»So, so!« brummte der Obrist, und eine Unmutswolke erschien auf seiner Stirn. »Er exküsiert sich doch wenigstens.«

»Ah!« rief der Prinz, »ist das der Offizier, den Sie mir heute präsentieren wollten? Na, da lesen Sie man, was mit ihm los ist.«

Der Obrist überflog das Blatt. »Ein plötzliches Malheur hat ihn aufs Krankenlager geworfen.«

Der Prinz lachte. »Na, solche Malheurs sind bei unsern Herrn Leutnants nichts Seltnes. Er wird ein Renkontre gehabt und dabei eins weggekriegt haben.«

»Wohl möglich, Durchlaucht. In den jungen Kerls ist ja der Teufel. Aber er tut mir leid, ich wollte ihn Eurer Durchlaucht rekommandieren. Schade, schade! Der Monsieur hat viel Genie, scheint mir aber ein Pechvogel zu sein.«

»Was nicht heute ist, kann ja morgen werden,« tröstete der Prinz. »Worin exzelliert er denn übrigens?«

»Er ist voller Kenntnisse, Durchlaucht, wie man sie selten findet. Er schreibt und spricht sieben Sprachen.«

Der Prinz öffnete den Mund weit vor Erstaunen. »Ein Leutnant? Incroyable! Wer hat ihm denn solche Wissenschaft beigebracht?«

»Deutsch und Französisch hat er im Elternhause gelernt, Polnisch wohl auch, denn er ist dahinten an der Grenze zu Hause. Dann haben ihn die Jesuiten erzogen und zu einem Lateiner und Griechen gemacht, Italienisch lernte er auf der Universität –«

»Da war er auch?«

»In Königsberg. Aber nur kurze Zeit. Er sollte Jus studieren, doch die Verhältnisse seines Vaters waren derangiert, und er trat deshalb als Offizier in dänische Dienste, denn er ist mit den Zeppelins und Folkersambs verwandt. Dort lernte er natürlich Dänisch.«

»Und wie kam dieses Wundertier in unsere Dienste?«

»Seine Majestät befahlen gleich nach Hochdero Regierungsantritt den Landeskindern, die fremden Kriegsdienste zu verlassen.«

»So ist er schon mehrere Jahre bei uns? Wie hat er sich denn in den Bataillen des letzten Krieges aufgeführt?«

Der Obrist wiegte bedauernd das Haupt hin und her. »Das ist es ja eben. Er ist ein Pechvogel. Er brennt vor Ruhmbegierde, aber sein Regiment ist gar nicht ins Feuer gekommen.«

»En verité, das nennt man Pech,« versetzte der Prinz. »Indessen solch ein Mensch kann dem Könige auch andere Dienste leisten als auf dem champ de bataille. Man sollte ihn einer Ambassade attachieren.«

»Daran dachte ich auch, Durchlaucht,« erwiderte der Obrist eifrig nickend. »Als Attaché bei einem Gesandten oder Residenten könnte er Erspießliches leisten. Er stellt auch was vor, ist ein schöner Mann, hochgewachsen mit intelligentem Gesicht. Es wird Eurer Durchlaucht ein leichtes sein, Seine Majestät für ihn zu interessieren.«

Der Prinz schlug den Obristen vertraulich aufs Knie. »Das ist nicht so leicht, wie Sie denken. Der König hat seinen Kopf höllisch für sich, wer ihm paßt, der paßt ihm, und wen er nicht mag, den mag er nicht. Oft entscheidet der erste Eindruck. Favorisiert er einen nicht sogleich, so favorisiert er ihn meist überhaupt nicht. Doch will ich sehen, was sich tun läßt.« Er bog sich über den Tisch weit vor und rief: »Gleim!«

Der Angeredete stand ehrerbietig auf. »Eure Durchlaucht?«

»Geh er nachher zu dem Leutnant von Kleist. – Welches Regiment, lieber Obrist?« –

»Seiner Hoheit des Prinzen Heinrich Regiment. Er wohnt im Gartenhause des Kornhändlers Burgeroth.«

»Na, da hört er's. Der Leutnant liegt krank. Wenn er wieder gesund ist, soll er sich bei mir melden.«

»Wie Eure Durchlaucht befehlen.«

»Er kann ein Stück mit mir gehen,« sagte der Leutnant von Seydlitz. »Premierleutnant von Kleist steht bei meinem Regiment, und ich bin ihm genau befreundet«. Dann raunte er, als die Unterhaltung der anderen wieder lauter wurde, dem Sekretär zu: »Entre nous – das braucht aber sein Prinz nicht zu wissen – Kleist hat ein Renkontre gehabt mit dem von Stojentin und hat einen verfluchten Stich in den Arm wegbekommen. Es ist eine verdammte Chose. Ich war vorhin bei ihm. Der arme Kerl hat das Wundfieber und ist ganz krank. Es wird ihn recht ermuntern, wenn er hört, daß Seine Durchlaucht sich für ihn interessiert.«

So kam es, daß eine Stunde später der junge Dichter und derzeitige prinzliche Sekretär Wilhelm Ludwig Gleim dem Premierleutnant Ewald von Kleist eine Visite abstattete. Der Auftrag war ihm anfangs unbehaglich, denn er erwartete in dem verwundeten Offizier einen der Säbelraßler und Raufbolde zu sehen, deren er in Berlin und Potsdam nur allzu viele kennen

83

gelernt hatte. Aber das Häuschen, das sich der junge Premierleutnant zur Wohnstätte ausgewählt hatte, nahm den Naturschwärmer Gleim sogleich sehr für ihn ein. Es lag im Grünen, tief versteckt unter hohen Bäumen und blühendem Gesträuch, nicht weit von den Ufern der Havel, deren helles Wasser man hie und da durch die Gebüsche schimmern sah. Wunderlich, daß ein Offizier hier sein Zelt aufschlagen mochte! Sinn für die idyllische Schönheit der Natur war unter den Herren Leutnants König Friedrichs eine sehr, sehr seltene Sache.

Noch angenehmer überrascht ward Gleim, als er den selbst erblickte, dem sein Auftrag galt. Kleist saß vor seinem Gartenhause in einem großen Lehnstuhl, von einem leichten Mantel bedeckt, den verwundeten Arm in dichte Binden gehüllt tragend, und genoß offenbar den schönen Sommerabend, dessen untergehende Sonne glühendrot hinter den Bäumen versank. Er wandte dem Herantretenden freundlich sein Antlitz zu, ein Antlitz, dessen offener, männlicher und zugleich seelenvoller Ausdruck auf Gleim geradezu frappierend wirkte.

Als dieser sich vorgestellt und den Auftrag seines Prinzen ausgerichtet hatte, überflog das blasse Gesicht des Verwundeten ein Freudenschimmer. »Setzen Sie sich, mein Herr,« sagte er auf einen Rohrstuhl deutend, der in der Nähe stand. »Empfangen Sie meinen Dank und sagen Sie vor allen Dingen Seiner Durchlaucht meinen untertänigsten und ehrerbietigsten Dank für das gnädige Interesse, das er an mir zu nehmen geruht. Ich werde nicht verfehlen, auf der Stelle nach meiner Genesung mich zu melden. Vorläufig,« setzte er mit einem leichten Seufzer hinzu, »scheint es damit allerdings noch gute Wege zu haben.«

»Sie sind schwer verwundet?« fragte Gleim teilnehmend.

»Es scheint so. Eine Ader ist getroffen. Aber woher wissen Sie –?«

»Herr Leutnant von Seydlitz hielt es für gut, mich aufzuklären. Er glaubt anscheinend, ich könnte sonst Seiner Durchlaucht etwas vorschwatzen, was für seinen Freund nicht opportun wäre.«

Kleist lächelte. »Ja, offiziell darf ja von solchen Sachen nicht die Rede sein. Der König schickt jeden nach Spandau oder Küstrin, der dabei geklappt wird. Wer sich aber weigern würde, Satisfaktion zu geben oder zu fordern, der würde kassiert. Es ist eine kuriose Welt, und ich begreife nicht, warum man nicht den Mut der Wahrheit hat. Doch müssen wohl sehr importante Gründe dafür sein, wenn selbst Seine Majestät der König, der sonst die fleischgewordene Wahrhaftigkeit ist, dieses Gaukelspiel bestehen läßt. Na, jedenfalls – dem Prinzen erzählen Sie etwas von einem Unfall. Er weiß ja die Wahrheit, aber er darf sie nicht wissen.«

»Natürlich, natürlich,« beeilte sich Gleim zu erwidern.

»Es ist eine ganz verwünschte Lage, in der ich mich befinde,« begann Kleist von neuem. »Es liegt mir so viel daran, gesund zu sein – es steht so

Wichtiges für mich auf dem Spiele – gerade jetzt – und nun kommt auch noch diese ehrenvolle Einladung, der ich nicht folgen kann. Und gibt es überhaupt etwas Miserableres für einen jungen Mann, als krank in einem Stuhl zu sitzen oder im Bett zu liegen? Diese elende Langeweile! Wenn nur erst der verdammte Stich wieder heil wäre!«

»Sind Sie nicht ein Freund vom Lesen?« fragte Gleim fast zaghaft; denn einem Offizier gegenüber war das eine etwas gewagte Frage. Das Bücherwesen stand im allgemeinen tief in der Achtung derer, die der Ehre gewürdigt waren, den Sponton zu tragen.

Wider Erwarten antwortete jedoch Kleist lebhaft: »Lesen? O ja, sehr gern. Aber mir fehlen die Bücher.«

»Ich würde Ihnen mit Freuden welche zur Verfügung stellen.«

»Sehr obligiert,« sagte Kleist und versuchte, sich dankend zu verbeugen. »Aber, wenn ich bitten darf, keine französischen Romane. Die mag ich nicht.«

»Also deutsche Bücher. Ich weiß nicht, woher ich die Kühnheit nehme, Sie zu fragen, Herr Premierleutnant: Sind Sie ein Liebhaber der Poesie? Die idyllische Umgebung Ihres Hauses veranlaßt mich wohl dazu.«

Kleists Antlitz überflog ein schwermütiges Lächeln. »Ich bin ein Landkind und kann die ländliche Schönheit der Natur nicht vergessen,« erwiderte er. »Ich bin aufgewachsen auf einem Schlosse in Pommern. Das ist nun nach dem Tode meines Vaters in andere Hände übergegangen, aber ich habe daselbst noch ein Gut, Ruschitz, und es ist mein sehnlicher Wunsch, einst, wenn ich alt bin, dort in Ruhe meinen Kohl zu pflegen und auf meiner Scholle zu sterben. Einstweilen behelfe ich mich mit dem bißchen Natur hier, so gut ich kann. Wenn ich vom Dienste komme, macht mir's Freude, hier in den Havelgebüschen die Nachtigallen schlagen zu hören.«

»Sie werden viel von dieser Stimmung wiederfinden in dem ›Frühling‹ des Herrn Uz, den ich mir erlauben werde, Ihnen zuzusenden. Wie wäre es außerdem mit dem ›Tempel der wahren Dichtkunst‹ von Pyra? Diesen Verfasser habe ich das Vergnügen persönlich zu kennen.«

»Sie sind sehr freundlich, mein Herr,« versetzte Kleist, etwas belustigt von dem Eifer des fremden jungen Mannes, der ihm aber wohl gefiel. »Ich kenne von dem allen nichts, aber es wird mir eine Freude sein, es auf Ihre Empfehlung hin kennen zu lernen.«

»Noch heute abend sende ich Ihnen die Bücher,« sagte Gleim, sich erhebend. »Und Sie gestatten wohl, daß ich in einigen Tagen mich persönlich erkundige, ob sie Ihren Beifall gefunden haben.«

»Bitte sehr darum. Ich werde Ihrem Besuch mit dem größten Vergnügen entgegensehen. Leider kann ich Sie nicht zur Tür geleiten. Hier haben Sie meine linke Hand. Die rechte liegt in der vermaledeiten Binde.« –

Gleim entfernte sich und schritt in tiefen Gedanken seiner entfernt liegenden Wohnung zu. Er entsann sich kaum, daß ein Mensch je auf ihn einen so anziehenden Eindruck gemacht habe wie dieser Offizier, der wohl nur wenig älter sein mußte als er selbst. Gesicht, Stimme, Haltung des jungen Edelmannes – alles hatte etwas ungemein Sympathisches für ihn, er fühlte sich geradezu magnetisch von ihm angezogen.

So ließ er kaum zwei Tage verstreichen, bis er seinen Besuch wiederholte. Er fand den Verwundeten diesmal nicht im Freien, sondern in dem kleinen Mansardenzimmer seines Hauses. Sowie er seiner ansichtig wurde, erkannte er, daß sein Befinden sich verschlimmert haben müsse, denn das Gesicht war erschreckend bleich, und die großen Augen, die tief in den Höhlen lagen, glänzten fieberisch.

Der Kranke streckte ihm von seinem Lager aus die Hand entgegen. »Ich bin sehr erfreut, Sie zu sehen, Monsieur Gleim. Aber, mein Himmel, was machen Sie denn für ein Gesicht?«

»Ich bin erschrocken, Herr von Kleist, Sie liegend und so elend zu finden.«

»So? Sieht man mir das an?«

»Leider sehr.«

Kleist sank auf sein Kissen zurück und seufzte. »Ja, es ist eine miserable Lage, in der ich mich befinde. Und daß es gerade jetzt sein muß, gerade jetzt! Ich werde Ihrem Prinzen rekommandiert, er läßt mich rufen, ich kann nicht erscheinen. Ich werde in Berlin erwartet, in wichtiger, allerwichtigster Angelegenheit, ich liege hier und kann mich kaum rühren. Es ist um desperat zu werden!«

»Wenn ich Ihnen irgendwie dienen, irgendwie nützen kann, so befehlen Sie ganz über mich.«

Kleist heftete seinen Blick fest auf das Gesicht seines Besuchers und lächelte freundlich. »Sie sind offenbar ein guter, edler Mensch,« sagte er. »Aber Sie können mir leider nicht helfen. In Berlin hält sich zu dieser Zeit eine Dame auf, die mir sehr teuer ist. Mit solchen Angelegenheiten behelligt man keinen Dritten. Sie verstehen. – Nein,« setzte er, abermals tief aufseufzend, hinzu, »ich muß mich in Geduld fassen, bis es Gott gefällt, mich wieder herzustellen. Also lassen wir das. Reden wir von anderem. Ich fühle mich gedrungen, Ihnen herzlich zu danken, Monsieur Gleim, für die Bücher, die Sie mir gütigst zugesendet haben. Sie haben mir nicht nur über die Langeweile hinweggeholfen, sie waren mir viel mehr. Sie haben auf mich gewirkt – ja, ich kann wohl sagen, wie eine Offenbarung.

»Wieso das?« fragte Gleim eifrig und rückte näher.

»Seit Jahren ärgert mich,« fuhr Kleist fort, »daß man dem Deutschen alle Fähigkeit zur Dichtkunst abspricht. Man nennt unsere Sprache eine grobe, polternde, unbeholfene Sprache, in der man keinen Gedanken mit Grazie ausdrücken könne. Unser erhabener Monarch hegt ja selbst dieses

Vorurteil. Wenn aber mehr solcher Dichter auftreten werden wie dieser Herr Pyra und Herr Uz, dann wird das bald kein Mensch mehr sagen. Denn hier ist Grazie, Feinheit, Anmut – was Sie wollen. Das hat mich ungemein gefreut, und wenn Sie mehr von diesen oder ähnlichen Autoren besitzen, so lassen Sie mir's ja zukommen.«

Gleim hatte mit glänzenden Augen zugehört. »Ist es nicht wunderbar?« rief er, als der Kranke geendet. »Bei Ihrem ersten Anblick sagte mir eine innere Stimme: Das ist ein Mann, der die Sprache der Musen leiden kann! Ich habe mich nicht getäuscht.«

»Nein,« erwiderte Kleist. »Sie haben darin richtig kalkuliert. Ich habe von jeher, schon seit meinen Knabenjahren, eine eigentümliche Zuneigung zur Poesie. Aber nun sagen Sie einmal: Sie sind, wenn ich mich recht Ihrer Worte erinnere, mit einem dieser Dichter persönlich bekannt?«

»Mit Pyra. Ich gehörte in Halle zu seinem poetischen Kränzchen.«

»Der Tausend! So dichten Sie auch?«

Gleim lächelte fast verschämt. »Es werden demnächst anakreontische Gedichte von mir in Druck erscheinen.«

»Das ist ja höchst interessant. Darf man vielleicht vorher Einblick in das Manuskript nehmen?«

»Ihnen möchte ich's nicht abschlagen,« erwiderte Gleim. »Ich habe hier in meiner Brieftasche ein paar scherzhafte Lieder. Ich bin leider kein exzellenter Rezitator, aber, wenn Sie vorliebnehmen wollen, will ich sie Ihnen gern vorlesen.«

»Ich bitte darum. Es wird mich aufs höchste interessieren.«

Gleim nahm verschiedene Blätter hervor, rückte sich zurecht und las, nachdem er sich mehrmals geräuspert hatte, ein Lied, das anhub: »In dem Garten, den ich liebe« und den Titel: Der Vermittler trug.

»Das ist famos!« rief Kleist, als der Vorleser das Blatt sinken ließ. »Sie sind ja wirklich ein Poet, Monsieur! Ja, wahrhaftig, auch Sie haben Humor und Grazie. Haben Sie noch mehr dergleichen?«

»Hören Sie noch dies,« versetzte Gleim, nicht wenig erfreut und geschmeichelt, und er las das Gedicht: »Tod, kannst du dich auch verlieben.«

Als er geendet hatte, lachte der Verwundete laut auf. Er hatte offenbar während des Zuhörens ganz vergessen, daß er verwundet war, denn er machte eine heftige Bewegung und brachte dadurch den verbundenen Arm in eine unrechte Lage, so daß er plötzlich einen scharfen Schmerz empfand und einen Schrei ausstieß.

Gleim ließ seine Blätter zur Erde fallen und sprang bestürzt auf. »Mein Gott, was ist Ihnen?«

»Donnerwetter,« stöhnte Kleist. »Ich weiß nicht, was das ist. Ich glaube, die Ader ist aufgesprungen. Das Blut kommt schon gesickert. Rufen Sie meinen Diener Jacques, er soll sogleich zum Wundarzt.«

Gleim rannte an die Treppe und schrie aus Leibeskräften, aber niemand erschien.

»Nun ist der Esel fort, gerade wenn er gebraucht wird. Dieses Bedientenpack! Es ist doch kein Verlaß auf die Rackers!« schimpfte Kleist.

»Ich gehe selbst. In ein paar Minuten bin ich wieder da!« rief Gleim, ergriff seinen Hut und sprang die Treppe hinunter.

Als er etwa zehn Minuten später mit dem Feldscher wiederkehrte, fanden sie den Kranken halb ohnmächtig in einer Blutlache liegend. Der erschrockene Jünger Äskulaps entfernte, so eilig er vermochte, den Verband und atmete dann sichtbar erleichtert auf. »Die Blutung steht,« erklärte er. »Die Chose hat nicht viel zu bedeuten, denn der Herr Premierleutnant haben eine kräftige Natur. Es ist sogar gut, daß es so gekommen ist, denn, Gott straf mich, hier wäre der kalte Brand hinzugetreten, wenn der Verband nicht abgenommen wäre. Die Spuren davon sind schon da.«

»Also Glück im Unglück«, sagte Kleist, der wieder bei voller Besinnung war. »Muß ich ins Lazarett?«

»Gott bewahre. Ruhe und ein paar Tage gute Pflege, da hilft sich die Natur schon von selbst.«

»Ja, gute Pflege! Hat sich was!« seufzte Kleist. »Mein Diener ist ein Schaf, gutmütig, aber dumm. Wachen kann er auch nicht eine Stunde.«

»Ich bleibe bei Ihnen,« rief Gleim. »Es trifft sich gut. Mein Prinz ist nach Berlin gefahren und kehrt erst übermorgen zurück. Bis dahin stehe ich zu Ihrer Verfügung.«

»Aber mein Herr, wie komme ich zu dieser Freundlichkeit?« murmelte Kleist, der wieder schwächer wurde.

»Es ist mir eine Freude. Wir senden durch Ihren Diener ein paar Zeilen an den Haushofmeister des Prinzen, damit er weiß, wo ich bin, und ich bleibe gleich hier.«

So geschah es denn auch, obwohl der Verwundete noch mehrmals widersprach. Gleim blieb die Nacht in der Klause des Offiziers, den er vier Tage vorher nicht einmal dem Namen nach gekannt hatte. Er rückte ihm die Kissen zurecht, gab ihm zu trinken, wenn er in der Fieberhitze danach verlangte, und wich kaum eine Minute von seinem Lager.

Auch den ganzen folgenden Tag leistete er ihm Gesellschaft, las ihm vor und unterhielt sich mit ihm über alle möglichen Dinge, wobei sich meist ein wunderbares Zusammenstimmen der Gedanken und Meinungen ergab.

Am dritten Morgen ward ihm ein Billett seines Prinzen gebracht, das seine schleunige Abfahrt nach Berlin forderte. »Ich verlasse Sie ja leider noch schwach, aber Gott sei Dank, doch ganz auf dem Wege der Rekonvaleszens,« sagte er. »In wenigen Tagen kommen wir zurück, da hoffe ich Sie wohlauf zu finden.«

»Mein Herr Gleim,« entgegnete Kleist mit einiger Feierlichkeit und richtete sich auf. »Sie haben mir einen großen, vielleicht unschätzbaren Dienst erwiesen. Und ich habe Sie in diesen Tagen kennen gelernt. Sie sind nicht nur ein Mann von Geist, Sie sind, was viel mehr ist, ein Mann von Herz. Ich habe seit meiner Jugend keinen Menschen ›Freund‹ genannt. Sie aber möchte ich so nennen. Wollen Sie?«

»Mit tausend Freuden!« rief Gleim und ergriff mit Tränen in den Augen die Hand des Verwundeten. »Es gibt Sympathien der Seelen! Wahrhaftig! Zu Ihnen hat mich gleich beim ersten Anblick mein ganzes Herz hingezogen!«

»So gehen Sie jetzt mit Gott, mein lieber Freund, und kommen Sie recht bald zu mir zurück. Ich werde die Stunden bis zu Ihrer Rückkehr zählen.«

II

Vier Tage später kehrte Gleim im Gefolge seines Prinzen nach Potsdam zurück, und sein erster Gang galt dem neugewonnenen Freunde. Er hatte am Tage vorher ein Billett Kleists erhalten, das offenbar mit der linken Hand geschrieben war. Darin teilte ihm der Freund mit, daß er, obwohl seine Wunde zu heilen beginne, noch nicht imstande sei, Dienst zu tun, und daß er ihn zu jeder Tageszeit freudig willkommen heißen werde. Darum machte er sich sofort zu ihm auf den Weg, obwohl die Dämmerung schon hereingebrochen war und der Mond zwischen weißem Federgewölk am Himmel stand.

Er schritt eilig die enge Gasse hinab, die zum Havelufer führte, aber plötzlich hemmte er seinen Schritt. Vor der Kleistschen Gartentür hielt ein Wagen, eine kleine halbverdeckte Kalesche, die mit zwei mageren Schimmeln bespannt war. Er entsann sich, daß die prinzliche Kutsche dieses kleine Gefährt auf der Fahrt von Berlin hierher überholt hatte, ohne daß er des Insassen gewahr geworden wäre.

»Verwünscht!« murmelte er. »Kleist hat Besuch. Da wird es besser sein, ich trolle mich wieder.« Der Gedanke war ihm sehr fatal, gerade jetzt beim Wiedersehen einen gleichgültigen Dritten in den Zimmern des Freundes vorzufinden und höfliche Redensarten mit ihm wechseln zu müssen.

Aber während er noch unschlüssig stand und ärgerlich nach dem Wagen hinblickte, nahm plötzlich sein Gesicht den Ausdruck des äußersten Erstaunens an. Denn aus dem Schatten einiger nahestehender Bäume hervor trat ein Mann, den er wohl kannte, und dessen Erscheinen an diesem Orte und zu dieser Stunde ihn verblüffte, ja geradezu erschreckte. Schleunigst zog er sich in das Dunkel eines Torweges zurück, um nicht erkannt zu werden; denn blitzschnell schoß ihm der Gedanke durch den Kopf, daß hier etwas Abenteuerliches vorgehe, worin möglicherweise, ja höchstwahrscheinlich sein Freund verwickelt sei oder verwickelt werden solle.

Klopfenden Herzens wartete er eine Weile, was sich wohl ereignen würde. Aber es geschah nichts, nur schritt jener Herr langsam, wie zufällig an den Wagen heran und knüpfte mit dem Kutscher ein Gespräch an. Das kam denn auch sogleich in Gang; Gleim konnte erkennen, wie der redselige Berliner auf dem Bock gestikulierte, konnte aber kein Wort verstehen. Schon begann er, ungeduldig zu werden und trat unruhig von einem Beine auf das andere. Da sah er, wie mit einem Male der Herr mit einer hastigen Bewegung den Hut berührte und sich eilig in den Schatten zurückzog, aus dem er aufgetaucht war. Gleichzeitig trat aus der Tür eine hohe Frauengestalt, die fest in einen schwarzen Mantel und Kapuze gehüllt war, und von der er zunächst weiter gar nichts wahrnehmen konnte. Aber als sie sich rasch in den Wagen schwang, streifte sich die Kapuze einen Augenblick zurück, und er erkannte das Antlitz, glaubte wenigstens, es zu erkennen.

»Bin ich denn toll geworden?« dachte er ganz perplex und starrte der Kalesche nach, die schnell über den holprigen Damm rollte. Das war doch – konnte es möglich sein? – die Malachowska, die Schauspielerin, die er vor einigen Wochen unter der Komödiantentruppe am Stallplatze in Berlin hatte spielen sehen? Was tat sie hier? Sie war in Kleists Hause gewesen, das litt keinen Zweifel. War sie etwa seine Geliebte?

Der Gedanke war ihm überaus peinlich, es ward ihm ganz heiß dabei. Gott, etwas Wunderbares wäre das ja freilich nicht gewesen. Die jungen Offiziere hatten fast alle ihre Amours mit kleinen Bürgermädchen, Sängerinnen oder Tänzerinnen. Man dachte über solche Dinge sehr frei in Berlin und anderswo fast noch freier. Selbst Seine Majestät war da gar nicht rigoros, drückte gern ein Auge oder beide zu, ja es schien ihm, leider Gottes, sogar lieber zu sein, als wenn sich seine Offiziere verheirateten. Auch er selbst, Wilhelm Ludwig Gleim, war gewiß kein Pedant, sondern ein junger Mann von Welt – aber bei Kleist, seinem Kleist, war das doch etwas anderes! Den konnte und mochte er sich nicht denken als Galan einer Komödiantin, verstrickt in eine unwürdige Liebschaft, bei der er doch nur der Betrogene einer Kokette oder der Verführer eines Mädchens sein konnte. Und was hatte nun vollends dieser Herr bei der Sache zu tun, der jetzt schnell die Straße herauf und dicht an seinem Verstecke vorüber kam? Er hatte sich nicht geirrt, er erkannte mit aller Deutlichkeit das verlebte Gesicht mit den scharfen Zügen und den pechschwarzen, stechenden Augen, auf das ihn sein Prinz vor wenigen Tagen aufmerksam gemacht hatte. Was suchte dieser Mensch hier? War er vielleicht der Nebenbuhler um die Gunst jener Theaterdame, oder sollte sein Freund in eine schlimme Falle gelockt werden?

Der Gedanke trieb ihn an, daß er mit einem Male vorwärts stürmte, denn der Freund mußte unverzüglich gewarnt werden. Ziemlich atemlos kam er in Kleists Wohnung an, wo eben der Diener ein opulentes Abendessen auf den Tisch stellte.

Kleist ging ihm entgegen und umarmte ihn mit der größten Herzlichkeit. Er tat es freilich nur mit dem linken Arm, denn den rechten trug er noch immer in der Binde. »Seien Sie mir herzlichst willkommen, lieber Gleim,« sagte er mit seiner tiefen, wohlklingenden Stimme. »Ich war überzeugt, daß Sie noch kommen würden, und habe deshalb mit dem Essen auf Sie gewartet. Ein paar gute Flaschen stehen auch bereit. Eben habe ich eine Dame zur eiligen Retraite gebracht, damit, daß ich ihr sagte, ich erwarte jede Minute einen Freund. Es freut mich, daß ich keine Lüge geredet habe.«

Er sagte das vollkommen harmlos. Gleim, der eine ganz andere Haltung erwartet hatte, sah ihn so verdutzt und zugleich erfreut an, daß Kleist in ein lautes Lachen ausbrach.

»Ah!« rief er, »Sie sind ihr begegnet und haben natürlich gleich etwas Böses gedacht. Gestehen Sie! Sie glaubten, mich als Suitier entlarvt zu sehen. Wie?«

»Ja, verehrter teurer Freund, wie konnte ich etwas anderes denken? Die Damen vom Theater sind im allgemeinen als nicht allzu spröde bekannt.«

»Wie? Sie kennen sie?« fragte Kleist betroffen.

»Ich gehe in Berlin zuweilen in die deutsche Komödie und habe sie neulich in einem Weißeschen Stücke gesehen. Ich wunderte mich, offen gesagt, des Todes, als ich sie aus Ihrer Tür treten sah.«

»Das will ich Ihnen bei Tische erklären. Jacques, stelle die Flaschen hierher. So. Du kannst nun gehen, wir brauchen dich heute nicht mehr. Geh meinetwegen in den ›Elefanten‹, aber besaufe dich nicht wieder wie das letzte Mal, sonst gebe ich dir Hausarrest. Hier hast du einen guten Groschen.«

Der Diener dankte, grinste und trat ab.

»So, nun sind wir entre nous,« sagte Kleist. »Bitte, greifen Sie zu. Diese Gänsebrust kann ich Ihnen empfehlen, sie ist von meinem Gute Ruschitz, und in der Fabrikation dieser Delikatesse ist Pommern allen Ländern über. Vor allem aber stoßen wir an auf unsere Freundschaft. Möge sie dauern bis zum Grabesrande!«

»Bis in Ewigkeit!« rief Gleim, und da er ein gefühlvoller Poet war, so konnte er nicht verhindern, daß bei diesen Worten seine Stimme merklich zitterte, und daß ihm gleich wieder die Augen voll Tränen standen. Doch hielt ihn seine Rührung nicht ab, den guten Gaben redlich zuzusprechen, die auf dem Tische seines Freundes standen. Sie plauderten nun eine Zeitlang sehr eifrig und angeregt über alle möglichen Dinge, bis Kleist fragte: »Haben Sie in Berlin nichts über die neuen Kriegsaussichten gehört? Sie als Sekretär eines großen Herrn müssen so etwas doch am ehesten erfahren. Seine Majestät soll ja schon angefragt haben, was die drohenden Rüstungen in Sachsen zu bedeuten hätten.«

Gleim lehnte sich zurück und sah sehr betroffen aus.

»Teurer Freund,« sagte er nach einer kleinen Pause, »bevor ich Ihnen diese Frage beantworte, tun Sie mir die Liebe und sagen Sie mir: In welchem Verhältnis stehen Sie zu Herrn von Dorpowski?«

Kleist blickte ihn verwundert an und entgegnete: »Zu Dorpowski? Eigentlich, Gott sei Dank, in gar keinem. Er ist ein Verwandter der zweiten Frau meines seligen Vaters und hat mir als solcher von Berlin aus eine Visite gemacht, die ich natürlich erwidern mußte. Er ist dann noch einmal dagewesen, hat mich aber nicht getroffen. Sonst habe ich ihn mehrmals im Hause einer Familie gesehen, in der ich verkehre, wenn ich in Berlin bin. Aber wie kommen Sie auf den, gelinde gesagt, widerwärtigen Menschen?«

»Ich sah ihn vorhin Ihr Haus umschleichen. Nein – ich irre mich nicht. Ganz deutlich habe ich ihn erkannt.« Er erzählte ihm die Szene, die er beobachtet hatte, und fügte hinzu: »Sofort beschloß ich, Sie vor dem gefährlichen Menschen zu warnen. Mein Instinkt sagte mir: Es droht Ihnen von ihm aus eine Gefahr.«

»Ach, er stellt vielleicht dem armen Mädchen nach, das bei mir war, und glaubt, ich sei sein Rival! Wahrscheinlich hat er irgendwoher erfahren, daß ich mich für sie geschlagen habe.«

»Sie haben sich für die Malachowska geschlagen?«

»Ja, aber ohne ihr Geliebter zu sein. Ich will Ihnen erzählen, lieber Freund, wie das alles zusammenhängt, muß mich freilich dabei ziemlich kurz fassen. Ich habe sehr früh meine Mutter verloren und hatte, als sie tot war, eigentlich keinen Menschen, der mir so recht nahe stand, außer etwa einem Informator, der jetzt Pastor in Pommern ist. Mein Vater war ein strenger Mann und steckte tief in Sorgen, mit meinem älteren Bruder verstand ich mich wenig. Da nahm sich meiner eine Schulmeisterswitwe an, die meine Amme und eine vertraute Dienerin meiner Mutter gewesen war. Bei ihr verlebte ich meine schönsten Stunden, mit ihrer Tochter, meiner Milchschwester, spielte ich jeden Tag. Nachher zogen sie aus dem Dorfe fort, und ich kam auf die Jesuitenschule nach Deutsch-Krone, wo ich viel lernte, aber im ganzen freudlose Jahre verbrachte. Dort sah ich das Mädchen flüchtig wieder und hatte um ihretwillen ein eigenartiges Erlebnis, das ich Ihnen einmal besonders erzählen will. Nun treffe ich sie wieder in Berlin. Sie sind, von einer unsicheren Hoffnung gelockt und betrogen, nach der großen Stadt gezogen, gerieten da in Not, die Mutter wurde gelähmt, was sollte die Tochter anfangen? Sie ist in einem adeligen Hause halb als Dienerin, halb als Gespielin des Fräuleins aufgezogen, zur Waschfrau also verdorben. So wurde sie Komödiantin, und als solche sah ich sie wieder. Sie hat den Namen ihrer Mutter angenommen, in Wahrheit heißt sie ganz anders. Ich suchte sie und ihre Mutter auf und erfuhr dabei, daß ihr ein Fähnrich meines Regiments nachstellte, sie geradezu verfolgte. Ich geriet deshalb mit dem Menschen aneinander, er wurde insolent, und der Schluß war eine Stecherei, wobei ich leider den kürzeren zog, ihn allerdings auch tüchtig zeichnete.«

»Mein Gott, und Sie lieben das Mädchen nicht einmal?« rief Gleim.

»Lieben? Nicht im mindesten. Ich bewahre ihr als der Gespielin meiner Kindheit und als meiner Milchschwester eine Art brüderliche Zuneigung. Das ist alles.«

»Und sind Sie ganz sicher, daß sie dieser Zuneigung würdig ist?«

Kleist lächelte. »Nein, dessen bin ich ganz und gar nicht sicher. Sie ist ja eine beauté, wenn auch nicht mein Genre, und sie hat heißes Blut in den Adern. Und dazu die unbeschützte Stellung! Hochwild für jedermann! Da müßte es ja ganz mirakulös zugehen, wenn sie nicht ihre Vergangenheit hätte. Sie wird wohl auch wie so viele erst durch Schaden klug geworden sein.«

»Ach, das meine ich nicht,« versetzte Gleim. »Aber halten Sie das Mädchen für ehrlich?«

»Ehrlich?« fragte Kleist erstaunt. »Was verstehen Sie darunter? Etwa, ob sie bei gegebener Gelegenheit Wäsche oder Silberzeug entwendet?

Gleim lachte, wurde aber gleich wieder ernst. »Nein, liebster Freund, so meine ich das nicht. Ich sehe schon, ich muß Ihnen reinen Wein einschenken, sonst können Sie mich gar nicht verstehen. Aber ich fordere Ihr Wort als Edelmann und Offizier, daß alles, was ich Ihnen jetzt sage, strengstens unter uns bleibt.«

Kleist hielt ihm verwundert die Hand hin. »Mein Wort! Das versteht sich von selbst.«

»Nun, so hören Sie. Als ich den Polen vor Ihrem Hause promenieren und gleich darauf die Demoiselle aus der Tür kommen sah, schoß mir der Gedanke durch den Kopf, die beiden könnten wohl zusammengehören und Sie in irgendein Abenteuer verwickeln wollen. Lachen Sie nicht, lieber Freund. Der Dorpowski ist nämlich« – hier dämpfte er seine Stimme zum Flüsterton herab – »ein verdächtiges Subjekt. Mein Chef hält ihn für einen sächsischen Spion, einen Agenten des Grafen Brühl. Sie wissen so gut wie ich, daß der in Sachsen allmächtige Minister ein wütender Feind unseres Königs ist, und daß er ebenso wie der Graf Kumnitz in Wien sehr gut bezahlte Spione und Geheimagenten in Berlin unterhält. Einer dieser Generalschurken scheint uns der Dorpowski zu sein. Noch wissen wir nichts Bestimmtes, noch kann er nicht gefaßt werden. Aber ich glaube, wir sind auf einer ganz sicheren Fährte.«

Kleist stand auf. »Donnerwetter!« sagte er. »Sollte der Kerl so tief gesunken sein? Unangenehm war er mir vom ersten Anblick an. Aber wer soll gleich so etwas von einem Menschen denken?«

»Auf jeden Fall hüten Sie sich vor ihm!« bat Gleim. »Gehen Sie ihm aus dem Wege. Weisen Sie ihn ab und seien Sie nie für ihn zu Hause. Natürlich, liebster bester Kleist, weiß ich, daß Sie sich nie zu etwas Zweideutigem brauchen lassen. Aber wenn der Mensch eines Tages verhaftet werden sollte, so könnte ein Verdacht auf Sie fallen, der Sie bitter kränken müßte.«

Kleist stand in tiefem Sinnen. »Sie haben recht,« sagte er nach einer Weile. »Für mich wäre das doppelt gefährlich, und ich will Ihnen erklären warum. Ich habe Ihnen schon vorhin aus meinem Leben etwas erzählt, ich will Ihnen, mein redlicher Freund, noch mehr erzählen. Denn Ihnen traue ich, und ich habe sonst niemand, dem gegenüber ich mich aussprechen möchte. Sie wissen, ich war dänischer Offizier. Ich mußte es werden, um des lieben Brotes willen. Mein Vater war sehr ins Dekrement geraten und wünschte es, weil er glaubte, ich würde dort rascher Fortüne machen, vornehmer Protektion halber. Ich fügte mich, denn ich sah die Notwendigkeit ein. Da lernte ich auf einer Werbereise in Polnisch-Preußen ein Mädchen kennen – oder nein, ich sah sie nach Jahren wieder, denn ich hatte sie schon als Kind gekannt, und sie hatte damals einen tiefen Eindruck auf mein Herz gemacht. Ich verliebte mich sogleich aufs heftigste in sie, denn sie erschien mir schön wie ein Engel, und ihre Charme und Anmut bezauberten mich. Ich fand Gegenliebe, und wir verlobten uns und schwuren uns ewige Treue. Aber nun ging die Qual an. Ich war ein armer Leutnant und sie ein wenig begütertes Fräulein, legten wir zusammen, was wir hatten, so war es immer noch zu wenig. Darum kam die Mutter meiner Braut auf den Gedanken, ich solle in polnischen oder sächsischen Staatsdienst treten; denn einer ihrer Schwiegersöhne war Kammerherr und Kriegsrat des Königs August. Mit ihm bin ich nach Dresden und nach Fraustadt gereist, wo damals die polnische Majestät Hof hielt. Ich habe alles mögliche versucht, suppliziert und antichambriert bei Brühl und Konsorten, aber es war alles vergebens. Hätte ich die Religion ändern wollen, so wäre es wohl gegangen. Nahe genug hat man mir's gelegt. Aber ich habe von der Jesuitenschule her einen unüberwindlichen Widerwillen gegen das katholische Wesen. Nimmermehr könnte ich mich in diese Geistessklaverei begeben. Und dann: Ich bin überzeugter Protestant.

Er ging an ein Tischchen heran und nahm ein sehr zerlesenes Buch heraus. »Sehen Sie, darin lese ich jeden Morgen und jeden Abend. Es sind die Lieder Paul Gerhardts, die mir mein Onkel Manteuffel schenkte, als ich siebzehn Jahre alt war. Das Christentum, das in diesen Liedern lebt, das ist mein Christentum, und das könnte ich nie verleugnen.«

Gleim drückte ihm kräftig die Hand. »Sie reden wie ein Mann und Christ. So habe ich mir meinen Kleist gedacht. Auch ich denke so. Ich will nicht sagen, daß ich mit allen Organen des Kirchenglaubens auf dem besten Fuße stände, aber ich lebe in täglichem Verkehr mit meinem Gott im Gebet, wie Sie, und finde darin eine unvergleichliche Aufrichtung des Gemütes und beständigen Antrieb zum Guten und also den Frieden des Herzens. Darum brauchen wir keine Priester und keine Beichte und kein Meßopfer. Indessen – wir sind ganz von Ihrer Lebensgeschichte abgekommen.«

»Ich wollte Ihnen damit nur sagen,« bemerkte Kleist, »wie gefährlich für mich der Verdacht werden könnte, gerade mit einem sächsischen Agenten Beziehungen zu unterhalten. Denn man würde meinen, ich hätte alte

Verbindungen wieder angeknüpft. Darum bin ich Ihnen sehr dankbar für Ihre Warnung. Ich werde dem Kerle sorgfältig aus dem Wege gehen.«

»Und darf ich, ohne indiskret zu scheinen, noch fragen, wie jetzt Ihre Herzensaffäre steht?« fragte Gleim nach einigem Zögern. »Nicht die Neugierde treibt mich dazu, sondern wahrlich das Mitgefühl der Freundschaft.«

»Sie steht trübselig genug, fürchte ich,« erwiderte Kleist. »Meine Geliebte ist mit ihrer Mutter seit mehreren Tagen in Berlin, und ich habe sie noch mit keinem Blicke gesehen. Aber morgen fahre ich hin, wenn ich auch noch nicht ganz geheilt bin und den Arm noch in der Binde trage. Heute erhielt ich schon das dritte Billett von ihr. Ich glaube, es wird da zu einer Aussprache kommen, besonders auch mit ihrer Mutter, die der Sache mit Kummer zusieht.«

»Sie fahren in der Frühe?«

»Gegen sechs wird der Wagen hier sein.«

»Dann, liebster Freund, gehen Sie jetzt zur Ruhe, und ich verlasse Sie. Nein, widersprechen Sie nicht! Sie sind Rekonvaleszent und dürfen sowieso nicht bis in die Nacht aufsitzen. Ich werde Sie ein paar Tage nicht sehen, denn ich fahre morgen mit meinem Prinzen nach Spandau. Aber wenn ich zurückkomme, wird mein erster Gang zu Ihnen sein, und Gott gebe, daß Sie mir dann etwas recht Gutes zu erzählen haben. Für heute leben Sie wohl.«

III

»Mein bester Monsieur von Kleist, Sie sind vraiment ein Pechvogel. Heute früh, eine Stunde vor ihrem Eintreffen, ist meine liebe Goltz und unsere belle Wilhelmine abgereist. Die Tante in Dresden ist plötzlich erkrankt und verlangte ihre nièce unverzüglich zu sehen. Gestern gegen Abend kam die Nachricht, und sogleich wurde Extrapost bestellt. Sie wissen, die alte Stiftsdame ist eine Erbtante.«

Die kleine alte Frau von Manteuffel saß, während sie so sprach, in einem Schaukelstuhl ihres Boudoirs und blickte halb neugierig, halb mitleidig auf den jungen Offizier hin, der blaß und wie betäubt ihr gegenüber saß und zunächst auf ihre Worte gar nichts erwiderte.

»Sie tun mir leid,« fuhr sie nach einer Weile fort, »aber mon cher – ich bitte um Pardon, wenn ich's sage, es geht mich ja gar nichts an. Sie hätten sich wohl auch früher einmal sehen lassen können.«

»Muß ich mich exküsieren?« fragte der junge Mann und wies mit einem bitteren Lächeln auf seinen rechten Arm. »Ich denke, das exküsiert mich.«

»Nun, nun, seien Sie nicht gleich piqué. Ich gestehe, Sie haben exorbitantes Malheur und haben sich mit Recht über Ihr Schicksal zu beklagen.«

»Das weiß Gott!« brach es von Kleists Lippen. »Mich verfolgt das Unglück! Seit anderthalb Jahren die erste Gelegenheit, meine Wilhelmine wiederzusehen! Und da gerade trifft mich der Degen eines lächerlichen Fantes, und ich muß im Wundfieber liegen und kann nicht zu ihr. Es ist – es ist unsagbar.«

Frau von Manteuffel betrachtete ihn jetzt mit unverhohlenem Mitleid. »Fahren Sie mit der nächsten Post nach Dresden,« sagte sie freundlich. »Und wenn Sie etwa mit dem da zurzeit nicht gut beschlagen sein sollten« – sie machte die Pantomime des Geldzählens – »so genieren Sie sich nicht. Die alte Manteuffeln hilft einem Offizier des Königs, der noch dazu ihr angeheirateter Vetter ist, gern einmal aus. Sie wären der erste nicht.«

Kleist küßte die Hand der alten Dame und zwang sich zu einem Lächeln, das freilich traurig genug ausfiel. »Ich danke Ihnen für Ihre Güte, meine verehrte gnädige Frau. Aber zu einer Reise nach Dresden gehört nicht nur Geld, womit ich versehen wäre, sondern vor allem Urlaub, und den bekomme ich nicht. Man spricht ja von Krieg, und kein Offizier wird länger als zwei Tage beurlaubt. Nein, ich muß mich mit meinem Unglück abfinden. Nur eins sagen Sie mir noch, ich bitte Sie, ganz ehrlich sagen Sie mir's: Wie nahm Wilhelmine die Nachricht auf, daß sie jetzt fort müsse?«

»Mon Dieu – wie ein verliebtes Mädchen so etwas aufnimmt. Sie wurde ganz blaß und brach in Tränen aus und bat ihre Mutter, bei mir bleiben zu dürfen.«

»Und Frau von der Goltz?«

»Meine liebe Cousine war ja auch sehr betreten, aber von einem Hierbleiben wollte sie nichts wissen. Sie schreibt Ihnen von Dresden aus.«

»Und fügte sich Wilhelmine ohne Widerstand?«

»Eh, eh, was Sie nicht alles fragen! Naturellement weinte sie sehr, sie weinte noch heute früh, als sie in den Wagen stieg.«

Kleist bedeckte die Augen mit der Hand und brütete stumm vor sich hin. Plötzlich fuhr er so jäh empor, daß die alte Dame erschreckt den Kopf einzog.

»Sie sagen, Madame, daß sie erst seit einer Stunde fort sind?«

»Viel länger wird's wohl nicht sein.«

Kleist stand auf. »Dann werde ich sie noch einholen.«

»Aber bester Herr neveu!« rief Frau von Manteuffel. »Mit Ihren Gäulen kommen Sie ihnen certainement nicht nach. Und wollen Sie auf der Landstraße mit meiner lieben Goltz konferieren?«

»Besser auf der Landstraße, als gar nicht! Auch gibt es ja Gasthäuser. Und was die Pferde betrifft – ja, mit diesen Mietskleppern hole ich niemand ein. Aber Adler ist hier, ein Freund, von den Husaren. Der würde mir seinen ›Cäsar‹ leihen, und damit hole ich den lebendigen Gottseibeiuns ein.«

Die alte Dame hob beschwörend die Hände empor. »Sie wollen reiten? Herr des Himmels! Sie sind wohl – Mit dem Arm in der Binde und noch nicht genesen!«

»Tut nichts. Mir ist jetzt alles gleich. Adieu, gnädige Tante. Tausend Dank für Ihre Güte.« Ein abermaliger flüchtiger Handkuß, und ehe sich noch die lebhafte Greisin von ihrem Erstaunen erholt hatte, war er aus dem Zimmer gestürmt. –

Kurze Zeit danach jagten zwei Reiter die große Straße nach Dresden dahin. Der Rittmeister von Adler hatte vergebens versucht, den Freund von seinem Vorhaben abzubringen, das bei seinem Zustande ernste Folgen nach sich ziehen konnte. Aber Kleist war allen Einwendungen gegenüber taub geblieben, und so hatte sich der Rittmeister entschlossen, mit ihm zu reiten.

»Wenn wir so weiter preschen,« rief Adler nach einer Weile, »so halten das die Gäule nicht aus. Lassen Sie uns doch Maß halten! Ein Postgespann holen wir auf diesen Pferden ja ganz gewiß ein. Überdies, wollen Sie gekocht hinkommen?«

»Sie haben recht,« erwiderte Kleist und ließ sein Tier in eine ruhigere Gangart übergehen. »Aber es ist eine Unruhe in mir, die schrecklich ist. Ich kann meine Ungeduld kaum zügeln.«

»So seid ihr verliebten Kerls«, brummte der Rittmeister. »Über nichts freue ich mich mehr, als daß mich die Pfeile des verdammten Amor nicht erreichen können. Ich liebe nur dreierlei in der Welt: meine Freunde, meinen König und meine Pferde.«

»Sie haben vielleicht das bessere Teil erwählt,« gab Kleist halb scherzend, halb seufzend zur Antwort. »Mir wenigstens hat die Liebe bisher wenig Rosen, aber viele Dornen und Herzeleid gebracht.«

»Da steht ein Wagen vor dem Kruge!« rief Adler, als sie in das Dorf Lichtenrade einritten. »Das könnte ja wohl die Kutsche der Damen sein. Wahrscheinlich haben sie hier die Mittagspause gemacht. »Heda, Freund!« rief er den Wirt an, der unter der Tür stand, »wer hat denn in diesem Kasten gesteckt?«

»Zwei Damen, gnädiger Herr,« sagte der Wirt mit einer unbeholfenen Verbeugung. »Sie kommen von Berlin, reisen nach Dresden. Der Kutscher und der Diener frühstücken drin. Die Damen sind auf die Pfarre zu dem Herrn Pastor gegangen.«

»Sie sind es ohne Zweifel,« bemerkte der Rittmeister. »Na, da lassen Sie sich mal von dem kleinen schmierigen Lümmel hier den Weg zum Pfarrhause zeigen und reiten Sie hin. Ich erwarte Sie hier. Gute Verrichtung, mein Bester, und legen Sie Ihrer Angebeteten meinen Respekt zu den gewiß sehr kleinen Füßen.«

Kleist ritt mit hämmerndem Herzen die Dorfstraße dahin. In seiner Brust wogten die sich widerstreitendsten Gefühle durcheinander, eine heiße, fast wilde Freude darüber, daß er der Geliebten so nahe war, und eine beklemmende Angst, daß die Stunde des Wiedersehens zugleich die Stunde des Abschieds für immer werden könne. Denn Frau von der Goltz konnte als Mutter es wohl kaum noch mit ansehen, wie ihre Tochter von einem Jahr in das andere die heimliche Braut eines Mannes war, der ihr bisher nie eine sichere Aussicht auf die endliche Vereinigung hatte bieten können. Die blühende Jugend des schönen Mädchens ging so dahin, andere Gelegenheiten, sich zu verheiraten, wurden nicht genutzt, und schließlich konnte es kommen, daß die gefeierte und viel umschwärmte Wilhelmine von der Goltz als ältliches Fräulein dasaß, und auf die Gnade ihrer Verwandten oder auf ein Stift angewiesen war.

Ähnliches hatte ihm Frau von der Goltz schon zu verstehen gegeben, als er, aus der Kampagne in Schlesien zurückgekehrt, zuletzt auf Schloß Battrow gewesen war. Er war damals gekommen ohne das erträumte und erhoffte Avancement; denn sein Regiment hatte den Feind nicht zu sehen bekommen, und er hatte keine Gelegenheit gehabt, sich auszuzeichnen. Nun war er immer noch simpler Premierleutnant mit magerer Gage und einem mageren Zuschuß von seinem heimatlichen Gute. Was er bieten konnte, war wieder nur eine unsichere Aussicht, nämlich, daß er vielleicht durch Protektion des Prinzen von Schwedt rascher Fortune machen könne.

Durfte er es da Wilhelmines Mutter verdenken, daß sie sein Verhältnis zu ihrer Tochter mit immer weniger günstigen Blicken betrachtete? Durfte er ihr zürnen, wenn sie ihn klar und offen auffordern würde, entweder eine bestimmte Zeit für die Vermählung in Aussicht zu stellen oder das arme Kind freizugeben? Sein hohes, unbestechliches Gerechtigkeitsgefühl sagte ihm, daß sie ein Recht und die Pflicht habe, so zu ihm zu reden; aber sein Herz zitterte, wenn er an die Möglichkeit eines Auseinandergehens dachte. Er wußte, daß er niemals wieder lieben würde, denn er kannte sich selbst. Er dachte daran, wie schwer es ihm schon als ganz jungem Menschen geworden war, sich innerlich von einem zu lösen, den er lieb gehabt hatte. Wie lange hatte er die Untreue des Jugendfreundes, über die er jetzt freilich viel milder dachte, nicht überwinden und verschmerzen können! Erst nach Jahren hatte er neuer Freundschaft sein Herz geöffnet. Und hier lag die Sache doch noch ganz anders. Er liebte dieses Mädchen mit der ganzen Glut und Kraft seiner Seele, und wenn er sie verlor, so war keine Untreue schuld daran. Nur ein widriges Geschick trieb ihn und sie auseinander, ein Geschick, an dem sie beide keine Schuld hatten.

»Da is de Farre,« sagte in seine Gedanken hinein der halbwüchsige Junge, der ihn führte.

Kleist blickte auf und sah, daß er vor einem großen ländlichen Garten hielt, den eine niedrige Lehmmauer umzäunte. Das Haus lag ganz im Grünen, so daß man kaum etwas davon wahrnehmen konnte. Dann kamen die Blumen- und Gemüsebeete, und dahinter erblickte er eine mächtige Laube, die von den großen Blättern des Pfeifenkrautes ganz überwuchert war. Durch die Zweige und Blätter sah er ein helles Frauenkleid herüberschimmern. Im Nu sprang er vom Pferde ab und warf dem Burschen die Zügel zu. »Führe das Pferd nach dem Kruge und warte dort auf mich,« befahl er mit einer Stimme, die vor Erregung heiser klang. Dann klinkte er die Gartentür auf und trat ein.

Mit wenigen Schritten hatte er die Laube erreicht. Da saß sie, um derentwillen er gekommen war, und spielte mit dem kleinen Töchterchen des Pfarrers. Sie war eben mit einem Kranze von blauen Feldblumen fertig geworden, die das Kind ihr zugetragen hatte, und setzte ihn der Kleinen auf das blondhaarige Köpfchen.

Kleist stand einige Augenblicke regungslos und betrachtete wie gebannt das liebliche Bild. Da blickte sie auf und sah ihn in der Tür stehen. Mit weitgeöffneten Augen starrte sie ihn an, als sähe sie einen Geist, und ihr Antlitz ward erst schneebleich, dann von purpurner Glut übergossen.

Er trat einen Schritt vor und streckte die Arme nach ihr aus. »Wilhelmine!« rief er leise.

Da sprang sie empor und warf sich an seine Brust, und indem sie die Arme um seinen Nacken schlang, brach sie in wildes Schluchzen aus. Er preßte sie mit dem linken Arm fest an sein Herz und gab ihr die zärtlichsten Namen, aber ihr Weinen wollte sich nicht beruhigen. Es war, als sollte sich all das Leid, das sie so lange getragen, in Tränen auflösen.

Das Kind stand ängstlich daneben und steckte verlegen den Finger in den Mund. Dann fing es gleichfalls zu weinen an und lief nach dem Hause. Die beiden achteten nicht darauf. Kleist ward es so weh ums Herz, als er das zitternde und schluchzende Mädchen im Arm hielt, daß er am liebsten selbst in Tränen ausgebrochen wäre. Nur mit Mühe bewahrte er seine Fassung, und allmählich gelang es ihm auch, sie einigermaßen zu beruhigen.

Sie hob das verweinte Antlitz zu ihm empor und stammelte: »Du liebst mich also noch? Du kommst noch zu mir?«

»Aber liebste, liebste Wilhelmine!« rief er. »Hast du denn geglaubt, ich wäre dir untreu? Ich dir?«

»Ich mußte es fast glauben. Ach, ich hatte mich so auf Berlin gefreut, Tag und Nacht! Und nun ging Tag für Tag dahin, und du kamst nicht. Ich hatte solche Sehnsucht nach dir, und du kamst nicht.«

»Ich konnte ja nicht kommen, Liebste,« sagte er schmerzlich. »Ich hatte dir's ja geschrieben, warum ich nicht konnte. Glaubtest du mir nicht? Ich war wirklich sehr krank. Ich hatte eben Unglück, wie so oft.«

»Ja!« rief sie und schlang von neuem ihre Arme um seinen Hals. »Du siehst bleich und elend aus.« Dann bog sie sich plötzlich zurück und blickte ihm starr in die Augen. »Und warum hattest du das Duell?«

»Ich hatte einen Wortwechsel mit einem Offizier unseres Regiments.«

»Nicht um einer Liebesaffäre willen?«

»Aber liebstes Herz!«

»Wahrhaftig nicht? Kannst du mir das schwören?« »Ja, das schwöre ich dir. Ich habe nie eine andere geliebt und werde auch nie eine andere lieben als dich allein!«

»Ach, Gott sei Dank, dann ist ja alles gut!« rief sie tief aufatmend.

»Hat mich jemand verleumdet?« fragte er mit gerunzelter Stirn.

»Nein, nein. Aber die Mutter war so betreten, als sie davon hörte, und sah mich so seltsam an. Die Tante Manteuffel auch. Da reimte ich mir so etwas zusammen, denn die meisten Duelle sind doch um solcher Sachen willen. Und gerade jetzt war mir der Gedanke so schrecklich, du könntest eine andere lieben, gerade jetzt, wo uns doch endlich einmal eine Hoffnung leuchtet.«

Kleist horchte auf. »Du hast gehört, daß ich zu dem Prinzen von Schwedt befohlen bin? Versprichst du dir so viel von seiner Protektion?«

Wilhelmine schüttelte den Kopf. »Davon weiß ich nichts. Aber die Mutter hat einen Brief von Tante Stephanie. Sie will sich unser annehmen – ach, da kommt ja die Mutter!«

Frau von der Goltz betrat eben den Garten, gefolgt von dem Prediger, einem Manne in mittleren Jahren, aber mit schon ergrautem Haupte, auf dem er ein schwarzes Samtkäppchen trug. Er führte sein Töchterchen an der Hand. Das Kind hatte offenbar von irgendeiner Gefahr berichtet, die der schönen fremden Tante drohe, denn Frau von der Goltz strebte hastig vorwärts und war etwas außer Atem, als sie vor der Laube stand.

»Ach, Sie sind es, lieber Kleist!« rief sie zugleich erstaunt und erleichtert aus, als sie das Paar erblickte. »Gott sei Dank, ich wußte ja nicht, was ich denken sollte. Aber, mein Gott, wie sind Sie uns nachgekommen?«

»Zu Pferde, teuerste Frau Mutter!« erwiderte Kleist, indem er sich niederbeugte und ihr die Hand küßte.

»Zu Pferde? Sie können reiten, und gestern konnten Sie nicht zu Wagen zu uns kommen?«

»Ich hatte als Kranker bis gestern noch keinen Urlaub. Sie wissen ja, wie streng bei uns der Dienst gehandhabt wird. Wurde meine Fahrt nach Berlin bekannt, so hätte ich übel anlaufen können.«

»Es ist die reine Sklaverei, in der die Herren Offiziere hierzulande leben,« gab Frau von der Goltz zur Antwort. »Nun, vielleicht findet sich für Sie ein Ausweg. Ich bin sehr enchantiert, liebster Kleist, daß ich Sie noch persönlich treffe. Ich habe Ihnen sehr, sehr Wichtiges mitzuteilen, Dinge, die man einem Briefe nicht gern anvertraut. Ich habe deshalb mit Schmerzen auf Sie gewartet und hätte Sie bitten müssen, mir nach Dresden nachzureisen. Nun kann ich es Ihnen, Gott sei Dank, noch mündlich sagen. – Mein lieber Herr Prediger, wir sind doch hier in dieser Laube ganz ungestört?«

»Gewiß, gnädige Frau. Hier ist kein Lauscher in der Nähe, und ich darf mich wohl gleich zurückziehen. Mein gehorsamstes Kompliment!« Er lüftete ehrerbietig sein Käppchen und schritt auf das Haus zu.

»Setzen Sie sich doch, lieber Kleist!« sagte Frau von der Goltz und wies auf einen Rohrstuhl. »Sie Ärmster, Sie sehen wirklich recht miserabel aus. Ich glaube es Ihnen gern, daß Sie böse Tage durchgemacht haben. Setze dich immer neben ihn, Wilhelmine; ich hoffe, du wirst bald an seiner Seite durchs Leben gehen.«

»Wie? Sie wissen einen Weg, der uns zusammenführte, teuerste Frau Mutter?« rief Kleist, und sein bleiches Antlitz rötete sich vor Freude.

»Er erheischt nur ein kleines Opfer von Ihnen.«

»O, sprechen Sie! Für meine Wilhelmine ist mir auch das größte Opfer nicht zu groß!«

»Die Tante Stephanie, Sie wissen, die Tante meines seligen Mannes, die Hofdame in Dresden ist, hat sich für Sie beim Grafen Brühl verwendet mit dem besten Erfolge, denn Sie können sogleich in sächsische Dienste treten und erhalten nach einem halben Jahre das Kapitänspatent. Sie können dann heiraten, denn die Tante will sich auch pekuniär engagieren ... Sie wissen, sie ist sehr reich.«

Sie sprach sehr langsam, jedes ihrer Worte betonend, und hatte wohl gehofft, er würde nach Beendigung ihrer Rede mit einem Freudenschrei auf sie zustürzen und ihre Hände mit Küssen bedecken. Statt dessen wurde er immer blasser. Sein Haupt sank schwer auf die Lehne seines Sessels zurück, und er schloß einen Moment die Augen, als habe ihn eine plötzliche Ohnmacht übermannt.

»Ewald! Was ist dir?« rief Wilhelmine und warf sich über ihn.

»Mein Gott, die übergroße Freude! Bei seinem geschwächten Zustande!« rief Frau von der Goltz, bestürzt aufspringend. »Lauf und hole ein Glas Wasser!«

Aber die Schwächeanwandlung war schon vorüber. Kleist richtete sich auf und heftete einen so schmerzlichen Blick auf Frau von der Goltz, daß sie erstaunt und fast erschrocken zurückwich. »Allmächtiger! Was ist Ihnen? Was soll das?« stotterte sie.

»Das nennen Sie ein kleines Opfer?« sagte er nach einigen Augenblicken mit klangloser Stimme. »Ein kleines Opfer? Ach, das ist ja ganz unmöglich!«

Frau von der Goltz setzte sich wieder und nahm eine sehr steife Haltung an. Sie begriff ihn nicht, aber auch gar nicht. Was in aller Welt konnte ihn denn hindern, mit beiden Händen das Glück zu ergreifen, das ihm entgegengetragen wurde? Es fiel ihr ein, daß ihr einst ihr Schwiegersohn Gryszczinski gesagt hatte, der junge Kleist sei ein Mensch, der nicht in die Welt passe, ein grüblerischer Mensch, der ein übermäßiges Feingefühl besitze. Er habe allerlei Flausen und Marotten im Kopfe und werde es nie zu etwas Rechtem bringen. War sie nun etwa auf eine solche Marotte gestoßen?

»Wollen Sie sich nicht erklären?« fragte sie schärfer, als es sonst in ihrer Art lag.

Kleist blickte eine Weile vor sich hin, als wolle er seine Gedanken sammeln. »Sie wissen,« begann er dann leise, »weshalb ich in Polen keinen Dienst erhalten konnte. Ich konnte und wollte die Religion nicht ändern.«

»Dazu habe ich auch nie geraten,« warf Frau von der Goltz ein. »Obgleich – wir glauben ja alle an einen Gott.«

»Das sind Ansichten,« fuhr Kleist fort. »Ich konnte es nicht und bin Ihnen dankbar, daß Sie mich damals nicht weiter gedrängt haben. Aber nun – nun soll ich mein Vaterland verraten!«

»Ihr Vaterland? Was soll das heißen?« rief Frau von der Goltz.

»Ich bin ein Preuße!« sagte Kleist.

»Ein Preuße? Nun, Sie sind doch wohl Deutscher, und das hat Sie nicht abgehalten, in Polen Dienste zu suchen und dänischer Offizier zu sein.«

»Ja, damals. Als ich nach Dänemark ging, wußte ich gar nicht, daß ich ein Vaterland hatte. Erst der König, unser König hat mich das Wort gelehrt, daß ich ein Vaterland habe, für das ich leben und sterben muß. Seit ich in Friedrichs Diensten stehe, glühe ich für Preußen und kann nie unter anderen Fahnen kämpfen als unter den Adlerfahnen Preußens. Was ist das römische Reich deutscher Nation? Ein lächerlicher Popanz aus alter Zeit. Was ist Sachsen, Mecklenburg, Bückeburg und wie sie alle heißen? Wer dort geboren ist, mag sie ja lieb haben. Ein Preuße aber kann, seit Friedrich erschienen ist, nur in Preußen leben!«

Frau von der Goltz sah ihn an, als zweifle sie ernsthaft an seinem Verstande. Dann sagte sie kalt: »Sie sind nicht recht bei sich, lieber Kleist. Dieser König macht die vernünftigsten Leute zu Narren. Er verhext alle, die in seine Nähe kommen, mit seinen großen, grausamen Augen.«

»Sagen Sie, er strömt auf alle etwas aus von seinem Geiste, seinem großen, heldenhaften Wesen. Es ist etwas Göttliches in seiner Natur, das alle Menschen hinreißt.«

Frau von der Goltz schüttelte den Kopf, und ihre Lippen schürzten sich hohnvoll. »Und für eine solche Bouffonerie wollen Sie die sichere Aussicht auf Beförderung, ja Ihr Lebensglück in die Schanze schlagen?«

Kleist fuhr auf und biß sich auf die Lippen. Dann sagte er mit erzwungener Ruhe: »Warum solch ein Wort, beste Frau Mutter? Mir ist es heiliger Ernst damit. Sie wissen, ich bin gegen meine Neigung Offizier geworden. Noch jetzt erwacht oft in mir eine tiefe Sehnsucht nach dem Landleben. Wie gern schaltete ich als freier Herr auf der ererbten Scholle! Es kann nicht sein. Muß ich aber eine Schärpe tragen, so kann es nur die mit Friedrichs Farben sein.«

Eine lange Stille folgte seinen Worten. Plötzlich warf sich Wilhelmine mit beiden Armen vornüber auf den Gartentisch, barg das Gesicht in die Hände und brach in bitterliches Weinen aus.

Kleist stürzte vor ihr nieder und suchte ihr die Hände vom Antlitz wegzuziehen. »Wilhelmine, liebstes, angebetetes Mädchen, weine nicht!« rief er flehend. »Es muß ja doch alles gut werden. Zwei Herzen, die sich so lieben, können nicht vergebens hoffen.«

Aber Frau von der Goltz war aufgestanden und streckte die Hand zwischen die beiden aus. Ihr Gesicht war unnatürlich blaß, und ihre Augen blitzten. So hatte noch niemand die feine, gutmütige Frau gesehen.

»Lassen Sie meine Tochter los, Herr von Kleist!« sagte sie schroff. »Ich habe der Sache lange genug zugesehen, jetzt muß sie ein Ende haben. Ich kann es als Mutter nicht dulden, daß meine Tochter um ihre Jugend gebracht wird in einem Verlöbnis ohne Ziel, als Braut eines armen Junkers, der nichts hat als seinen Degen und die Hälfte eines verschuldeten Gutes. Das geht nicht, mein Herr. Weisen Sie die Aussicht auf Rangierung Ihrer Verhältnisse zurück um einer Schimäre willen, so sehe ich daraus, daß Sie ein Phantast sind, was ich freilich manchmal schon dachte. Ist Ihnen Ihr König, dieser König« – sie lachte schneidend auf –, »mehr wert als Ihr Mädchen – nun, so ziehen wir daraus die Konsequenz. Hören Sie auf, das arme Mädchen zu quälen. Machen Sie ein Ende und gehen Sie zu Ihrem König!«

Kleist hatte sich von seinen Knien erhoben und stand vor ihr, das Antlitz, auf dem die brennende Röte ging und kam, tief niedergebeugt. Er zuckte manchmal zusammen bei ihren harten Worten, aber er ließ sie ruhig ausreden. Dann sagte er weich und bittend: »Als Wilhelmines Mutter haben Sie ein Recht, so zu sprechen. Es war wohl unrecht von mir, sie an mich zu ketten, denn ich bin schwerlich zum Glücke geboren. Aber wir lieben uns doch nun einmal, und deshalb vergönnen Sie mir eine Bitte. Geben Sie mir noch ein Jahr! Es hat sich vor wenigen Tagen eine Aussicht für mich aufgetan, der Prinz von Schwedt bietet mir seine Protektion. Vielleicht gelingt es mir doch, daß ich übers Jahr mit Wahrung meiner Ehre Wilhelmines Hand gewinne.«

»Ich glaube nicht mehr daran, Herr von Kleist. Machen wir ein Ende. Es geht nun ins sechste Jahr, daß Wilhelmine Ihre Braut ist, und wie viele Ihrer Pläne sind seitdem zu Wasser geworden! Ich bin des Hin- und Herziehens müde, satt und übersatt. Ich will nicht, daß meine Tochter zuletzt als alte Jungfer dasitzt.«

Wieder entstand eine tiefe Stille. Dann trat Kleist auf Wilhelmine zu, beugte sich zu ihr hinab und drückte einen Kuß auf ihr Haar. »Du bist frei, Wilhelmine,« sagte er. »Ich werde dir immer die Treue halten und nie eine andere lieben. Aber du bist frei. Und Sie, gnädige Frau –« er konnte nicht weiter reden, machte ihr eine stumme Verbeugung und verließ die Laube.

Da fuhr das Mädchen mit einem erstickten Schrei empor, stürzte ihm nach und hing an seinem Halse. »Nein, nein!« schrie sie verzweiflungsvoll. »Du sollst nicht gehen. Beste Mutter, ich liebe ihn ja, ich will nicht ohne ihn leben. Ach, geben Sie ihm das Jahr, Mutter, bitte, bitte!«

Als Frau von der Goltz das sah, brach ihre ganze stolze und gebietende Haltung zusammen. Sie ward noch blasser als vorher, die Tränen schossen ihr in die Augen, und sie sank auf ihren Stuhl zurück. Es war, als solle sie ohnmächtig werden. Kleist eilte auf sie zu und faßte ihre Hand. »Noch ein Jahr, teuerste Frau!« rief er eindringlich.

Frau von der Goltz neigte das Haupt. »Es sei. Noch ein Jahr. Aber jetzt gehen Sie. Ich kann nicht mehr. Es geht über meine Kraft.«

Kleist küßte ihre Hand und riß Wilhelmine in seine Arme, als wolle er sie ewig halten. »Adieu, geliebtes süßes Mädchen. Gott gebe uns ein Wiedersehen!« sagte er. Dann eilte er mit schnellen Schritten aus dem Pfarrgarten hinaus.

Wie ein Trunkener schwankte er die Dorfgasse hinab. Vor dem Kruge fand er die Pferde schon gesattelt und seinen Freund eben dabei, das eine zu besteigen.

»Ich wollte gerade rekognoszieren, wo Sie eigentlich blieben!« rief ihm der Rittmeister zu. »Es war ein meschanter Aufenthalt in dem Fliegenneste.«

»Freund,« sagte Kleist, »helfen Sie mir in den Sattel, und wenn Sie mir dann eine Liebe tun wollen, so lassen Sie uns schweigen und nichts reden. Ich kann nicht.«

»Wie Sie wollen. Ich bin kein Schwätzer,« brummte Adler. »Sitzen Sie fest? Dann en avant!«

IV

Der tolle Ritt nach Lichtenrade und die seelische Aufregung dieses Tages hatte für Ewald von Kleist einen Rückfall in die ohnehin noch nicht ganz überstandene Krankheit zur Folge. Er meldete sich zwar am anderen Tage zum Dienste, aber er hing dabei wie ein Halbtoter auf seinem Braunen, so daß ihn der Obrist von Polenz gutmütig scheltend anfuhr: »Herr, sind Sie des Deiwels? Glauben Sie in dieser Kondition den königlichen Dienst poussieren zu können? Feldscher Goltzendorf, bringe er Herrn von Kleist nach Hause und steckte er ihn ins Bett. In einer Stunde stattet er mir Rapport ab.«

So brach eine neue Krankheitszeit für Kleist an, die zwar nur acht Tage währte, ihm aber unerträglich lang erschien. Denn überall munkelte man von Krieg. Die Kameraden, die zuweilen kamen und nach ihm sahen, erzählten von nichts anderem als von den Zeichen, die auf einen nahe bevorstehenden Feldzug hindeuteten. Sie kamen selten, denn das vornehmste Anzeichen dafür, daß etwas Großes bevorstand, war ja eben der gehäufte Dienst, der alle Zeit und Kraft in Anspruch nahm. Kleist empfand aber auch ihre Besuche nicht als eine Freude und ermunterte höchstens seinen Freund Seydlitz zum Wiederkommen. Zwar sein Vertrauter war auch der nicht, von seiner Liebe zu Wilhelmine konnte er mit ihm nicht reden. Wie man sich um ein Mädchen grämen könne, wäre dem flotten, jungen Lebemann wohl unverständlich gewesen. Es liefen ja so viele schmucke Frauenzimmer in der Welt herum, und warum mußte es gerade die eine sein! Aber Seydlitz hatte zum wenigsten das Zartgefühl, ihn nicht fortwährend mit Nachrichten über den bevorstehenden Krieg zu füttern. Er ahnte, was in des Freundes Seele vorging, und wie schrecklich ihm der Gedanke war, beim Auszuge der Armee etwa fehlen zu müssen.

In der Tat war Kleist manchmal der Verzweiflung nahe, besonders wenn ein heftiger Fieberanfall vorüber war und er dann stundenlang in tiefer Mattigkeit dalag. Dann schweiften seine Gedanken ruhelos hin und her zwischen dem Bilde der Geliebten und seinem Regiment. Er sah, wie es mit fliegenden Fahnen und klingendem Spiel vom Paradeplatz aufbrach, um in den zweiten Kampf zu ziehen, den sein König um Schlesien wagen mußte. Die Kameraden jubelten dem Ruhm entgegen, den sie erfechten wollten, und er lag da als ein kranker Mann und konnte nicht mit, wurde vielleicht nach seiner endlichen Genesung in der Garnison zurückbehalten. Er stöhnte vor Qual, wenn ihn solche Gedanken heimsuchten, die er doch nicht bannen konnte, und er durchlebte Stunden, in denen er sich den Tod wünschte.

Aber nach einigen Tagen war das vorüber. Das Fieber nahm endlich von ihm Abschied, und nun erholte sich sein jugendkräftiger Körper bald. Freilich Dienst tun durfte er noch nicht, aber er war doch wenigstens nicht mehr ans Lager gefesselt, konnte im Zimmer umhergehen, in seinem Lehnstuhle sitzen und lesen.

Da erwies sich denn nichts für ihn als ein größerer Trost in seiner melancholischen Stimmung und seiner tiefen Einsamkeit als die Bücher, die Gleim ihm gelassen und noch um einige vermehrt hatte. Mit Entzücken las er Hagedorns graziöse Dichtungen und mit wahrer Begeisterung Hallers schweizerische Gedichte. Die Poesie übte eine wunderbare Macht auf sein Gemüt aus, eine Macht, deren er selbst mit Staunen inne wurde. Er konnte sich so ganz und gar in den Genuß eines dichterischen Werkes vertiefen, daß er, auf Stunden wenigstens, dadurch seinen Kummer vergaß und sich wie in eine andere Welt erhoben fühlte.

»Wie glücklich müssen die Menschen sein, die so etwas nicht nur nachfühlen, die es aus ihrem Innersten heraus erschaffen und es dann als Kunstwerk vor sich stehen sehen!« – so dachte er eines Abends, während er auf seinem Lehnstuhle saß und zusah, wie der letzte Abendschein hinter den Dächern der Häuser und den Wipfeln der Bäume verglomm.

Da war es ihm plötzlich, als höre er eine Stimme, die ihm zuraunte: Du Tor, warum beneidest du andere, und kannst doch selbst, was sie können?

Der Gedanke überwältigte ihn so, daß ihn ein Schwindel befiel und er für einen Augenblick die Augen schloß. Dann starrte er lange erstaunt vor sich hin, als sähe er etwas ganz Neues, Wunderbares, und endlich stand er auf, ging zu seinem Schreibtisch und entnahm ihm einen Bogen weißen Papieres. Der Diener mußte Licht bringen und erhielt den strengen Befehl, weder selbst in den nächsten Stunden seinen Herrn zu stören, noch irgend jemanden ins Haus dringen zu lassen.

Hätte ein Mensch an diesem Abend ins Zimmer hereinschauen können, so hätte er den königlich preußischen Premierleutnant von Kleist in einer ganz absonderlichen Verfassung erblickt. Er lief, mit der Linken auf seinen Krückstock gestützt, so schnell er mit seinen noch immer schwachen Kräften vermochte, in der Stube auf und nieder, blieb dann stehen, fuchtelte mit der Rechten aufgeregt in der Luft umher, murmelte oft Unverständliches vor sich hin, ließ sich auf seinen Sessel fallen und schrieb etwas nieder. Darauf las er es sich mit halblauter Stimme vor, nickte oder schüttelte mit dem Kopfe und setzte dann seine Wanderung fort, um wieder am Schreibtische zu landen. So trieb er es mehrere Stunden in ersichtlich höchster Erregung, bis endlich sein Werk vollendet war. Mit einer Stimme, die immer mehr anschwoll, las er es nun noch einmal laut im Zusammenhang. Es war ein Gedicht in Hallerscher Manier, in dem er in Anlehnung an den Meister das Lob der Gottheit besungen hatte.

Als er zu Ende war, leuchtete sein Antlitz wie verklärt. Was er geschaffen, erschien ihm schön, schwungvoll und eines ernsten Mannes würdig zu sein, und er war ganz berauscht von dem Bewußtsein, daß auch ihm die Gabe der Dichtkunst beschieden sei, und daß er etwas hervorbringen könne, was ihn selbst erhob und vielleicht auch andere erheben und erfreuen mochte. Mit einem Frohgefühle, wie er es seit langem nicht empfunden hatte, verschloß er das Papier, löschte das Licht aus und suchte sein Lager auf.

Am anderen Tage hielt freilich diese Begeisterung nicht ganz an. Als er sein Poem vor sich liegen sah in der nüchternen Stimmung des Morgens, da schienen ihm die Worte, die er nun beim grellen Tageslicht wieder las, vielfach einen anderen Klang zu haben, als die er gestern beim abendlichen Lampenlicht niedergeschrieben hatte. Aber im ganzen war er doch noch zufrieden, und was ihm steif und ungelenk erschien, das besserte und feilte er den ganzen Tag über mit unermüdlichem Eifer. In den folgenden Tagen dichtete er noch einige Strophen hinzu und fügte sie ein und ruhte nicht eher, als bis ein Gedicht vor ihm lag, das er nicht mehr bessern zu können vermeinte. Es war, als ginge von dieser Beschäftigung eine belebende Kraft auf ihn aus, denn sein Befinden hob sich derart, daß er sich bald leidlich gesund fühlte. Sofort beschloß er, sich zum Dienst zu melden. Am Abend vorher schrieb er sein Gedicht sauber ab, faltete es wie einen Brief zusammen, und nachdem er es versiegelt hatte, versah er es, ohne noch ein Wort hinzuzufügen, mit Gleims Adresse. »Du besorgst das Schreiben, das auf meinem Sekretär liegt, morgen früh, wenn ich weggeritten bin, auf die Post!« befahl er seinem Diener. »Um fünf Uhr steht die Bella gesattelt vor der Tür.«

Als Kleist am anderen Morgen auf dem Exerzierplatz erschien, harrte seiner eine große Überraschung. Kaum sah ihn nämlich der Oberst von fern heranreiten, so sprengte er ihm entgegen, und ohne seine Meldung abzuwarten, rief er ihm jovial zu: »Na, lieber Kleist, wieder gesund? Freut mich sehr. Kann Sie aber beim besten Willen nicht Dienst tun lassen.«

Verblüfft schaute Kleist ihn an. »Sie sind zu Seiner Durchlaucht dem Prinzen von Schwedt befohlen,« fuhr der alte Herr lachend fort. »Ich soll Sie sofort hinschicken, wenn Sie sich bei mir melden. Der Prinz ist seit gestern abend hier, logiert im Schlosse. Also machen Sie, daß Sie hinkommen!« In vertraulichem Tone fügte er halblaut hinzu: »Wie, zum Teufel, kommen Sie denn zu der hohen Protektion? Davon ist mich doch nie was bewußt gewesen.«

Kleist erklärte es kurz, und der Alte zwinkerte schlau mit den Augen und sagte: »Na, dann viel Glück! Und wenn Sie erfahren sollten, ob bald batailliert wird, dann melden Sie mich das gleich. Sie könnten mich keine größere Freude machen.«

Frohen Herzens ritt Kleist nach seiner Behausung, um sich in seine beste Uniform zu werfen. Dort war unterdessen Gleim eingekehrt, dessen Dienst erst um acht Uhr begann, und der sich vorher noch nach des Freundes Befinden erkundigen wollte. Der Diener führte ihn ins Zimmer, und da fiel ihm sogleich der Brief ins Auge, der seine Adresse trug.

»Was ist das?« fragte er. »Wußte denn Herr von Kleist, daß ich ihn besuchen würde, und hat er dies Schreiben für mich hinterlassen?«

Der treue Jacques bekam einen roten Kopf und kratzte sich hinter den Ohren. »Den sollte ich gleich auf die Post tragen und hab's vergessen. Da wird aber der Herr schimpfen!«

»Er ist eine Perle von einem Bedienten,« sagte Gleim. »Nun, diesmal ist seine Nachlässigkeit ein Glück, denn ohne sie wäre der Brief nach Spandau gegangen.«

Er nahm das Schreiben an sich und brach es eilig auf. Was war denn das? Ein Gedicht? Wahrhaftig, es waren Verse. Sie klangen, als wären sie von Albrecht von Haller gedichtet. Sollte Kleist in den Besitz eines ihm unbekannten Poems von dem bedeutenden Schweizer gelangt sein und ihm durch die Abschrift und Zusendung eine Freude zugedacht haben?

Er setzte sich in den Lehnstuhl des Abwesenden und las es gründlich von Anfang bis zum Ende durch. Kein Zweifel – dieser erhabene Schwung, diese Fülle trefflicher Bilder stand unter den Zeitgenossen nur Haller zu Gebote. Aber wie mochte es wohl in Kleists Hände gekommen sein?

Während er noch darüber nachdachte, erklangen sporenklirrende Tritte auf der Treppe, und gleich darauf stand Kleist in der Tür. »Das ist ja herrlich, daß ich Sie noch sehe!« rief er. »Ich bin eben zu Ihrem Prinzen befohlen« – er stockte und ward rot, denn er sah sein Gedicht in des Freundes Hand.

Gleim hatte sich voll freudiger Überraschung erhoben. »Ich weiß es, liebster Freund. Nur glaubte ich Sie heute noch nicht dazu imstande. Ich wollte sehen, wie es Ihnen erginge und Seiner Durchlaucht darüber rapportieren. Gratuliere herzlichst zur Genesung. Aber vor allen Dingen, um alles in der Welt – wie kommen Sie zu dieser Hallerschen Dichtung?«

Kleist blickte ihn verdutzt an. Dann aber blitzte es in seinen Augen hell auf. »Sie halten dies für Verse von Haller?«

»Von wem sonst? Das ist ganz sein Geist.«

Kleist faßte ihn an den Schultern. »Und wenn es nun von mir wäre?«

Gleim fuhr zurück und ward ganz blaß. »Von Ihnen?« stotterte er. »Aber bester Kleist, bester Kleist, Sie scherzen.«

»Nein, ich scherze nicht. Es ist von mir. Ich habe damit die Geister gebannt, die in der melancholischen Einsamkeit des Krankenzimmers mich heimsuchten und quälten.« Gleim stand ein paar Augenblicke regungslos. Dann faßte er in einer stürmischen Aufwallung seine beiden Hände, und sein feines, gutmütiges Gesicht strahlte. »Herr, Mensch, Freund!« rief er, »Sie sind ja ein Dichter! Sie sind ja – Sie sind mehr als Pyra, von meiner Wenigkeit und Herrn Lange gar nicht zu reden. Noch gehen Sie ja auf eines anderen Spuren und dichten nach der Weise des göttlichen Haller. Aber den haben Sie auch schon in diesem ersten Wurf fast erreicht, und die Zeit wird kommen, wo Sie über ihn hinauswachsen werden. Sie können, wenn Sie wollen, eine Zierde des deutschen Parnasses werden und einen Lorbeerkranz erringen, der ewig grünt.« Bei diesen Worten streckte er pathetisch die Hände empor, als wolle er dem Freund die Dichterkrone schon aufs Haupt setzen.

Kleist schloß ihn in die Arme. »Sie sind ja ein Enthusiast, bester Gleim,« sagte er, »und Ihr Urteil wird sicherlich mit bestimmt durch die Gefühle der Freundschaft, die Sie für mich hegen. Aber dabei sind Sie auch ein Mann von Charakter und Wahrheitsliebe und würden nicht heucheln, wo Sie nicht empfänden. Darum tut mir Ihre Anerkennung so wohl. Denn von Ihrem Urteil wollte ich's abhängen lassen, ob dies ein erster und letzter Versuch sein sollte. Das hatte ich mir fest zugeschworen, obwohl es mir bitter schwer geworden wäre, nicht mehr zu dichten. Habe ich doch bei der Niederschrift dieses Gedichtes Empfindungen gehabt wie nie zuvor und fühlte mich unbeschreiblich glücklich. Es war mir, als hätte ich mich jetzt erst selbst gefunden.« Bei den letzten Worten wurden seine Augen feucht, und seine Stimme bebte, aber er faßte sich rasch wieder und löste sich aus des Freundes Umarmung. »Nun aber, lieber Gleim, müssen wir an andere Dinge denken. Warten Sie hier ein paar Minuten, ich ziehe mich um, und wir gehen dann zu Ihrem Prinzen.« –

Am Abend dieses Tages saß Kleist wieder in seinem Zimmer und schrieb beim letzten Tageslichte einen Brief. »Teuerste, angebetete Wilhelmine! Wem soll ich die Freude meiner Seele ausströmen, wem soll ich mein übervolles Herz ausschütten, wenn nicht Dir, meinem allerliebsten Mädchen, zumal ja das, was dieser heutige Tag mir gebracht, so important sein kann für unser beider Lebensglück. Es scheint ja endlich ein heller Stern über meinem Leben aufzustrahlen. Ich war heute beim Prinzen von Schwedt. Seine Durchlaucht, dem ich durch den würdigen Herrn Obrist von Schulze empfohlen bin, waren von einer kaum glaublichen Gnade und Leutseligkeit zu mir und unterhielten sich wohl über eine halbe Stunde mit mir und sagten endlich: Er ist ein Mann von Esprit, und daß er valeur hat, bezweifle ich keinen Moment. (Verzeihe, daß ich's hinzusetze, liebste Wilhelmine, es sieht nach Selbstlob aus, ist's aber wahrlich nicht.) Ich werde ihn deshalb bei Seiner Majestät protegieren. Komme er morgen zur Tafel zu mir, hier im Palais, da will ich ihn zunächst dem Prinzen August vorstellen.« –

So weit war Kleist mit seinem Briefe gekommen, als leise an die Tür seines Zimmers gepocht wurde. Ziemlich unwirsch rief er »Herein«, und die Furche auf seiner Stirn vertiefte sich, sehr, als er in dem Eintretenden Herrn von Dorpowski erkannte. Der Pole machte eine fast devote Verbeugung und blieb dann unweit der Tür stehen.

»Womit kann ich dienen?« fragte Kleist und erhob sich. Dorpowski fuhr sich mehrmals durch sein dünnes schwarzes Haupthaar und sagte dann in unterwürfigem Tone: »Bin ich gekommen, den Herrn Vetter zu bitten in einer serr großen Not.«

»Nun?«

»Ich muß fort von Berlin und habe kein Geld zur Reise.« »Das soll ich Ihnen geben?« rief Kleist erstaunt. »Ich?« »Werrde ich es doch dem Herrn Vetter sofort zurückschicken, wenn ich angekommen bin in Dresden.«

Kleist blickte ihn scharf und durchdringend an. Warum wenden Sie sich nicht an die sächsische Gesandtschaft?« Der Pole zuckte die Achseln. »Hab' ich verrsucht, doch gibt mir Exzellenz kein Geld.«

»So, so! Hm.« Kleists Gesicht wurde etwas freundlicher, denn der Gedanke schoß ihm durch den Kopf: Wäre dieser Mensch, wie Gleim ihm angedeutet hatte, ein Agent Brühls, so stände ihm die Schatulle des sächsischen Gesandten gewiß zur Verfügung. Man hatte sich also doch wohl in ihm geirrt und ihm Unrecht getan mit einem Verdachte, den er nicht verdiente.

Bedeutend milder als vorher sagte er also: »Setzen Sie sich, Monsieur von Dorpowski! Wie komme gerade ich eigentlich zu der Ehre, Ihnen das Geld vorschießen zu sollen? Sie haben doch gewiß nähere Freunde in Berlin.«

»Sie sind alle nicht für mich zu Hause,« erwiderte der Pole kläglich, und damit sprach er die Wahrheit. Man hatte ihn gestern in einem Klub als Falschspieler entlarvt und hinausgeworfen, und ehe über diese Geschichte Gras gewachsen war, getraute er sich nicht nach Berlin zurück. Zum zweiten Male von dem sächsischen Gesandten Geld zu erbitten, wagte er auch nicht, da er sonst hätte gestehen müssen, daß er alles schon Empfangene verspielt habe.

So saß er in der jämmerlichsten Haltung vor Kleist da. In dem regte sich eine Art Mitleid, obwohl ihm der Patron eigentlich scheußlich zuwider war. Aber er fühlte sich heute so gehoben, so beglückt, daß es ihm besonders schwer geworden wäre, einem Bittenden etwas abzuschlagen. Überdies war es ja sehr gut, wenn der Kerl den preußischen Staub von seinen Stiefeln schüttelte.

Deshalb sagte er nach einer Pause: »Wieviel brauchen Sie? Zehn Taler, dächt' ich, müßten genug sein.«

Der Pole bejahte schnell. Er hatte auf so viel gar nicht gerechnet.

»Und wann erhalte ich's zurück?«

»Sowie ich in Dresden werrde sein.«

»Hier ist Tinte und Feder, schreiben Sie einen Schein.« Er nahm den angefangenen Brief an sich und wandte sich zu seinem Sekretär. »Doch halt, noch eins, mein Herr von Dorpowski. Das wollt' ich Sie fragen, wenn ich Sie wiedersah: Was hatten Sie neulich Abend vor meinem Hause zu tun, als die Demoiselle Malachowska mich besuchte?«

Der Pole bekam einen dunkelroten Kopf und fuhr zusammen. Dann sah er ihn zugleich scheu und böse an, gab aber keine Antwort. »Ja, das muß ich wissen, ehe ich Ihnen das Geld gebe, mein edler Slachtitz. Also heraus mit der Sprache! Was führte Sie vor meine niedere Hütte?«

»Geh' ich doch der Malachowska schon lange nach,« murmelte endlich Dorpowski zögernd.

»So, Sie waren jaloux. Na, das ist ja eine Erklärung. Sie gehen ihr also nach? Was wollen Sie denn von dem armen Mädchen?«

»Was Sie schon haben!« entfuhr es dem Polen, indem ein zynisches Lächeln seine Lippen umspielte.

»Ah, Sie halten sie für meine Geliebte?« sagte Kleist verächtlich. »Da täuschen Sie sich, Wertester. Ich stehe zu dem Mädchen in einem Verhältnis, das Sie wahrscheinlich gar nicht begreifen werden: In dem einer Kinderfreundschaft. Deshalb will ich ihr aber auch einen Dienst erweisen, und werde Ihnen also, Herr von Dorpowski, das Geld nur geben, wenn Sie mir geloben, das Mädchen fortan in Ruhe zu lassen.«

Der Pole schien erst auffahren zu wollen, aber er sank sogleich auf seinen Sitz zurück. Was war ihm denn schließlich an einem Versprechen gelegen, das nicht schriftlich gegeben werden mußte! Ohnehin mußte er von Berlin fort. Wer konnte wissen, wann er wiederkam, und ob er dann die Komödiantentruppe noch vorfand!

»Mein Ährenwort,« sagte er daher nach einer Pause.

»Nein, Ihren Eid,« erwiderte Kleist.

»Ich soll schweeren? Aber Herr Vetter, wer schweert leichtsinnig? Nehmen Sie doch mein Ährenwort, ich bitte. Ich bin von altem polnischen Adel, meine Vorfahren haben in Pollen –«

»Lassen wir das!« unterbrach ihn Kleist mit beleidigender Heiterkeit. »Sie schwören bei Jesus und Maria, daß Sie das Mädchen nicht mehr behelligen wollen. Das ist mir sicherer. Nun, wollen Sie?«

Dorpowski wand sich unruhig hin und her. »Ich schweere,« sagte er endlich mit halblauter Stimme.

Kleist gab ihm das Geld, nahm seinen Schein und entließ ihn mit einer kühlen Verbeugung, ohne ihn zur Tür zu geleiten. Erst nach etwa einer Stunde fiel ihm ein, daß auf dem Papier, in das er das Geld gewickelt hatte, neben anderen Notizen auch Wilhelmines Dresdener Adresse aufgeschrieben war. Aber die trug er ja im Kopfe, und so war das wohl für ihn ohne Belang.

V

»Premierleutnant von Kleist, ich empfehle Ihnen auf Ihrer Feldwacht ganz besondere Vigilance. Sie haben die Ehre, Seine Majestät selbst zu bewachen, denn der König kampiert dort oben hinter dem Wäldchen im Biwak. Der Teufel hole Sie also, wenn was passiert! Die Postenkette wird detachiert bis zu dem Bache da unten und fleißig revidiert! Bei dem geringsten soupcon eines Ausfalles sofort den Fähndrich von Puttkammer an mich gesandt!«

Obrist von Polenz gab diesen Befehl auf einem Vorhügel des Weißen Berges bei Prag. Dahin war das Heer König Friedrichs in Eilmärschen gezogen; denn dem Feldherrn war viel daran gelegen, die feste Hauptstadt Böhmens zur Übergabe zu bringen, ehe ein österreichisches Heer gegen ihn heranzurücken vermochte. Ein Erfolg schien sehr möglich zu sein, da die Armee der Königin noch weit zurück war und keinen rasch entschlossenen Führer an ihrer Spitze hatte. Friedrich hatte wieder einmal seine Feinde überrumpelt, er war losgebrochen, während sie noch rüsteten.

So kam es, daß Ewald von Kleist auf dem blutgetränkten Boden stand, auf dem einst im Dreißigjährigen Kriege die Geschicke Deutschlands entschieden worden waren. Im Westen hinter dem Weißen Berge ging eben die Sonne eines heißen Septembertages zur Ruhe. Ihr letzter, glühendroter Schein lag noch auf der hunderttürmigen Moldaustadt, besonders auf der majestätischen Zinne des Hradschin, während die niedriger gelegenen Stadtteile in einem blauen Dunkel verschwammen und vor den Wällen und Bastionen schon weiße Abendnebel aufstiegen. Der Anblick war so überwältigend, daß der junge Offizier noch eine ganze Weile auf demselben Flecke stehen blieb, nachdem der Obrist weggeritten war, und verzückt hinüberschaute nach der Stadt, die man morgen mit Werken und Laufgräben einschließen wollte.

»Störe ich?« rief da plötzlich hinter ihm eine helle Stimme. Er fuhr herum und sah in geringer Entfernung Gleim in Begleitung des Fähndrichs von Puttkammer herankommen. Mit ein paar Sprüngen den Abhang hinauf, eilte er ihm entgegen.

»Mensch, wo kommen Sie her?« rief er aufs freudigste überrascht.

»Seine Durchlaucht hat mir erlaubt, die Nacht auf Ihrer Feldwache zu verbringen. Sie sind ja heute ein horrent wichtiger Mann, denn Sie bewachen fast das ganze Königshaus. Tausend Schritte von hier in den Baracken liegen Seine Majestät, die Prinzen August Wilhelm und Heinrich und die Prinzen von Schwedt.«

»Na, was mich betrifft, so können sie ruhig schlafen. Ich werde meine Pflicht tun. Von Ihnen aber ist es wunderschön, daß Sie mir helfen wollen, die Augen offen zu halten. Vor der Hand freilich müssen Sie mich noch eine Viertelstunde entbehren, denn ich will die Postenkette selber aufstellen und die Kerls gehörig instruieren. Puttkammer, führen Sie den Herrn Sekretarius dort in die alte Jagdhütte. Das ist nämlich zurzeit mein Hauptquartier, lieber Freund.«

Gleim lachte. »I, wer wird sich an einem so prächtigen Abend in eine enge Hütte einschließen! Ich ziehe es vor, mich hier so lange auf den Baumstumpf zu setzen und zu sehen, wie Sie Ihre Arrangements treffen. Gehen Sie also nur immer hin, ich erwarte Sie.«

Durch verschiedene Zufälle wurde Kleist länger bei den Vorposten aufgehalten, als er vorausgesehen hatte. Den Hügel wieder hinabschreitend, sah er schon überall auf den Höhen die preußischen Wachtfeuer aufflammen. Der Vollmond, den man in dieser Nacht erwartete, war noch hinter den Häuptern der Berge verborgen.

Auch vor seinem Domizil hatten seine Leute ein Feuer angezündet, und als er herzutrat, sah er seinen munteren, lebendigen Freund, wie er eifrig mit dem Löffel in einem Kessel herumrührte, der auf zwei großen Steinen über den Flammen stand.

»Potz Wetter, Gleim, sind Sie denn ein Koch geworden? Was brauen Sie da zusammen?« rief er belustigt.

»O, das lernt man alles als Student!« erwiderte der und schwenkte triumphierend seinen Kochlöffel. »Wie oft habe ich in Halle gekocht und gebraten, besonders wenn der Monat zu Ende ging, und der Wechsel zu Ende war. Kommen Sie mal her, Verehrtester, und kosten Sie diese spartanische Suppe! Ist sie nicht großartig?«

»In der Tat, ausgezeichnet,« sagte Kleist, nachdem er einen Löffel genommen hatte. »Was haben Sie denn da für Ingredienzien hineingetan?«

»Eigentlich sollt' ich's Ihnen nicht verraten. Aber Sie mögen es doch wissen, damit Sie sehen, wie ein wahrer Künstler aus nichts etwas macht. Es ist Kommißbrot und Butter, woraus sich diese Götterspeise zusammensetzt. Mehr haben wir nämlich nicht. Das Geflügel der Umgegend haben, wie's scheint, die Panduren vor unserer Ankunft gründlich in Sicherheit gebracht.«

Angelockt von dem Dufte des Gleimschen Kunstwerkes, kamen nun auch die beiden Fähnriche herbei, die der Feldwache zugeteilt waren. Aber nachdem sie an der Mahlzeit nach Kräften partizipiert hatten, drückten sie sich bald von dannen; denn das Gespräch der beiden Freunde schlug Bahnen ein, die ihnen völlig ungeläufig waren. Welche Idee von ihrem Vorgesetzten, beim Lagerfeuer von Gedichten zu reden, und nicht etwa von Liebesliedern auf schöne Mädchen oder von Soldatenliedern, sondern von der Dichtung eines Engländers Milton, von dem sie beide noch kein Sterbenswörtchen gehört hatten, und der ein unbändig langweiliger Mensch gewesen sein mußte. Er hatte offenbar etwas vom Paradiese gedichtet, und da hofften sie ja nun freilich hinzukommen, wenn eine verwünschte österreichische Kugel etwa ihrem jungen Leben vor der Zeit ein Ziel setzen sollte. Aber vorläufig mochten sie davon nichts reden hören, darüber konnten sich die Pastoren unterhalten. Sobald es daher der Anstand irgend erlaubte, zogen sie sich an ihr eigenes Feuer zurück, stopften sich die Tonpfeifen, spielten Karten und unterhielten sich auf ihre Weise.

»Eine schnurrige Marotte des Herrn von Kleist, diese Inklination zur crapule!« bemerkte von Schwotinski. »Was soll dieser Federfuchser? Kann er sich nicht mit bessern Leuten unterhalten?«

»Wir sind ihm zu dumm!« warf von Musch mit einem mokanten Lächeln hin.

»Weiß der Deiwel, ich glaube, er hat einen Stich!« erwiderte von Schwotinski. »Du gibst!« Er warf ihm die Karten hin und spuckte zornig aus. »Weiß der Deiwel, er gefällt mir gar nicht. Hat oft was an sich von einem Poeten, Stubenhocker und Federfuchser. Sieht oft aus, als hätte er Gift gefressen, so schwermütig und wehleidig. Wenn er nicht so famos reiten und fechten könnte, dann möchte man meinen, er wär' ein altes Weib. Saufen tut er schon gar nicht mehr, und ob er wirklich eine Charmante in Berlin hat – mir ist's zweifelhaft.«

Musch stieß den Gegenübersitzenden mit den Karten ans Bein und blickte ihn bedeutungsvoll an. »Mensch!« flüsterte er, »was wirst du erst sagen, wenn ich dir sage: Kleist macht selber Gedichte!«

Von Schwotinski fuhr ordentlich in die Höhe und fiel beinahe hintenüber. »Na, na,« krähte er, ne, ne! Des jlob' ich nun doch nicht. Weiß der Deiwel, das nich! Das machst du mir nicht weiß. Das macht er nun doch nicht. Ein von Kleist macht keine Versche.«

Musch zog ein gekränktes Gesicht. »Aber ich versichere dich uff Ehre! Sein Freund von Seydlitz hat's doch selber erzählt. Und der Monsieur Gleim, der da drüben bei ihm sitzt, der soll einer von die Oberdichters sein. Und dann haben sie noch einen ganz obersten Dichter, der heißt – ja, wie die Canaille heißt, ist mir entfallen.«

Von Schwotinski blickte ihn starr an. »Dann schnappt er über!« erklärte er mit großer Entschiedenheit. »Wir hatten in unserem Dorfe einen Küster, der machte auch Versche und schnappte auch über. Dem war seine Frau gestorben, das Weibsen hieß Rosalie, aber er nannte sie immer Amoryllis und machte ellenlange Schmierakeleien an sie und schoß sich endlich auf ihrem Grabe tot. Die Pistole war mit Wasser geladen.« Er machte eine Pause und fügte mit dem Tone des Bedauerns hinzu: »Eigentlich schade um den Kleist! So ein strammer Kerl und solche Raupen im Kopfe! Hätt's ihm nicht zugetraut, weiß Gott nicht. Aber nun wirst du sehen, er schnappt über. Wer Versche macht, schnappt jedes Mal über.«

»Na, sei so gut!« versetzte Musch. »Seine Majestät machen selber welche.«

»Ja, französische! Das ist ganz was anders. Die kann einer so hin machen und denkt sich nichts dabei und ist ihm bloß ein Witz. Aber wer deutsche Versche macht, der hat einen Kummer oder eine ungetreue Liebste, oder es ist ihm wer gestorben, und er kann darüber nicht fertig werden, oder er ist sonst wie verrückt. Und deshalb geht es mit solchen Menschen zuletzt fast immer schief! Schade, schade!« Er wiegte sein zwanzigjähriges Fähndrichshaupt weise und mitleidsvoll hin und her.

Was hätte nun aber dieser brave junge Kriegsmann erst gesagt, wenn es ihm vergönnt gewesen wäre, das Gespräch der beiden Freunde zu belauschen! Denn Kleist, den die romantische Situation, die Nähe einer gleichgestimmten Seele und der Glanz des prächtig aufsteigenden Vollmondes begeisterten, ging ganz aus sich heraus und schwärmte Gleim etwas von einem großen Gedicht vor, an das er sich machen wolle, sobald ruhigere Zeiten kämen.

»Ich habe den Plan gefaßt am Tage vor unserem Abmarsch von Potsdam. Ich ging noch einmal in dem herrlichen Parke spazieren, wo der König jetzt sein Lustschloß »Sanssouci« aufführen läßt. Da wurden alte Erinnerungen meiner Kindheit in mir wach, und ich beschloß, alle Schönheit unserer heimischen Natur zu besingen in einem Gedichte, das ich »Landlust« nennen will oder so ähnlich. Denn wo kann der Mensch wahrhaft Mensch sein, wenn nicht in der paradiesischen Einfachheit und Freiheit des Landlebens!«

Gleim drückte ihm die Hand. »Sie haben recht, und Sie sind der Mann dazu. Haben Sie sich schon für ein Versmaß entschieden?«

»Das habe ich, und die Begier, das Gedicht zu schreiben, war so mächtig in mir, daß ich im ersten Quartier schon, ein paar Seiten davon zu Papier gebracht habe.«

»Der Tausend!« rief Gleim. »Sonst heißt es: Inter arma silent Musae – aber Ihre Muse schweigt nicht einmal beim Kriegsgetümmel. Ist Ihnen da der Klang der Trommel nicht fatal? Wünschen Sie da nicht den ganzen Kriegslärm zu allen Teufeln?«

»Nicht im mindesten,« fiel ihm Kleist in die Rede. »Sehen Sie, Freund, der Dienst im Frieden, der Drill, der ist mir scheußlich zuwider, der reibt meine Seele wund, darunter seufz' ich und stöhn' ich. Aber der Krieg – das ist etwas ganz anderes! Das ist erlebte, lebende Poesie! Wenn ich meine Kanone donnern höre, wenn ein Gefecht beginnt, dann kommt eine Spannung, eine Ekstase über mich, ja eine Begeisterung, die nur zu vergleichen ist mit der Begeisterung des Dichters im Augenblicke des Schaffens. Der Dichter und der Krieger sind dadurch einander gleich, daß sie im Moment der Begeisterung der Erde entrückt werden. In solchen Stunden liebe ich meinen Beruf von ganzer Seele und möchte des Königs Rock mit keinem anderen Kleid vertauschen.«

Gleim schüttelte den Kopf. »Das verstehe ich doch nicht recht. Wissen Sie, es kommt mir manchmal vor, als steckten in Ihnen zwei ganz verschiedene Naturen. Denn Sie haben Eigenschaften in sich vereinigt, die bei andern Menschen einander ganz ausschließen.«

Kleist schlug ihn kräftig auf die Schulter. »Sie haben mich ganz und gar erkannt. Ja, in mir sind zwei Menschen, ein sanfter, scheuer, schwermütiger Mensch, der in der Stille sinnen und dichten möchte, und ein anderer, der aufwacht bei den Signalen der Trompeten, und dem es am wohlsten ist, wo die Säbel klirren.« Wie mit sich selbst redend, setzte er hinzu: »Wird das wohl immer so sein? Wird einer von beiden endlich in mir siegen? Und welcher? – – Es wird wohl davon abhängen, wie das Leben mich weiterhin führt.« –

»Halt! Werda?« klang in diesem Momente der Ruf des Postens, der etwa hundert Schritte rechts seitwärts unter einer großen Eiche stand.

Kleist sprang hurtig auf. »Es ist die Ronde,« sagte er. »Ich muß meine Meldung machen.«

Er schritt eilig auf die Gruppe zu, die im Schatten des Baumes stand und sich dadurch seinen Blicken fast ganz entzog. Erst als er dicht an sie herangekommen war, sah er, daß es drei Offiziere waren, die sämtlich auf der Brust einen Stern trugen. »Generale? Was wollen die? In der Nacht etwa rekognoszieren?« dachte er verwundert. Plötzlich aber durchzuckte es ihn wie ein Schlag. Denn der eine der Herren trat jetzt rasch aus dem Dunkel in das scharfe, helle Licht des Vollmonds, und er erkannte ihn. Es war der König.

Kleist schoß das Blut zum Herzen, und nur mit bebender Stimme vermochte er seine vorschriftsmäßige Meldung hervorzubringen. Er hatte ja schon einmal vor dem Monarchen gestanden, als er mit einer Menge anderer junger Edelleute auf Friedrichs Befehl aus fremdem Kriegsdienst heimgekehrt und in den heimischen Dienst übergetreten war. Damals waren sie in langer Reihe vor dem Potsdamer Schlosse aufgestellt gewesen. Der junge König war ihre Front abgeritten und hatte an jeden, auch an ihn, einige gnädige Worte gerichtet. Da schon hatte die königliche Erscheinung Friedrichs einen tiefen Eindruck auf ihn hervorgebracht, aber seitdem war seine Bewunderung für den König unermeßlich gewachsen. Er schwärmte für ihn und nannte ihn seinen Freunden gegenüber oft schon den Großen, obwohl ihm die Welt diesen Namen noch nicht beilegte. Nun stand er auf einmal ganz unvorbereitet vor seinem Angesicht, und das Auge ruhte auf ihm, das seinesgleichen nicht hatte, dessen Farbe dem strahlenden Saphir und dessen durchdringende Schärfe dem Auge des Adlers ähnlich war.

»Von Kleist?« wiederholte der König, als Ewald geendet hatte. »Ah, Euer Liebden,« wandte er sich rückwärts, »ist das der Offizier, den Sie mir rekommandiert haben? Der Mann mit den sieben Sprachen?«

Der Prinz von Schwedt trat nun auch aus dem Dunkel hervor. »Eurer Majestät zu Befehl, und ich wiederhole meine Rekommandation. Er ist ein Mensch von Vigueur und Esprit.«

Friedrich blickte den Offizier scharf an. »Warum ist er bei seinen admirabeln Connaissancen nicht Diplomatikus geworden?«

»Euer Majestät halten zu Gnaden, mir gefiel der Degen besser als die Feder.«

Der König stieß leicht mit dem Krückstock auf die Erde. »Da hört er's, Winterfeldt, was ich immer sage: Unsere Junkers wollen nicht in die Diplomatie, wollen raufen. Ist er ein Verwandter von Henning und Kaspar bei den Grenadieren?«

»Zu Befehl, Eure Majestät, das sind meine Vettern.«

»Na, da muß ihm ja die Bravour im Blute liegen. Also empfehle er sich mir durch den Degen! Ich werde ein Auge auf ihn haben.« Er nickte ihm leicht zu und ließ noch einmal den Blick prüfend über ihn hingleiten. »Kommen Sie, Messieurs! Die da drüben attackieren uns diese Nacht nicht mehr.«

Er schritt mit seinen Begleitern den Weg wieder zurück, den er gekommen war. Kleist stand, als er schon weit entfernt war, noch immer regungslos und starrte ihm nach wie einer Erscheinung. Da stürzte Gleim auf ihn zu.

»Das war doch der König?« rief er mit gedämpfter Stimme, aber fast keuchend vor Aufregung. »Freund! Glücksmensch! Was hat er zu Ihnen gesprochen?«

Kleist fuhr wie aus einem Traum erwachend auf und erzählte ihm dann alles. Gleim faßte ihn am Rockknopfe und sah ihn vorwurfsvoll an. »Aber bester Kleist,« sagte er, »das war doch eine brillante Gelegenheit, in den diplomatischen Dienst zu kommen! Die haben Sie geradezu ausgeschlagen.«

»Herr Gott, meinen Sie, daß ich mich danach sehne? Unsere Diplomatie ist, wie sie nun einmal ist, ein nichtswürdiges Ränkespiel, mit dem ich nichts zu tun haben möchte.«

»Aber Sie sind doch dort viel sicherer! Solange Sie im Felde stehen, müssen Ihre Freunde beständig für Ihr Leben zittern.«

»Ja, da kann ich nun freilich meinen Freunden leider nicht helfen,« erwiderte Kleist ernst und entschieden. »Dien' ich dem König, so dien' ich ihm nicht in Antichambres und auf Hintertreppen, sondern mit meinem Blut und Leben auf dem Schlachtfelde. Und o, wie gern! Kommen Sie Freund, wir wollen uns niederlegen. Mir ist nicht nach Sprechen zumute. Ich habe Friedrich gesehen und bin ganz voll davon. Aber halt! Da drüben von den Türmen schlägt es zehn. Da ist es Zeit, noch einmal die Posten zu revidieren. Legen Sie sich einstweilen in die Hütte und schlafen Sie, wenn Sie's vermögen.«

Bei seiner Rückkunft fand Kleist den Freund in seinen Mantel gewickelt in der Jagdhütte liegend, und seine tiefen Atemzüge verkündeten ihm, daß er in festen Schlaf gesunken war. Er hüllte sich nun auch in seinen Mantel und legte sich neben ihm nieder, aber er fand keinen Schlaf. Immer stand ihm Friedrichs gebietende Erscheinung vor Augen, und seine Phantasie spann glänzende Fäden. Er träumte davon, wie er einst vielleicht, wenn ihm das Schicksal hold wäre, wieder vor diesem Könige stehen könnte als der Vollbringer irgendeiner Heldentat, und wie dann die großen Augen noch ganz anders auf ihm ruhen würden, leuchtend in Huld und Gnade. So träumend lag er lange. Stunde auf Stunde verrann, er merkte es nicht.

Da horch! Ein dumpfer Kanonenschuß von dem linken Flügel des Feldlagers her. Gleich darauf mehrere Flintenschüsse und ein undeutliches Geschrei.

Er stand im Nu auf den Füßen und rüttelte den Freund wach. »Laufen Sie, eilen Sie zu Ihrem Prinzen! Das ist Alarm! Es ist keine Zeit zu verlieren. Leben Sie wohl! Gott befohlen!«

Gleim taumelte schlaftrunken fort. In wenigen Minuten war das ganze Lager lebendig. Die Mannschaften stürzten an die Gewehre, die Offizierspferde wurden von den Burschen herbeigezerrt. In unglaublich kurzer Zeit stand Kleists Bataillon unter den Waffen.

»Gott straf' mich, ein Überfall!« rief der Major von Rohr und strich sich den grauen Schnurrbart. »Die Kerls wecken uns mit Bomben und Kartaunen. Da wird's bald Arbeit geben, Messieurs!«

Doch der Befehl zum Vorrücken kam nicht. Salven und vereinzelte Kanonenschüsse klangen herüber, aber sie entfernten sich nach der Stadt zu.

»Kreuzmohrenelement!« fluchte der Major. »Die Himmelhunde retirieren nach der Stadt. Einsiedel da drüben wird allein fertig, und wir kommen nicht zur Attacke.«

So wie er empfanden alle Offiziere, am meisten Kleist, der vor Begierde brannte, nun endlich im Feuer sich auszuzeichnen. Der tiefste Mißmut machte sich auf allen Gesichtern bemerkbar.

Da – stärkeres Knattern und Schießen! Der Feind schien sich gesetzt zu haben. Und nun kam auch der Befehl zum Marschieren. Der Morgen graute schon herauf, aber ein so dichter Nebel bedeckte das Gelände, daß kein Mensch weiter als dreißig Ellen weit sehen konnte.

Plötzlich fliegt ein Gerücht durch die Reihen, pflanzt sich weiter von Mund zu Mund, schreckensbleich rufen sich's die Soldaten zu: »Der König ist vom Pferde geschossen!« Alles stockt, einer starrt den andern an. Manchem wanken die Knie.

»Verdammter Blödsinn!« schreit Major von Rohr. »Der König ist fest. Dem hat keine Kugel was an. En avant!«

Ein Adjutant prescht vorüber. »Was ist geschehen? Ist's der König?«

»Nein, der Prinz von Schwedt.«

Ja, wenige hundert Schritte noch vorwärts, da sahen sie ihn liegen. Man hatte ihn hinter die Front zurückgetragen und auf den Rasen gebettet. Das Blut sickerte über die weiße Weste herab und überströmte den Stern des Schwarzen Adlers, den der junge Held auf der Brust trug. Mehrere höhere Offiziere bemühten sich um ihn, und vor ihm lag sein Sekretär auf den Knien, und die dicken Tränen rannen ihm übers Gesicht.

Als Gleim den vorüberreitenden Freund erkannte, hob er beide Arme zum Himmel empor und schluchzte laut auf. Aber Kleist wurde dessen kaum gewahr. Ihm brauste es in den Ohren, und es flirrte ihm vor den Augen. Als er den Sterbenden liegen sah, durchzuckte ihn mit schneidendem Weh der Gedanke, was dieser Tod auch für sein Leben bedeute. Aber er biß die Zähne zusammen, er wollte nicht daran denken; nur eins wollte er: Einhauen in den Feind, den jungen Hohenzollern rächen helfen, dessen edles Blut hier die Erde trank. Zerschmettern, erwürgen wollte er, was er von dieser Tschechen- oder Pandurenbrut vor die Klinge bekäme.

Aber sein Rachedurst blieb ungestillt. Als der Wind daherfegte und den Nebel zerriß, verschwanden die letzten Nachzügler der Feinde drüben hinter den Toren von Prag. Wieder war es ihm nicht vergönnt, ins Feuer zu kommen und Taten zu tun, und aufs tiefste niedergeschlagen kehrte er nach einer Stunde mit seinem Bataillon ins Lager zurück.

VI

König Friedrich hatte Schlesien zum zweiten Male behauptet. Bei Kesselsdorf hatte der alte Fürst Leopold von Dessau die letzte große Tat seiner Heldenlaufbahn vollbracht und die Sachsen entscheidend geschlagen, bei Hohenfriedberg und Soor hatte der königliche Feldherr selbst sich wieder strahlende Siegeskränze um das Haupt gewunden, und als er nun nach dem Frieden triumphierend in seine Hauptstadt eingezogen war, da hatten ihn die jubelnden Berliner zum ersten Male als Friedrich den Großen begrüßt. Auch Ewald von Kleist war wieder in Potsdam mit eingerückt, aber von den glänzenden Hoffnungen, mit denen er in den Krieg gezogen war, hatte sich keine erfüllt. Das Regiment des Prinzen Heinrich, bei dem er stand, war bei keiner der großen Schlachten zur Verwendung gekommen, und nur in elenden Scharmützeln mit streifenden Pandurenbanden hatte es die Kugeln pfeifen hören. Es war gewesen, als läge ein Verhängnis über dieser schönen und tapferen Truppe, die vor Ruhm und Ehrbegierde glühte und dabei dazu verdammt schien, ungeheure Mühen, Märsche und Strapazen auf sich zu nehmen, ohne auch nur den geringsten Siegeslorbeer pflücken zu dürfen.

Kein Wunder, daß alle Offiziere des Regiments über ihr elendes Mißgeschick seufzten und klagten. Keiner aber litt in dem Maße darunter wie Kleist. Das Wort seines abgöttisch verehrten Monarchen: »Empfehle er sich mir durch den Degen!« brannte ihm auf der Seele. Er hätte alles getan, sich in den dichtesten Kugelregen gestürzt, sein Blut freudig verspritzt, wenn er sich dadurch Friedrichs Lob hätte erwerben können; aber wie kann man Heldentaten verrichten, wenn man Festungen bewachen muß, die niemand angreift, und in Standquartieren liegen muß, die meilenweit entfernt sind von dem Orte, wo die eisernen Würfel geworfen werden?

Er hatte sich also dem Könige nicht empfehlen können, und Friedrich schien ihn auch vergessen zu haben. Kein Orden schmückte seine Brust, und keine Beförderung war ihm zuteil geworden. Als ehrliebender Offizier schmerzte ihn dies tief, und was es für sein Leben und seine Liebe zu bedeuten hatte, das wußte er längst. Wenn er sich aber doch einer Täuschung darüber hingegeben hätte, so wäre er durch den Brief eines besseren belehrt worden, den er jetzt in der Hand hielt, während er, an einem Fenster seiner Junggesellenwohnung stehend, in den stiebenden Winterschnee hinausblickte. Es waren mehrere Seiten, eng beschrieben von einer zierlichen, hie und da etwas flüchtigen Frauenhand. Die Schriftzüge waren an manchen Stellen verwischt und undeutlich. Offenbar hatte die Schreiberin über dem Briefe geweint und ihre Tränen hastig und schlecht getrocknet. Auch der Mann, der mit bleichem Gesicht und zusammengezogenen Brauen das Schreiben las, wäre am liebsten in Tränen ausgebrochen und bewahrte nur mit Mühe seine Fassung. Denn der Brief lautete, aus dem Französischen ins Deutsche übersetzt, also:

»Mein geliebtes Herz! Ich schreibe diese Zeilen am Weihnachtsabend, allein in meinem Stübchen sitzend und ohne Wissen meiner Mutter, die wünscht, daß ich Dir überhaupt nicht mehr schreiben soll. O mein Engel, was habe ich in den letzten Tagen gelitten! Die Schwäger und Vettern sind alle um uns – wir sind nämlich wieder bei der Tante Stephanie in Dresden – und besonders Gryszczynski, aber auch Lüttichau bestürmen mich, wo sie mich sehen, daß ich Dich fahren lassen und Stanislaus von Lubowieckis Werbung annehmen soll. Denn der ist hier Kriegsrat und Kammerherr und soll sehr reich geworden sein, denn er hat seine Frau beerbt und ist Witwer seit einem Jahre. Er hat mich wiedergesehen auf einem Balle bei der Gräfin Flemming und fing gleich an von früheren Zeiten zu reden und hat mich seitdem nicht wieder losgelassen, schickt mir täglich Blumen und Konfekt. Ich weiß nicht, wie ich seinen Galanterien entgehen soll, wenn ich ihn nicht geradezu brüskieren will. Das kann ich gar nicht, denn sie sind alle so schrecklich für ihn, die Mutter und Gryszczynski. Ach, mein Geliebtester, was soll nun werden? Ich habe den letzten Brief von Dir erhalten aus Hirschberg in Schlesien, wo Du krank lagest. Seitdem weiß ich nichts von Dir. Vielleicht – ich hoffe es – sind Briefe von Dir verloren gegangen, sonst müßte ich denken, Du habest mich ganz vergessen. Ich nehme an, daß Du wieder in Potsdam bist, aber ich weiß nicht, wie Du lebst, und ob Du noch an Deine arme Wilhelmine denkst. Und bist Du gesund? Bist Du befördert? Gibt es eine Aussicht, daß wir uns in den nächsten Jahren angehören können?

Sei nicht böse, mein Geliebtester, wenn ich noch einmal eine Bitte an Dich richte, die Du bei unserer letzten Zusammenkunft meintest nicht erfüllen zu können. Vielleicht denkst Du jetzt anders darüber. Gott gebe es, denn ich sehe keinen anderen Weg zu unserer Vereinigung. Die Tante Stephanie sagte noch vorgestern, Du könntest jeden Tag durch ihre Protektion in den sächsischen Dienst kommen, und wenn Du das tätest, so wolle sie uns alle Jahre fünfhundert Reichstaler als Sekours zu unserem Leben zur Verfügung geben. Sie fragte allerdingst erst, ob Du bei Striegau dabei gewesen wärest, denn einen preußischen Offizier, der bei Striegau mitgekämpft habe, wolle sie in ihrem Leben nicht sehen, da die Preußen dort unsere armen Truppen gar zu schändlich traktiert hätten. Ich konnte das verneinen, und so ist es schließlich sogar ein Glück, daß Du krank in Hirschberg zurückbleiben mußtest. Dann nämlich, wenn Du Dich entschließen solltest, meinen Bitten und Tränen nachzugeben und zu uns zu kommen. Ach, Geliebtester, was hält Dich in Preußen? Was hält Dich bei diesem König, den die ganze Welt haßt, und der Dich nicht einmal befördert? Darfst Du nicht kommen, weil Du ein Lehnsgut in Pommern hast? Ach, mein lieber Schatz, seine Einkünfte reichen nicht für Deinen Bruder, was hast Du davon? Ich werde die Erbin der Tante Stephanie sein, und so wirst Du einst zwei Güter in der Lausitz haben. O, lasse Dich erweichen, höre auf mein Flehen und quittiere den preußischen Dienst! Willst Du nicht in den hiesigen Militärdienst, so wird sich schon bei Hofe eine Stellung finden. Die Tante sagte schon neulich einmal: ›Warum will der Herr nicht Kammerjunker oder Jagdjunker werden? Die Kleists sind ja tadelloser, stiftsfähiger Adel. Das kann nicht schwer sein, ihn unterzubringen, und was ist überhaupt schwer, wenn man Brühls Freundschaft besitzt?‹ Du sollst also nicht einmal in Gefahr kommen, gegen Deinen König fechten zu müssen, wenn zwischen Preußen und Sachsen wieder Krieg werden sollte.

Wenn Du diesmal meinem Rufe nicht folgst, weiß ich nicht, was werden soll. Ich bin keine Heldin und kann nicht meiner ganzen Familie widerstehen. Ich schöpfe alle Kraft des Widerstandes nur aus meiner Liebe zu Dir. Aber wie kann ich an Deine Liebe glauben, wenn Du mir kein Opfer bringen willst? Und wenn ich auch selbst noch immer an Deine Liebe glaube, wie kann ich es den anderen glaubhaft machen, daß Du mich liebst? Sie sagen schon, ich hätte keinen Stolz, weil ich noch an Dir hinge, der Du nichts mehr von mir wissen wolltest. Nichts ist bitterer für mich, als das zu hören. Erlöse Dein armes Mädchen aus diesem Zustande! O, wie leicht kannst Du das! Leb wohl, über alles geliebter Freund meiner Seele. Mit tausend Küssen und Tränen Deine unglückliche Wilhelmine.«

Dem Briefe war eine deutsche Nachschrift angefügt: »Das Gedicht auf mich, das Du mir geschickt hast, ist sehr schön, und ich habe viel darüber geweint. Aber bringe doch keine Gedichte in Gazetten und Journale, wie Du es vorhattest. Für Dich schickt sich das doch nicht gut, denn ein Dichter hat immer eine etwas ridiküle Position unter den Leuten.«

Kleist starrte lange vor sich hin, nachdem er den Brief gelesen hatte, und seine Mienen wurden trüber und düsterer. Jedes Wort, das da geschrieben stand, tat ihm weh und bohrte sich wie eine scharfe Spitze in sein Herz. Er hatte der Geliebten seit seinem Krankenlager in Hirschberg kein Lebenszeichen mehr gesendet; denn das Jahr war um, das ihre Mutter ihm noch als Frist gegeben hatte, und er fühlte sich durch sein Wort ihr gegenüber gebunden. Wozu auch? Was hätte er ihr noch weiter schreiben sollen? Das Glück war ihm wieder nicht hold gewesen, und die Kugel, die vor Prag den Prinzen von Schwedt niedergestreckt hatte, war die Vernichterin seiner schönsten Hoffnungen geworden. Auf außergewöhnlich rasche Beförderung durfte er nun nicht mehr rechnen. Zwei Jahre konnten noch vergehen, ehe er Stabskapitän wurde, und das blieb er mindestens ein Jahr, bevor er eine Kompanie bekam. Dann erst durfte er es wagen, den Konsens des Königs zur Heirat zu erbitten.

So konnte sich seine Zukunft gestalten, wenn alles gut ging. Die Fälle waren aber auch durchaus nicht selten, daß das Avancement mehrere Jahre völlig stockte. Dann dauerte die Wartezeit noch viel länger.

Und wenn nun wirklich der Tag kam, an dem sie die Seine werden durfte, welch ein Los hatte er ihr dann zu bieten? Ein Leben voller Einschränkungen, vielleicht sogar voller Entbehrungen und Sorgen. Denn die Offiziere des großen Königs waren zwar hoch angesehen im Staate und reich an Ehren und Ruhm, aber zumeist arm, sehr arm an Geld und Gut. Wer nur kargen Zuschuß hatte und auf seine Gage angewiesen war, der mußte sich mit einer Familie kümmerlich durchs Leben schlagen.

Ach, schon hundertmal hatte er sich's gesagt, daß Wilhelmine zu einem solchen Leben eigentlich recht wenig geeignet war! Von frühester Kindheit an war sie um ihrer Schönheit und ihres aufgeweckten Geistes willen von der Mutter verwöhnt, von Tanten und Großtanten verhätschelt und verzogen worden. Kein rauhes Lüftchen hatte sie bisher berührt, sie kannte den Ernst des Lebens nicht, wußte nur vom Hörensagen, daß es Entbehrungen in der Welt gäbe. In ihrer Liebe zu ihm war sie bereit, auf Reichtum und Glanz zu verzichten, aber hatte sie eine Vorstellung, ja auch nur eine Ahnung davon, was ein solcher Verzicht für sie bedeutete? War nicht wahrlich ihre Mutter im Recht, die diese Liebe für ein Unglück hielt und ihre Tochter von einem Verlöbnis frei machen wollte, das sie an einen armen Edelmann ohne Glück und Stern band? Wie es auch sein Herz zerriß – er mußte ihr recht geben.

Darum hatte er den letzten Brief, den er an Wilhelmine hatte abgehen lassen, eigentlich schon in Form eines Abschiedsbriefes abgefaßt, ohne freilich in dürren Worten ihr die Freiheit zurückzugeben. Sie aber hatte ihn offenbar nicht so verstanden, sie hing noch an ihm, hatte ihn noch nicht aufgegeben und trug sich noch mit Hoffnungen, die sich doch nimmermehr erfüllen konnten.

So war es denn seine Mannespflicht, ihr klar und deutlich zu sagen, daß sie frei sei.

Mechanisch faltete er ihren Brief zusammen und steckte ihn in die Brusttasche. Dann ging er mit müden Schritten an seinen Schreibtisch, ließ sich schwerfällig nieder und nahm einen Bogen zur Hand. Den rückte er zurecht und ergriff die Feder. Aber die Hand zitterte ihm, als er sie zum Schreiben ansetzte, und so legte er sie wieder beiseite; denn er sah, daß er jetzt unfähig sei, einen vernünftigen Satz zu Papier zu bringen. Er konnte nicht klar denken, so sehr übermannte ihn ein ungeheurer Ekel vor dem Leben. Was hatte es ihm eigentlich bis jetzt gebracht? Illusionen und Enttäuschungen. Und was konnte es ihm noch bringen? Viel des Glückes schwerlich, Liebesglück ganz sicherlich nicht mehr. Denn niemals wieder konnte er ein Mädchen lieben, das wußte er ganz genau, er kannte sich. Was er einmal im Herzen trug, das blieb darin und konnte durch nichts anderes verdrängt werden. Und nun tauchte vor seinem inneren Auge das hochmütige Gesicht seines einstigen Schulgenossen Lubowiecki auf. Das war also der Mann, der die Hand ausstrecken durfte nach dem Glück, das er fahren lassen mußte! Er durfte es, weil er reich war; mit dem Gelde, das ihm die erste Frau hinterlassen hatte, erkaufte er sich die zweite. Das war der Lauf der Welt, das Geld gab den Ausschlag. Weil dem anderen ein Zufall einen Haufen des toten Metalles in den Schoß geschüttet hatte, mußte er hinter ihm zurückstehen und verlor das Spiel.

Sein Blick irrte über die gegenüberliegende Wand hin, wo seine beiden Pistolen hingen, und blieb fast sehnsüchtig an den blank geputzten Läufen hängen. Wie leicht konnte er aller Qual ein Ende machen, wenn er eines dieser Dinger von der Wand nahm!

Aber er warf den Gedanken sogleich wieder von sich. Er war ein Mann, und er hatte Religion. Um eines Weibes willen, und hatte er es noch so lieb, sich aus der Welt zu schleichen, dünkte ihm ebenso feig wie sittlich verwerflich. Den Weg gab es nicht für ihn. Er mußte den bittern Kelch, den ihm das Schicksal bot, bis zur Neige leeren und dann zusehen, wie er sich mit dem Leben abfand.

In solchen Gedanken hatte er es gänzlich überhört, daß an seine Tür gepocht wurde, und er fuhr erschreckt und heftig auf, da sie sich plötzlich öffnete. Aber als er den Eintretenden erkannte, blieb er vor Erstaunen wie eine Bildsäule stehen. Es war der General von Stille, einer der tapfersten und zugleich gebildetsten Offiziere der Armee, ein Mann, der beim König in Gunst stand und zuweilen sogar zu dem intimen Kreise zugezogen wurde, der in dem neuen Lustschloß Sanssouci den Monarchen umgab.

»Bon jour, mein Herr Leutnant,« sagte der General freundlich. »Hoffentlich störe ich nicht. Sonst gehe ich gleich wieder weg.«

»Aber Herr General!« stammelte Kleist. »Wie könnte der Herr General – ich bin nur perplex über die hohe Ehre des Besuches.«

»Sie sind doch nicht eben im Begriffe, ein Poem zu entwerfen?« fragte Stille, auf den Papierbogen deutend, der auf dem Tische lag. »Sonst täte mir's wahrhaftig leid, dazwischengekommen zu sein.«

Kleist ward feuerrot. Was wußte der General von seinem Dichten? Und was wollte er eigentlich von ihm? Er richtete einen so verwundernd fragenden Blick auf ihn, daß der General lächelte.

»Na, setzen wir uns vor der Hand einmal, mein lieber Kleist,« sagte er in demselben wohlwollenden Tone wie vorher. »Ich will Ihnen meinen Besuch erklären. Ich habe von meinem sehr würdigen Freunde, dem Prediger Lange in Laublingen an der Saale, die neuesten ›Belustigungen des Verstandes und Witzes‹ zugesandt erhalten, die Herr Schwabe redigiert. Darin fand ich ein Gedicht, überschrieben ›Sehnsucht nach Ruhe‹, das mir überaus gefiel. Ich erkundigte mich bei Herrn Lange nach dem Verfasser und erfahre zu meinem unmäßigen Erstaunen, daß Sie der Autor sind. Und nun sagen Sie mir: Ist es wirklich an dem?«

Kleist bejahte. Der General ergriff mit Lebhaftigkeit seine Hand. »Aber mein Herr, dann sind Sie ja ein Talent, ein großes Talent! Und nicht nur das – Sie müssen eine ungewöhnliche Bildung besitzen. Denn Verse wie diese schreibt nur ein durch und durch gebildeter Geist. Bitte, erzählen Sie mir doch etwas von ihrem Lebens- und Bildungsgange. Es interessiert mich ungemein.«

Kleist gehorchte. Als er geendet hatte, klopfte ihm der General auf die Schulter. »Sie sind offenbar unter keinem glücklichen Stern geboren,« sagte er. »Wenigstens bis jetzt hat Sie das Schicksal mehr rauh als zärtlich angefaßt. Aber vielleicht wird Ihr poetisches Talent ein Mittel, Sie auch im äußeren Leben schneller vorwärts zu bringen. Hören Sie, was ich tun will. Es ist Ihnen ohne Zweifel bekannt, daß der König die deutsche Literatur nicht liebt. Er will nur von französischen Dichtern und Schriftstellern etwas wissen, liest auch nur französische Autoren. Zu erklären ist das ja aus seiner Erziehung, aber es ist mir immer schmerzlich gewesen. Ich möchte ihm so gern eine vorteilhaftere Meinung von unsern Dichtern beibringen. Leute wie Lange, Pyra und Gleim verdienen das, und meiner Ansicht nach haben Sie diese alle mit Ihrem Gedichte aus dem Felde geschlagen. Ich möchte es deshalb Seiner Majestät vorlegen, wenn Sie nichts dagegen einzuwenden haben, vielleicht ergibt sich eine Gelegenheit schon morgen.«

Kleist errötete wieder, diesmal vor Freude. »Ach, wenn der Herr General das wollte!« rief er überglücklich. »Aber wird meine geringe Leistung imstande sein, die Aufmerksamkeit Seiner Majestät zu fesseln?«

»Das lassen Sie meine Sorge sein,« sagte der General sich erhebend. »Ich bin gewiß, daß er es schön finden wird, wenn es nur gelingt, ihn zum Lesen oder Anhören zu bewegen. Natürlich kann ich Ihnen nicht garantieren, daß ich schon morgen dazu Gelegenheit finden werde, aber ich hoffe es. Vor der Hand spreche ich Ihnen meine Freude aus und meinen Dank für den Genuß, den Sie mir bereitet haben. Hoffentlich mache ich bald Bekanntschaft mit noch anderen Kindern Ihrer Muse.«

»Ich habe ein größeres Gedicht unter der Feder, das ich ›Landlust‹ nennen will oder auch ›Der Frühling‹, da ich in ihm den Zauber des Landlebens im Frühling besingen will.«

»Ah, das ist charmant!« rief der General. »Zur Idylle sind Sie, glaube ich, vorzüglich geeignet. Also dichten Sie man los und schenken Sie uns was recht Schönes, mein lieber Kleist.« –

In ganz anderer Stimmung als vorher betrat Kleist sein Zimmer wieder, nachdem er den hochgestellten Gast bis zur Pforte begleitet hatte. Wäre er jünger gewesen, so hätte er sofort das ganze Erlebnis seiner Wilhelmine geschrieben und dabei den rosigsten Zukunftshoffnungen Ausdruck gegeben. Aber er hatte gerade in den letzten Jahren so herbe Erfahrungen gemacht, daß er es vorzog, vorläufig zu schweigen und wenigstens bis übermorgen zu warten.

Er hatte sehr recht damit getan. Denn als er an diesem Tage vom Exerzierplatze heimwärts ritt, begegnete ihm der General gleichfalls zu Pferde und begrüßte ihn mit einem so betrübten Gesicht, daß ihm mit einem Male jede Hoffnung schwand.

»Meine Bemühungen bei Seiner Majestät waren leider vergeblich,« sagte Stille.

»So hat das Gedicht dem Könige nicht gefallen?« fragte Kleist mit zuckenden Lippen.

»Er hat es gar nicht gelesen. Lassen Sie sich sagen, was er mir zur Antwort gab. Er sagte: ›Ich kenne den von Kleist ganz gut. Er ist ein begabter und loyaler Offizier. Und daß er Verse macht, dagegen habe ich nichts. Aber wenn er verlangt, daß ich sie lesen soll, so mag er sie vorher ins Französische traduieren. Ich lese deutsche Poèmes nicht, habe auch dem Haller seine nicht gelesen, und der ist ein illüstrer Gelehrter. Die ganze deutsche Literatur ist keinen Schuß Pulvers wert.«

Kleist starrte finster vor sich nieder. Er war sehr blaß geworden.

»Ich sage Ihnen das ganz offen,« fuhr der General fort, »und ich hoffe, daß Sie deshalb dem Könige nicht grollen.«

Kleist warf den Kopf zurück. »Nein, Herr General. Meine Begeisterung für Seine Majestät ist nicht davon abhängig, daß er meine Verse liest und lobt. Sie ist unzerstörbar.«

»Gut, gut. Und Sie lassen sich auch nicht dadurch abschrecken, weiter zu dichten? Nicht wahr?«

»Das könnte ich gar nicht.«

»So ist's recht. An mir jedenfalls haben Sie sich einen Freund erworben, und ich will für Sie tun, was ich kann. Morgen abend sieben Uhr bitte ich Sie, mein Gast sein zu wollen. Sie werden noch einen Poeten finden, Herrn Ramler, den Sie ja wohl kennen. Und geben Sie nicht alle Hoffnung auf, daß der König doch noch eines Tages Ihre Sachen sich vorlegen läßt. Ich werde ihm immer wieder Ihr Lob singen, und steter Tropfen höhlt den Stein.«

Aber Kleist hatte keine Hoffnung mehr. Noch an demselben Tage schrieb er seiner Wilhelmine einen Brief, der mit den Worten schloß: »Ich kann in Sachsen nicht Dienste nehmen, nicht im Heere, denn da müßte ich gegen Friedrich fechten, nicht am Hofe, denn unter der Herrschaft eines Brühl zu stehen und vor ihm heucheln und schmeicheln zu müssen, dazu bin ich mir zu gut. Ohne Ehre kann ich nicht leben. So muß ich dir Lebewohl sagen fürs Leben, wie sehr es auch mein Herz zerreißt. Ich werde dich ewig lieben und niemals eine andere im Herzen tragen. Du aber, teuerstes Mädchen, bist frei, ich gebe dir dein Wort zurück. Vergiß mich. Dein unglücklicher Ewald von Kleist.«

VII

Vierzehn Tage, nachdem Kleist seinen Abschiedsbrief an Wilhelmine abgesandt hatte, erhielt er von Dresden aus ein Päckchen, vielfach umschnürt und mehrfach mit dem Goltzschen Wappen versiegelt. Darin lagen der Ring, den er vor Jahren seiner Liebsten geschenkt hatte, sämtliche Briefe, die sie im Laufe der Jahre von ihm empfangen, und ein langes Schreiben von der Hand ihrer Mutter. Die alte Dame schrieb an ihn mit zartester Schonung seiner Gefühle, voller Wehmut und mütterlicher Teilnahme. Sie habe ihn ja schon als halberwachsenen Jüngling gern gehabt, und außerdem sei er der Sohn ihrer liebsten, längst verstorbenen Freundin, und es werde ihr über die Maßen schwer, um ihres Kindes willen ihm so weh tun zu müssen. Der ganze Brief war in einem Tone gehalten, der Kleists verwundetem Herzen wohltat, und er konnte gegen die Mitvernichterin seines Glückes keinen Groll in seinem Gemüte aufkommen lassen. Er fühlte, daß sie ihn nur unter dem Druck der Verhältnisse aufgab, persönlich aber wie früher ihm wohlwollte, und das versöhnte ihn mit ihr.

Freilich an den Tatsachen selbst ward dadurch nicht das mindeste geändert. Sie hob in aller Form das Verlöbnis auf und bat ihn, den letzten Gruß ihrer Tochter durch sie entgegenzunehmen, da Wilhelmine augenblicklich so leidend sei, daß man ihr jede Aufregung fern halten müsse. Ebenso bat sie ihn aufs herzlichste und dringendste, die Ruhe des armen Mädchens nicht noch einmal zu stören und ihre Briefe nicht der Tochter, sondern der Mutter einzusenden.

So war denn alles zu Ende. Kleist packte die Briefe, die sein liebstes Besitztum gewesen waren, zusammen und schrieb der Mutter einen kurzen Brief, in dem er ihr in bewegten Worten für alle Güte dankte, die sie ihm so lange Zeit erwiesen, und in dem er von ihr und ihrer Tochter auf ewig Abschied nahm. Nichts behielt er zurück als eine kleine Silhouette und einen verwelkten Strauß, den sie ihm einst im Parke von Battrow gegeben hatte. Davon vermochte er sich nicht zu trennen, irgendein sichtbares Andenken mußte er zurückbehalten aus der Zeit, in der sein Herz so unaussprechlich glücklich und zugleich so elend und unglücklich gewesen war.

Er gab sich auch gar keine Mühe, seine Wilhelmine zu vergessen und die Liebe zu ihr aus seinem Herzen zu reißen, denn er wußte, daß er das doch nicht vermochte. Vielmehr wollte er immer ihrer gedenken, freilich wie man der Toten gedenkt, wehmütig und wunschlos, und ihr Bild sollte über seinem ganzen Leben leuchten wie ein Stern, der aus weiter Ferne sein mildes Licht über nächtliche Pfade streut.

Wirklich gelang es ihm, an das, was er verloren, ohne Bitterkeit zu denken, aber der Hang zur Schwermut, der in ihm lag, ward in diesen Tagen fast zur Melancholie. Er tat seinen Dienst, ernst und pflichtgetreu wie immer, aber ohne Freude, und nach dem Dienste zog er sich ganz und gar von den Menschen zurück. Selbst die beiden Kameraden, mit denen er sonst gern verkehrte, der Leutnant von Seydlitz und der Hauptmann von Donopp, bekamen ihn kaum noch zu sehen, und wenn sie ihn besuchen wollten, so fanden sie ihn nicht zu Haus. Denn sowie er des Dienstes ledig war, begab er sich auf weite Spaziergänge oder Spazierritte, auf denen er einsam seinen Gedanken nachhängen konnte. Auch nach Berlin kam er nicht mehr, denn seine Freunde waren nicht mehr dort. Der Rittmeister von Adler war einer österreichischen Kugel erlegen und lag in Böhmen begraben, Gleim war Domsekretär in Halberstadt geworden. Hätte er den Freund bei sich gehabt, so wäre der wohl der einzige Mensch gewesen, in dessen verschwiegene Brust er seinen Schmerz und seine Klagen hätte ausströmen mögen. Brieflich aber vermochte er das nicht, eine unüberwindliche Scheu hielt ihn davon zurück. So mußte er denn ganz einsam seine Liebe tragen.

Vielleicht wäre er in Trübsinn verfallen und in Schwermut untergegangen, wenn ihm nicht die Muse der Dichtkunst tröstend und erhebend zu Hilfe gekommen wäre. Als der Schnee des Winters schwand und das erste Grün auf den Wiesen hervorbrach, da wachte der Drang, dichterisch zu schaffen, mit einem Male wieder in seiner Seele auf, und zwar so mächtig wie nie zuvor. Das große Gedicht, »Der Frühling«, dessen Plan er schon vor dem Ausmarsche nach Böhmen gefaßt hatte, ward nun in wenigen Wochen zu Papier gebracht. Wunderbar, wie ihm die Fülle der Bilder und Gedanken ungesucht zuströmte, wunderbar auch, wie bei dieser Tätigkeit sein verwundetes, krankes Herz wieder heilte und erstarkte! Wenn er entwarf und schrieb und an dem Geschriebenen feilte, so war es ihm, als nähme jemand mit leiser Hand, wenn auch nicht die ganze, doch einen großen Teil der Last hinweg, die seine Seele niederdrückte; neuer Lebensmut durchströmte seine Brust. Unaussprechliches Entzücken erfüllte ihn, als unter seinen Händen ein Kunstwerk entstand. Immer seltener haderte er mit dem Geschick, das ihm zwar das Glück der Liebe versagt, dafür aber eine Gabe verliehen hatte, die ihn über die gemeine Welt erhob. Auch in anderer Weise wurde er durch seine Dichtung dem Leben zurückgegeben. Er hatte Bruchstücke des Frühlings an Gleim gesandt, und der Freund in seinem hohen Entzücken hatte sie abgeschrieben und anderen mitgeteilt. So erhielt Kleist plötzlich begeisterte Zuschriften von Männern, die er als Dichter schon längst schätzte und verehrte, aber nie mit Augen gesehen hatte. Samuel Lange schrieb an ihn, der dichtende Pastor von Laublingen, der Schweizer Geßner sprach ihm seine hohe Freude aus, daß auf deutschem Boden ein Mann erstände, der die Werke der Engländer in Schatten stelle, und eines Tages kamen Sulzer und Ramler von Berlin herüber und boten ihm mit schmeichelhaften Worten ihre Freundschaft an. Auch sein alter Gönner, der General Stille, erkundigte sich mehrfach mit großem Eifer nach dem Fortgange des Gedichtes, über das er von allen Seiten so viel Rühmliches höre.

So vieler Freundlichkeit vermochte Kleist nicht zu widerstehen. Die Einladungen Stilles hätte er ohnedies um seiner Stellung willen nicht ausschlagen können. So überwand er sich denn und ging wieder unter Menschen, und die Aufmerksamkeit, mit der man ihn behandelte, die ungeheuchelte Wertschätzung, die man ihm von allen Seiten entgegenbrachte, wirkten wie Balsam auf sein zerrissenes Gemüt. Die Wunde, die er am Herzen trug, begann allmählich zu vernarben.

Da wurde sie eines Tages von neuem aufgerissen, ja, es ward ein Tropfen Giftes hineingeträufelt.

Er hatte den ›Frühling‹ drucken lassen, zunächst noch nicht in der Absicht, ihn in den Buchhandel zu bringen, sondern um ihn einem näheren und weiteren Freundeskreise zuzueignen. Als er vom Exerzierplatz nach Hause kam, fand er den Tisch in der Mitte des Zimmers ganz bedeckt mit den kleinen Büchlein, die eben aus der Druckerei abgegeben worden waren. Der Anblick erfreute ihn sehr, denn er hatte noch nie eines seiner Geisteskinder in dieser Form erscheinen sehen. Zwar seinen Namen trug das Titelblatt nicht, denn wenn ein Buch mit seinem Namen einem Kameraden in die Hände gefallen wäre, so hätte er auf Hänseleien und Spöttereien gefaßt sein müssen; vielleicht wären sogar ernste Händel daraus erwachsen. »Unter Offizieren ist es eine Art von Schande, ein Dichter zu sein,« hatte er einmal an Gleim geschrieben, und er wußte aus eigenster Erfahrung, wie sehr er mit diesem Ausspruche den Nagel auf den Kopf getroffen hatte. So war das Gedicht ohne Namen des Verfassers gedruckt worden. Aber auch so bereitete ihm der Anblick eine eigenartige Freude. Er betrachtete den Bücherhaufen erst eine Zeitlang mit stillem Genuß und trug dann zwei Exemplare auf seinen Sekretär, um sogleich eine Widmung für Stille und Gleim hineinzuschreiben, denn diese beiden sollten zuerst bedacht werden. Schon hatte er die Feder angesetzt, da meldete der Diener den Besuch des Herrn von Dorpowski an.

Der polnische Vetter war nicht mehr die dunkle Existenz, als die er vor einigen Jahren Berlin fast fluchtartig verlassen hatte. Er war jetzt Sekretär bei der sächsischen Gesandtschaft und befand sich als solcher in einer nicht ganz unansehnlichen Position. Es war das ein Zeichen, daß er in Dresden hohe Gönner haben mußte, aber nach Kleists Meinung auch ein Zeichen, daß er nicht Spion derselben Regierung gewesen sein konnte, die ihn jetzt in eine Vertrauensstellung hineingesetzt hatte. Darum fühlte der feinempfindende Mann eine gewisse Reue darüber, daß er ihn früher mit einem offenbar falschen Verdachte, wenn auch nur in Gedanken, gekränkt hat. Auch sonst hatte sich Dorpowski ihm gegenüber nicht unehrenhaft benommen. Er hatte ihm sein Geld wiedergegeben, allerdings nicht ganz zu der versprochenen Zeit, aber das hatte er ja auch keineswegs erwartet.

Er war der Malachowska nicht wieder nahegetreten, was ihm freilich dadurch sehr leicht gemacht war, daß sie Berlin schon seit einem halben Jahre verlassen hatte, um nach Leipzig zu gehen. Kurz, es lag eigentlich kein Grund vor, den Polen schroff abweisen zu lassen, und überdies regte sich eine gewisse Neugier in Kleists Seele, was denn der Mensch bei ihm suchen könne. Immerhin war seine Stirn sehr umwölkt, und seine Stimme hatte einen reichlich ironischen Klang, als er ihn nach der gegenseitigen Begrüßung fragte: »Nun, Herr von Dorpowski, was verschafft mir die Ehre? Treibt Sie die Sehnsucht, mich wiederzusehen, oder kommen Sie in einer bestimmten Angelegenheit?«

»Jawoll, Herr Vetter, in einer serr ernsten Angelegenheit,« erwiderte Dorpowski und blickte mit einer wahren Leichenbittermiene zu ihm empor.

Kleist sah ihn betroffen an. »So? Da bin ich neugierig. Nehmen Sie Platz und sagen Sie mir, was Sie zu sagen haben.«

Dorpowski räusperte sich und sah beinahe verlegen aus, als er anhub: »Habe ich Ihnen doch die letzten Grieße zu bringen von Frau von Lubowiecka.«

Kleist schnellte empor und griff unwillkürlich nach dem Herzen. »Frau von Lubowiecki?« stammelte er.

»Als ich in Dresden abreiste, war sie noch das Fräulein von der Goltz, aber inzwischen ist die Vermählung vollzogen. Muß ich sie also Frau von Lubowiecki nennen.«

Er machte eine Pause, und da der Gegenübersitzende nichts sagte, sondern nur finster vor sich hinblickte, so fuhr er fort: »Sie hat der Frau Mutter in die Hand gelobt, nicht mehr an Sie zu schreiben, sie hat aber auch Ihnen versprochen, Sie sollten von ihr selbst erfahren, wenn sie sich werrde vermählen. Sie hat mich beauftragt, Ihnen das zu sagen und Sie noch einmal zu grüßen.«

Kleist neigte das Haupt. Ja, das war richtig, er hatte Wilhelmine gebeten, es ihm mitzuteilen, wenn sie einem anderen die Hand reichen würde, damit er es nicht irgendwoher durch Zufall erfahren müsse. Das geschah nun also und mußte ja einmal geschehen; aber daß sie es durch diesen Menschen tat, verletzte ihn und berührte ihn peinlich.

»Wie kommen Sie, gerade Sie zu diesem Auftrag?« fragte er brüsk.

»Bin ich doch ein Neveu ihrer Frau Mutter,« versetzte Dorpowski mit Selbstgefühl. »Und ich reiste gerade nach Berlin.«

Kleist nickte. »Ach richtig, ich vergaß. Sie sind ja auch in Battrow der Herr Vetter.« Dann lachte er mit einem Male rauh auf. »Das ist ja höllisch fix gegangen!«

Dorpowski erwiderte nichts darauf. Es entstand eine lange, drückende Pause. Endlich erhob sich Kleist, blaß, aber völlig gefaßt. »Ich danke Ihnen, mein Herr, für die Ausrichtung Ihres Auftrages,« sagte er kalt. »Sollten Sie Frau von Lubowiecki sehen, so sagen Sie ihr, daß ich ihr alles Glück wünsche für ihren Lebensweg.«

Dorpowski erhob sich gleichfalls. »Es hat mir serr leid getan, Herr Vetter, eine so betrübende Nachricht –« begann er, aber eine Handbewegung des Offiziers ließ ihn sofort abbrechen. Der Mann verbat sich jedes Mitleid und alle Phrasen des Bedauerns, das begriff er auf der Stelle. Er verbeugte sich sehr tief und schritt nach der Tür.

»Bitte, noch eins!« sagte Kleist. Es wurde ihm offenbar schwer zu sprechen, denn er würgte die nächsten Worte stoßweise hervor. »Es war davon die Rede, daß die Frau des Herrn von Lubowiecki konvertieren müsse. Wie steht's damit?«

»Frau von Lubowiecki ist am Tage ihrer Verheiratung zu unserer Kirche übergetreten,« entgegnete Dorpowski, und als er sah, daß Kleist zusammenzuckte und sich eine Blutwelle über sein Antlitz ergoß, fügte er wie entschuldigend hinzu: »Gottchen, was wollte sie machen! Sie konnte doch nicht als Protestantin die Herrin sein auf den großen Gütern des Herrn von Lubowiecki.«

Kleist rückte sich steif zusammen. »Ich danke Ihnen, mein Herr,« sagte er noch eisiger als vorher.

Als der Pole das Zimmer verlassen hatte, stand er noch eine Weile regungslos. Er kannte ja längst die laxen Ansichten über Glaubenssachen, die das Haus Battrow mit der Mehrzahl des Adels in Polnisch-Preußen gemein hatte, aber daß nun das Weib seiner Liebe diesen Schritt wirklich getan hatte, der in seinen Augen höchst verwerflich war, das erschütterte ihn nicht nur, es erfüllte ihn geradezu mit Ekel. »Pui Teufel!« rief er und schlug so heftig auf den Tisch, daß eine Anzahl von Exemplaren des ›Frühlings‹ polternd auf die Erde fielen.

»Befehlen der gnädige Herr?« fragte der treue Jacques, der eilfertig in der Tür erschien.

»Nichts, Dummkopf! Oder doch. Sattle die Rosinante und führe sie vor. Ich will ausreiten. –«

Dorpowski begab sich, nachdem er seinen Auftrag ausgerichtet hatte, sofort nach dem Hotel der sächsischen Gesandtschaft. Dort stürzte ihm noch auf der Treppe Gryszczynski entgegen, der seit einigen Tagen als Gast bei seinem Freunde, dem Gesandten in Berlin, weilte. Der Kammerherr war sehr aufgeregt, faßte ihn ohne weiteres am Arm und schob ihn in ein kleines, luxuriös eingerichtetes Gemach.

»Wie nahm er es auf?« fragte er hastig auf französisch.

»Es ging ihm an die Nieren, das sah ich. Aber er blieb verdammt kalt.«

»So. Er glaubte Ihnen doch?«

»Ohne Zweifel. Warum auch nicht? Ich konnte ja eine Stelle aus seinen Briefen zitieren.«

»Ja, es war sehr gut, daß ich bei Durchsicht der Briefe diesen Passus entdeckte,« bemerkte Gryszczynski. »Wer weiß, ob Sie sonst Glauben gefunden hätten! Und es ist Zeit, daß unser Trotzkopf die Wartezeit abkürzt, die sie von Lubowiecki gesetzt hat. Der Mensch hier wird demnächst Stabskapitän, ich weiß es aus sicherer Quelle, da hätte er sich vielleicht doch wieder genähert.«

»Sehr wahr,« versetzte Dorpowski.

»Nun wird die Geschichte mit der Malachowska, die wir Ihnen verdanken, sie ganz und gar von ihm abwenden. Denn sie glaubte an seine Treue wie an den lieben Gott und rühmt sie, daß es zum Übelwerden ist. Hört sie nun, daß er sich für eine Komödiantin duelliert hat, so wird sie ihn doppelt willig fahren lassen, und wie gesagt, es ist Zeit, hohe Zeit.«

»Wenn sie Ihnen die Geschichte nur glaubt!« sagte Dorpowski nachdenklich. »Sie und ich sind nicht gut bei ihr angeschrieben.«

»Ha, das weiß ich wohl, deshalb habe ich ihren Bruder Franz herkommen lassen, und der hat es von Leutnant von Stojentin selbst, daß sie sich um der Malachowska willen geschlagen haben. Dessen Ehrenwort glaubt sie, das weiß ich ganz gewiß. So hoffe ich denn, daß sie in einigen Monaten das wirklich ist, wozu Sie sie heute schon dem Menschen gegenüber gemacht haben.«

»Ich bewundere das diplomatische Genie des Herrn Kammerherrn,« versetzte Dorpowski mit unterwürfigem Lächeln.

»Man ist ja zu Dresden in einer exzellenten Schule,« gab Gryszczynski nachlässig zur Antwort. »Kommen Sie, trinken wir zusammen eine Bouteille Tokayer! Und was ich sagen wollte: Sie haben Aussicht, nach Paris rekommandiert zu werden. Seine Exzellenz ist sehr kontent mit Ihren Leistungen.«

VIII

»Messieurs, wir haben einen Dichter in Potsdam bei meinem Regiment. Sein Poem, das mir der General von Stille mitgeteilt hat, ist graziös und voller Charme. Es ist merveilleux, daß so etwas in deutscher Sprache geschrieben werden kann.«

So sprach Prinz Heinrich von Preußen im Schlosse zu Berlin vor einem großen Kreise höherer Offiziere, und von Stund an ward die gesellschaftliche Stellung Ewalds von Kleist eine völlig andere. Er hätte zu den Berlinern und insbesondere den Offizieren mit Menschen- und mit Engelszungen reden, er hätte ihnen das größte dichterische Kunstwerk aller Zeiten vorsetzen können, sie würden es nicht gelesen und nur darüber gespottet und ihre Glossen gemacht haben. Wenn aber ein Mitglied des königlichen Hauses ein Gedicht exzellent fand, so war es eben exzellent, und wer von einem leibhaftigen Prinzen ein Mann von Geist genannt ward, nun, der war ohne Zweifel ein Mann von Geist. Wer eine Berühmtheit sein wollte, der mußte erst an höchster Stelle abgestempelt werden, sonst galt er nichts in Potsdam und Berlin. Man las seine Schriften dann natürlich ebensowenig wie früher, aber man bewunderte sie. Das erlebte nun auch mit einem Male Ewald von Kleist. Die Witzeleien und Spöttereien der Kameraden über sein Reiten auf dem Pegasus hörten mit einem Schlage auf. Der Leutnant von Schwotinski – der Fähnrich war inzwischen avanciert – erklärte nicht mehr, daß jeder überschnappen müsse, der ›Versche‹ mache. Als er eines Tages Kleist mit dem General von Stille Arm in Arm hatte gehen sehen, erwachte vielmehr auch in seiner Brust der künstlerische Schaffenstrieb, und er beschloß, ein Gedicht auf den König anzufertigen. Er vermochte aber seiner widerspenstigen Muse nur die zwei Zeilen abzutrotzen:

O magnifiquer Friedrich,
 Was bist du für ein König!

Als ihm nach zwei Stunden verzweifelten Nachdenkens durchaus nichts weiter einfallen wollte, ging er zornig in den Weißen Bären, betrank sich dort still und einsam, aber stark und mied seitdem die beschwerlichen Pfade, die zum Parnassus emporführen. Den dichtenden Kameraden betrachtete er seit der Zeit zwar immer noch mit tiefem Mißbehagen, aber zugleich auch mit achtungsvoller Scheu; denn was mußte das für ein Kerl sein, dem so viele Verse gelangen, Verse, die sogar vom Bruder Seiner Majestät gelobt wurden!

Natürlich erfuhr Kleist sehr bald, wem er die allgemeine Hochachtung verdankte, die man ihm jetzt entgegenbrachte, und er freute sich von Herzen darüber. Der Prinz hatte ihn früher mit kühler Gleichgültigkeit behandelt, und das hatte ihn oft gewurmt. Denn er dachte hoch von seinem jungen fürstlichen Chef, nicht nur, weil er der Bruder seines Königs war, sondern weil er sich im letzten Feldzug als ein Mann von brausender Tapferkeit und ausgezeichnetem militärischen Talent gezeigt. Vielleicht war er dazu berufen, in dem großen Entscheidungskampfe um Schlesien, der ja früher oder später kommen mußte, seinem erhabenen Bruder als Feldherr zur Seite zu treten.

Nur eines störte Kleists Freude an dem jungen Ruhm, der ihm zu erblühen begann. Das waren die häufigen Einladungen, die er nun mit einem Male erhielt. Er war ganz und gar kein Freund der großen Geselligkeit, und die vielen Abende, die er unter ganz gleichgültigen, ihm langweiligen Menschen verbringen mußte, waren ihm ein Greuel. »Wahrhaftig, lieber Sulzer,« sagte er an einem schönen Sommertage zu dem Freunde, der ihn zu einer kleinen Mittagsfête einlud, »wären Sie es nicht, so sagte ich am liebsten ab. Vorgestern beim Oberst von Polenz, gestern beim Hofprediger Sack, übermorgen nun wieder bei Ihnen – es wird etwas viel.«

»Aber bester Herr von Kleist, Sie machen mich unglücklich, wenn Sie nicht kommen! Wirklich unglücklich! Ich habe eine so schöne Überraschung für Sie. Sie würden es selbst bedauern, wenn Sie nicht kämen!« rief der Professor, ihm fortwährend die Hand mit großer Wärme schüttelnd. »Nicht wahr, Sie sagen nicht ab?«

»Nein, nein,« erwiderte Kleist lachend. »Sie wissen, wie neugierig ich bin, und Sie machen ein so verschmitztes und geheimnisvolles Gesicht, daß ich auf Ihre große Überraschung äußerst gespannt bin.«

Können Sie auch, Wertgeschätzter, können Sie auch! Sie werden sehen: So haben Sie sich lange nicht gefreut.«

»Schön. Danke jedenfalls für die gute Absicht. Wird denn der General auch zugegen sein?«

»Der General kommt auch, aber nur sozusagen zum Dessert. Er ist vorher bei Seiner Hoheit, dem Prinzen Heinrich. Der Prinz bewahrt seinem früheren Erzieher eine wahrhaft rührende Anhänglichkeit.«

»Er kann sie keinem Würdigeren bewahren.«

»Da haben Sie recht. Stille ist ein Prachtmensch. Übrigens ist auch Hirzel geladen, der junge Schweizer, Ihr guter Bekannter.«

»Sagen Sie ruhig: Ihr Freund. Ich bin seit neulich öfter mit ihm zusammengekommen und kann wohl sagen: Einen liebenswürdigeren, kenntnisreicheren und witzigeren Menschen habe ich selten gefunden. Das ist ja charmant von Ihnen, daß Sie ihn auch eingeladen haben. Mein Diener soll gleich ein Billet an ihn hintragen, daß wir uns zusammen einen Wagen nehmen.«

Als der Tag der Sulzerschen Fête herangekommen war, fuhr Hirzel, wie verabredet, am Morgen vor der Wohnung Kleists vor, um ihn abzuholen. Aber er wartete lange vergeblich, der sonst so pünktliche Kleist erschien nicht. Endlich dauerte ihm die Sache zu lange, er stieg aus und drang in das Haus ein. Dort fand er den Freund in einer wunderlichen Situation vor. Er saß vor seinem Sekretär, hatte ein aufgeschlagenes, bedrucktes Heft vor sich liegen und starrte verzückt ins Leere. Die Einladung wie die übrige Welt schien er vergessen zu haben.

»Aber mein Gott, Herr von Kleist!« rief Hirzel erstaunt, »wie sehen Sie denn aus?« Sie haben ja einen Ausdruck im Gesicht – halb wie ein Seraph und halb wie ein Prophet!«

Bei dieser Anrede kehrte Kleists Geist zur Erde zurück, der er offenbar entrückt gewesen war. Er strich sich die Haare aus der Stirn, lächelte und sagte tief aufatmend: »Hirzel, Freund, Mensch! Danken Sie Gott, daß Sie ein Zeitgenosse sind, denn es ist eine große Zeit, in der wir leben. Der große Friedrich trägt die Königskrone, und ein anderer großer Friedrich erscheint in der deutschen Literatur. Wissen Sie, was das hier ist? Das sind die ›Bremer Beiträge‹, und darin läßt sich ein Dichter hören, ein Dichter, Herr, wie ihn Deutschland noch nicht gesehen hat, und dem gegenüber wir allzumal armselige Stümper sind. Ich nehme das Heft mit zu Sulzer und lese die Dichtung dort nach Tische vor. Sie werden staunen, oder vielmehr, Sie werden ergriffen und erschüttert sein.« –

Als die beiden um die Mittagszeit das Sulzersche Haus betraten, kam ihnen der Gastgeber schon im Flur entgegen und führte sie mit zeremonieller Feierlichkeit, die von seinem sonstigen lebendigen Wesen wunderlich verschieden war, in eine Stube des Unterstockes. »Die übrigen Herrschaften sind oben,« sagte er geheimnisvoll flüsternd.

»Vorher aber sollen Sie Ihre Überraschung haben. Sehen Sie den Vorhang dort in der Ecke? Ziehen Sie an dieser Schnur, und Sie werden ein Wunder sehen.«

Kleist tat, wie ihm geheißen, und vor ihm stand Gleim. Die beiden Freunde fielen einander in die Arme. Gleim vergoß reichliche Tränen der Rührung, ohne die bei ihm ein freudig bewegter Moment des Lebens undenkbar war. Kleist drückte Sulzern kräftig die Hand. »Da haben Sie mir allerdings die schönste Überraschung bereitet, die Sie mir überhaupt bereiten konnten. Haben Sie herzlichen Dank dafür,« sagte er.

»Sehen Sie, das dacht' ich mir. Unser Gleim hatte mir geschrieben, daß er herkommen und Sie durch seinen Besuch überraschen wolle. Da bat ich ihn, die Sache bei mir inszenieren zu dürfen. Aber nun kommen Sie, kommen Sie, die Gesellschaft wartet schon.«

Sulzer hatte, wie Kleist beim Eintreten bemerkte, so ziemlich alles geladen, was in Berlin ernste literarische Interessen hatte. Es waren da die Geheimräte Buchholtz und Gause mit ihren Damen, der Hofprediger Sack und mehrere andere Herren und Damen von Distinktion, und sie alle waren offensichtlich zu dem Zwecke zusammengekommen, den Dichter des »Frühlings« zu feiern. Denn sein Stuhl war mit Rosen umkränzt, auf ihn hielt Sulzer gleich nach der Suppe eine schwungvolle und überschwängliche Rede und erklärte ganz ausdrücklich, daß dies eine Kleist-Feier sein solle, ein Symposion dem Dichter zu Ehren, der durch die Anmut seiner Verse sie alle entzückt und hingerissen habe. Der junge Hirzel verlas eine begeisterte Kritik des »Frühlings« aus der Feder seines Landsmannes Bodmer, die mit Bravorufen und Händeklatschen angehört wurde. Ramler trug eine sapphische Ode vor, die er auf Kleist gedichtet hatte. Der alte weißhaarige Geheimrat Buchholtz überreichte ihm sogar einen Lorbeerkranz und bat um die Erlaubnis, auf seine und vieler Freunde Kosten eine neue schönere Ausgabe des Frühlings veranstalten zu dürfen.

Der gute Gleim schwamm in Wonne, den geliebten Freund so geehrt und gefeiert zu sehen, und als er merkte, daß Kleist bei den hochtrabenden Worten Sulzers mehrmals unmutig zusammenzuckte und überhaupt mehr verlegen und mißvergnügt als erfreut aussah, raunte er ihm zu: »Aber Kleist! Seien Sie doch nicht allzu bescheiden und lassen Sie sich einmal feiern. Verderben Sie den guten Leuten ihre Freude nicht. Das alles ist ja so gut und ehrlich gemeint.«

»Sie haben recht,« gab Kleist leise zurück. »Sie sind viel klüger und besser als ich. Ehrliche Begeisterung darf man nicht zurückstoßen.«

Von da an ließ er alles mit einem freundlichen Lächeln über sich ergehen, ja schließlich schien er die Überschwänglichkeit der Huldigungen von der humoristischen Seite aufzunehmen. Er machte ein so drollig ernsthaftes und feierliches Gesicht dazu, daß Gleim unwillkürlich lachen mußte.

Da tippte ihm im Eifer des Gesprächs der aufgeregte Sulzer auf die Brust und sagte dann erstaunt: »Der Tausend, Sie führen wohl ein Manuskript in der Tasche mit sich und wollen es uns zum besten geben?«

»Ach richtig,« entgegnete Kleist. »Das hatte ich fast vergessen. Ein Manuskript ist es allerdings nicht, aber zum besten geben will ich es, wenn Sie es gestatten.«

Er stand auf, schlug an sein Glas und sprach: »Meine Damen und Herren! Sie haben mir heute, unser verehrter Gastfreund an der Spitze, so viel Liebe und Freundlichkeit erwiesen, daß ich Ihnen den innigsten Dank dafür sagen muß. Sie haben mich gefeiert, daß ich schamrot werden mußte. Sie haben mich erhoben weit höher, als ich es verdiene. Ich will mich nun erkenntlich zeigen. Ich möchte Ihnen etwas Wundervolles vorlesen, was Sie noch nicht kennen, denn kennten Sie es, so würden Sie alle von nichts anderem reden. Wende mir niemand ein, es sei nicht die rechte Zeit dazu am Schlüsse eines Gastmahls. So, wie wir den Wein genießen, macht er unsere Seelen nicht stumpf, sondern er öffnet unsere Herzen allem Schönen. So hielten es die Alten bei ihren Symposien auch. Also, wollen Sie hören?«

»Natürlich! Bitte!« klang es von allen Seiten.

Kleist öffnete das Heft und las mit seiner markigen Stimme, die oftmals in tiefer Bewegung zitterte, den ersten Gesang des »Messias« von Friedrich Gottlieb Klopstock, der anhebt:

»Singe, unsterbliche Seele, der sündigen Menschen Erlösung.«

Vom ersten Wort an hing alles an seinen Lippen. Als er geendet hatte, war eine feierliche Stille, wie in der Kirche. Einigen standen die Tränen in den Augen.

Kleist legte das Heft vor sich auf den Tisch, ergriff sein Glas und sagte: »Nun, meine Herrschaften, Sie werden mir zugeben, daß so etwas in deutscher Sprache noch nie gedichtet worden ist. Da ist jedes Wort Musik, und welche Größe der Gedanken! Hier diesen Lorbeerkranz – ich nehme ihn mit nach Hause und verschaffe mir ein Bild dieses Dichters und umwinde es damit. Er verdient den Lorbeer tausendmal mehr als wir alle. Er führt das Morgenrot einer neuen Zeit herauf. Meine Herrschaften, der göttliche Sänger des ›Messias‹, Friedrich Gottlieb Klopstock, lebe hoch!«

Alle sprangen von ihren Sitzen auf und jubelten Beifall. Hell tönten die Gläser. Aber noch während sie erklangen, rief Gleim: »Und nun noch einmal Vivat Kleist! Nicht dem Dichter gilt es diesmal, es gilt dem Menschen. Das ist ganz mein Kleist, unser Kleist! Man feiert ihn, und er lädt die Ehren auf einen anderen ab. Dem edlen, selbstlosen Manne mein Glas! Er lebe!«

Wieder brausender Beifall. Alles umdrängte Kleist, der mit feuchten Augen dastand. In dem allgemeinen Tumult hatte niemand bemerkt, daß der General Stille eingetreten war. Plötzlich stand er vor Kleist und zwar in voller Uniform, denn er kam vom Prinzen. Als man ihn bemerkte, legte sich der Lärm sogleich.

»Mein lieber Kleist,« sagte der alte General, »ich komme recht spät zu Ihrem Ehrenfeste, zu dem mich Herr Professor Sulzer eingeladen hatte. Aber ich bin glücklich, doch etwas noch zur Erhöhung Ihrer Stimmung beitragen zu können. Dieses Papier sollten Sie erst übermorgen erhalten, ich habe mir's aber heute schon vom Prinzen aushändigen lassen. Seine Majestät hat Sie zum Stabskapitän ernannt. Hier Ihr Patent.«

Kleist stand starr. Dann ergriff er wider alle Etikette die beiden Hände des alten Herrn und beugte sich über sie; aber der General schloß ihn in die Arme und küßte ihn herzlich auf die Wangen. »Sie verdanken das nicht etwa meiner Protektion,« sagte er. »Sie haben sich durch Ihre treue Pflichterfüllung dem Prinzen und durch ihn dem Könige empfohlen. Seine Majestät hat sich vorgestern in Sanssouci sehr günstig über Sie geäußert und hat ein Gespräch über Sie mit ihrem Vetter, dem Generalmajor von Kleist, gehabt. Näheres weiß ich nicht, wußte auch der Prinz nicht.«

»Vivat unser großer gnädiger König!« rief der von Freude und Wein fast berauschte Gleim, und noch lauter und brausender erklang der Jubel als vorher. –

»Werde ich je in meinem Leben einen schöneren Tag sehen, als den gestrigen? Ich zweifle daran,« schrieb am anderen Morgen Kleist in sein Tagebuch. Aber wie das Unglück, so kommt auch das Glück selten allein, und so brachte ihm schon der folgende Tag ein noch freudigeres Erlebnis.

Denn am Nachmittag waren alle avancierten Offiziere der Potsdamer Garnison auf die Terrasse von Sanssouci befohlen, um sich dem König vorzustellen. Punkt vier Uhr trat der König aus dem Schlosse, begleitet von seinem Adjutanten und mehreren Generalen, unter denen sich auch Franz Ulrich von Kleist befand.

Durch einen günstigen Zufall lief einer der Windhunde des Königs gerade auf den neuernannten Stabskapitän von Kleist zu, leckte ihm erst die Stiefeln und sprang dann tänzelnd an ihm empor.

Nun hatte der große Friedrich den merkwürdigen Aberglauben, den er auch offen aussprach, daß diese Tiere nur guten Menschen gegenüber freundlich und zutraulich seien. Er warf daher einen wohlgefälligen Blick auf den steif dastehenden Offizier und trat auf ihn zu, während er »Kusch, Biche, allons hierher!« rief.

»Ah,« sagte er, »sieh da, das ist der Dichter! Ich habe sein Poem gelesen und finde es für einen Deutschen admirabel. Er hat viel Charme in seiner Sprache. Sag er mal,« fuhr er fort und sah ihn nachdenklich an, »wenn er denn ein Poet ist, ist ihm dann der Dienst nicht schrecklich schwer und ennuyant?«

»Im Dienste Eurer Majestät ist mir nichts schwer und ennuyant,« erwiderte Kleist fest.

Der König nickte freundlich. »Und ist es wahr, daß er eine reiche Mariage hätte machen können, wenn er zu den Sachsen gezogen wäre?«

Kleist wurde puterrot. »Na, er braucht sich darüber nicht zu verwundern, daß ich's weiß,« sagte Friedrich; »als König erfährt man mancherlei, par exemple von dem da.«

Er wies auf den General.

»Jawohl, es ist so, Eure Majestät,« antwortete Kleist leise.

»Ein Exempel des Geistes in meiner Armee, Messieurs,« wandte sich der König an sein Gefolge. »Der Mann schreibt zärtliche Idyllen, aber er tut den ennuyanten Dienst wie einer. Er könnte in Sachsen heiraten und zu Gelde kommen, aber er bleibt bei mir. Ich habe viele Kleists, ihn« – auf den General deutend – »könnte man den wilden Kleist nennen, dieser hier müßte der getreue Kleist heißen.« Noch ein halber Blitz aus den großen Augen traf den Glücklichen, dann schritt der König weiter die Reihe hinab.

Am Abend dieses Tages holte sich Ewald von Kleist im Kreise der Kameraden den stärksten Rausch seines Lebens. Nicht der Champagner, der in Strömen floß, überwältigte ihn, sondern die freudige Aufregung über die Gnade des Königs, zu der ihm alle Glück wünschten. Die Worte Friedrichs hatten ihn so hoch beglückt, als hätte er den pour le mérite erhalten, und als er schon im Schlafe lag, fuhr er noch einmal empor, denn es war ihm, als höre er den König wiederum sagen: »Dieser hier müßte der getreue Kleist heißen.«

IX

Im Oktober erbat sich Ewald von Kleist auf zwei Monate Urlaub und reiste auf sein Gut Ruschitz. Es war keine Vergnügungsfahrt, sonst hätte er sich wohl eine bessere Jahreszeit ausgesucht, sondern ein sehr betrübender Anlaß führte ihn wieder einmal in die Heimat. Sein Bruder, der den dänischen Dienst verlassen hatte und auf Ruschitz lebte, war an einem Gemütsleiden erkrankt. Ewald fand den flotten, leichtlebigen Mann furchtbar verändert, denn er saß oft tagelang in sich gekehrt in einem Winkel, aß und trank nicht, redete mit niemand und stierte stumpfsinnig vor sich hin. Dann lebte er eine Zeitlang auf, um gleich darauf wieder in seinen traurigen Zustand zurückzusinken. Es war Ewald eine besondere Qual, diesen geistigen Verfall mit anzusehen, nicht nur, weil er dem Bruder herzlich zugetan war, sondern auch deshalb, weil er immer mit Grauen daran denken mußte, daß ja auch in seiner Seele die Keime dieses Leidens lagen. Wie oft hatte er mit Schwermutsanfällen zu ringen gehabt, von seiner Jugend an bis in die letzte Zeit hinein! Es war ihm ja noch stets gelungen,, der Dämonen Herr zu werden und sich Ruhe des Gemütes zu erkämpfen, aber leicht war es ihm oft nicht geworden, und die trüben Gedanken fielen ihn immer von neuem an. Ein Bild, ein Vers, Töne eines Liedes weckten schwermütige Gedanken und Stimmungen in ihm, die oft stundenlang nicht weichen wollten. Diese Gemütsanlage war jedenfalls ein Erbe der Mutter, die ja in halbem Trübsinn gestorben war. Nun hatte die unheimliche Krankheit gerade dasjenige ihrer Kinder ergriffen, dem man in seiner Kindheit ein solches Geschick am wenigsten geweissagt hätte. Drohte sie also nicht so viel mehr, ihm, der unter allen seinen Geschwistern der unglücklichen Mutter am ähnlichsten war?

Glücklicherweise ließ ihm die Arbeit, die er auf seinem Gute vorfand, wenig Zeit, über solch beängstigende Fragen nachzugrübeln, Ruschitz war unglaublich verwahrlost in den letzten Jahren, seitdem der Vogt und der Verwalter das Auge und die Hand des kranken Herrn nicht mehr hatten fürchten müssen. Ewald mußte einsehen, daß er, der nicht Landwirt war, die verfahrenen Verhältnisse allein unmöglich ordnen könne. Er bat daher seinen Schwager auf Stuchow, zu ihm zu kommen und ihm zu helfen. Herr Balthasar Heinrich von Plötz erschien auf der Stelle, brachte auch seine Gattin Sabine und einen halbwüchsigen Sohn mit, und es war wunderbar, in wie kurzer Zeit diese erfahrenen und praktischen Leute Ordnung in die Dinge brachten.

»Du mußt Kurator des Gutes werden, lieber Schwager,« sagte Ewald, als er mit ihm und seiner Schwester an einem der letzten Abende vor seiner Abreise in der Familienstube saß.

»Um den Undank der ganzen Familie einzuzuernten!« knurrte Plötz, seinen mächtigen Haarschopf krauend.

»Du hast es nur mit mir zu tun,« erwiderte Ewald. »Ich allein bin neben Franz der Lehnsinhaber von Ruschitz.«

»Das wohl, aber der Lottiner und der Losower werden sich borstig ärgern, wenn sie übergangen werden.«

»Der Lottiner schwerlich, der hat mir selbst gesagt, daß er zu Hause genug zu tun habe und ihm nichts widerwärtiger sei, als öfter über Land reisen zu müssen. Und Manteuffel auf Losow? Der paßt mir nicht. Ich sehe niemanden scheel an um Glaubens willen, und daß er katholisch ist, das ist seine Sache, aber er ist intolerant und wird, wie ich höre, mit jedem Jahre intoleranter.«

»Das muß wahr sein,« fiel ihm Frau Sabine ins Wort. »Die arme Loysa hat's wirklich schwer. Es ist bei der Hochzeit schriftlich ausgemacht worden, daß die Söhne wie der Vater, die Töchter wie die Mutter erzogen werden sollen. Aber seit er den Pfaffen im Hause hat, und der ihm täglich in den Ohren liegt, will er alle Kinder katholisch haben. Die Loysa besteht nun auf ihrem Recht, und da ist der Hader fertig. Es gibt viel Zank und Streit deshalb zwischen den beiden, und es ist ein Elend.«

»Also der bleibt weg,« entschied Ewald. »Er wäre imstande, uns hier einen katholischen Vogt einzusetzen. Bleibt außer dir nur noch der Onkel Christian auf Groß-Poplow. Aber den alten Herrn möchte ich nicht inkommodieren. Ich habe dir heute nachmittag eine Art Vertrag aufgesetzt, Schwager. Lies ihn durch und sprich, ob er dir konveniert.«

»Gib her!« sagte Plötz und entnahm seiner Rocktasche ein Futteral, in dem er eine mächtige Hornbrille aufbewahrte, denn er war weitsichtig, wie die meisten alten Landwirte und Weidmänner. »Nicht übel,« bemerkte er, als er das Blatt überlesen hatte. »Darüber läßt sich wohl reden. Du bist ein honnêt-homme, Schwager. Sollst leben!«

Er goß sein großes Deckelglas voll Bier, das vor ihm stand, mit einem Zuge hinunter.

»Aber sage mal, Schwager,« begann er nach einer Weile, mächtige Rauchmassen vor sich hinpaffend, »sage mal, Schwager, warum übernimmst du Ruschitz nicht selbst? Aus Franz Kasimir wird sein Lebtag nichts wieder, und nun vollends ans Heiraten ist ja für ihn nicht zu denken. Für zwei Besitzer ist Ruschitz zu wenig einträglich, einer aber kann sich als ganz reputierlicher Edelmann darauf durchs Leben schlagen. Du schwärmst ja so fürs Landleben, oder dichtest du das man bloß?«

»Nein, wahrlich nicht. Noch vor ein paar Jahren wäre es mein höchster Wunsch gewesen, hier in Frieden meinen Hafer zu ernten. Jetzt aber kann ich nicht mehr daran denken. Ich will und muß beim Könige bleiben. Es zieht sich ein Unwetter über Preußen zusammen, das ahnen, das fühlen wir alle. Die Kaiserin in Wien und die infame Katze in Petersburg sollen bereits einig sein, und sie tun alles, um die Pompadour und damit Frankreich an sich zu ziehen.«

»Das ist ja die reine Weiberverschwörung. Ja, das kommt davon, daß der König ein enragierter Weiberfeind ist,« warf Plötz scherzend dazwischen.

»Ach, das ist nichts zum Spaßen!« fuhr Kleist sehr ernst fort. »Von allen Seiten werden die größten Mächte gegen den einen Mann ins Feld ziehen. Das kann einen Krieg geben, wie ihn die Welt noch nicht gesehen hat, denn Friedrichs Genie ersetzt ja Heere und gleicht so den Unterschied der Streitkräfte aus, immerhin befindet er sich in furchtbarer Gefahr. Ich halte es darum für meine Pflicht, bei ihm zu bleiben und ihm zu dienen mit allen Kräften. Der Krieg wird viele Hunderte von Offizieren kosten, und die ersetzt er schwerer als die Mannschaften.«

»Bist ein tüchtiger Kerl, Schwager, trotz deiner poetischen Mucken. Sollst noch einmal leben!« rief Plötz mit schallender Stimme, und eines zweiten Deckelglases goldbrauner Inhalt verschwand mit überraschender Schnelligkeit in seiner Kehle.

»Was weißt du denn von meinen poetischen Mucken? Hast du mein Gedicht überhaupt gelesen?«

Plötz schüttelte sich. »Nee, nee, das kannst du nicht verlangen. Ich lese nur, wenn ich muß, und warum soll ich's lesen? Du beschreibst den Frühling. Beschreibst du ihn richtig, so kenn' ich das ohnehin; beschreibst du ihn falsch, dann ärgere ich mich bloß.«

Kleist lachte. »Na, das ist auch ein Standpunkt. Hast du's denn wenigstens gelesen, Binchen?«

Frau von Plötz nickte. »Natürlich. Es hat mir auch ganz gut gefallen, aber trotzdem, weißt du, Ewald, lieber wäre mir's gewesen, du ließest das Dichten sein. Für einen Pastor oder Schulmeister mag das was sein, aber einem Edelmanne steht's nicht gut. Das ist nun einmal so in der Welt.«

»In deiner Welt wenigstens, liebe Schwester.«

»Na ja, in Berlin mag es wohl anders sein. In Pommern denken alle so, außer etwa dem Onkel Christian in Poplow. Dem singt sein Pastor Garbrecht täglich dein Loblied. Weißt du, der Garbrecht, der ein paar Jahre bei uns war!«

»Ach, der ist jetzt Pastor dort, das ist wohl erst seit kurzem so?«

»Ja, seit ein paar Monaten.«

»So, so, das freut mich, und besonders freut' es mich, daß er an mich denkt. Auch ich denke noch mit großer Liebe seiner und möchte ihn wohl wiedersehen.«

Frau von Plötz zog die Stirn kraus und seufzte leicht. »Du hast leider von jeher einen ganz besonderen Hang gehabt zu Leuten dieser Art. Wiederum ganz offen: Auch das gefällt mir nicht. Ich hörte, daß du in Berlin mit einer ganzen Rotte obskurer Roturiers sehr freundschaftlich verkehrst.«

Kleist lächelte halb mitleidig, halb verächtlich. »Roturiers nennst du diese Leute? Gut, nenne sie so. Das wird mich nun freilich nicht abhalten, mit den Menschen zu verkehren und die meine Freunde zu nennen, bei denen ich einzig und allein Verständnis und Liebe finde.«

»Die findest du nicht in unseren Kreisen?«

»Nein.«

»Weil du sie nicht suchst.«

»Ruhe, Ruhe! Friede, Friede! Zanke dich nicht mit deinem Bruder!« sagte der dicke Plötz mißbilligend, aber Frau Sabine ließ sich durch die Mahnung ihres lieben Mannes nicht beirren.

»So heirate doch, wenn es dir an Liebe und Verständnis fehlt,« fuhr sie fort. »Wenn nun Franz Kasimir nicht heiraten kann, hast du ohnehin die Pflicht, dein Geschlecht zu erhalten.«

»Du lieber Gott, es gibt Kleists genug in der Welt! Es sieht wahrlich nicht danach aus, als sollten sie aussterben. Und ohne Liebe heirate ich nicht.«

»Nun, es gibt viele hundert hübsche und liebenswürdige Demoiselles im Lande, warum solltest du nicht eine lieb gewinnen können? Und warum sollte dich nicht eine lieben? Ein ansehnlicher, stattlicher Mensch bist du ja und gerade noch in den besten Jahren.«

Ewald machte eine abwehrende Handbewegung. »Das ist für mich vorüber. Einmal und nie wieder.«

Frau Sabine legte ihr Nähzeug vor sich hin und richtete sich auf. Sie sah jetzt wirklich geärgert aus. »Hör' mal, lieber Ewald,« sagte sie scharf, »wenn du sonst niemand hast, der dir die Wahrheit sagt, so will ich sie dir sagen, ich, deine Schwester, die dich lieb hat. Das, was du sagst, sind Flausen, lieber Junge, nichts als Flausen und Phantastereien. Für einen grasgrünen Fähnrich, den die Liebste hat sitzen lassen, ist solch Gerede ganz gut. Du aber bist zu alt dazu. Du hast deine Liebste nicht gekriegt – sehr traurig, aber das kommt hundert- und tausendmal in der Welt vor. Ja, es ist fast die Regel. Ich habe doch auch einen andern geliebt, wie ich noch ein junges dummes Göhr war – Plötz weiß es, es regt ihn gar nicht auf –, und ich bin jetzt heilfroh, daß ich meinen Alten gekriegt habe und nicht den andern, denn der Kerl ist ein Spieler.«

»Die Gemüter der Menschen sind eben ungeheuer verschieden,« warf Ewald sarkastisch dazwischen.

»Ach, damit willst du wohl sagen, ich wäre ein veränderliches Weib und du ein treuer und fester Mann? Aber davon schweig mir man rein still, rein still, sag' ich dir! Ihr Männer helft euch eben anders. Wenn die Liebste fern ist, die ihr heiraten wollt, und die euch treu bleiben soll, so sucht ihr euch dazwischen andere Zerstreuungen.«

Sie sagte die letzten Worte so spitz und anzüglich, daß Ewald sie erstaunt und betroffen anblickte. »Wenn das auf mich gehen soll, so weiß ich wahrlich nicht, was du meinst,« versetzte er kühl.

»So? Na, lieber Junge, spiele nur mir, deiner Schwester gegenüber, nicht den Tugendbold! Du hast das gar nicht nötig, denn eine Frau in meinen Jahren weiß ja, wie es in der Welt zugeht. Aber gestehe es dir ruhig ein, daß du bei der ganzen Sache doch auch nicht ohne Schuld bist.«

Ewald schlug mit der Faust auf den Tisch und blitzte seine Schwester zornig an. »Sakrament! Du kannst einem wirklich warm machen mit deinem Gerede!« rief er. »Schuld habe ich? Was denn für eine? Liegt sie etwa darin, daß ich nicht Geld genug hatte?«

Frau von Plötz verzog spöttisch den Mund. »Nein, aber darin, daß du mit einer Komödiantin eine Liebschaft hattest!«

»Ich?«

»Ja, du. Und sogar zu einem Duell ist es deshalb gekommen.«

Ewald sah sie starr an. »Woher weißt du das?«

»Der Leutnant von Stojentin hat doch dem Franz Ludwig von der Goltz das Ehrenwort darauf gegeben.«

Ewald fuhr von seinem Sitze empor. »Dem Bruder Wilhelmines?« Er sank mit einem heiseren Gelächter wieder zurück. »Also auch ihr, natürlich auch ihr hat man diese alberne Lüge erzählt. Herr du mein Gott! Wie ekelhaft! Wie ekelhaft!«

»Wie? Du hast kein Duell gehabt?« rief Frau Sabine erstaunt. »Und ein Offizier hat sein Ehrenwort gegeben?«

»Ein Duell? Ach freilich, freilich! Und was für eins! Ich habe ihn in die Schulter gehauen, und er hat mich in den Arm gestochen. Aber eine Liebschaft? Verdammter Blödsinn! Weißt du, wer die Schauspielerin war? Sie war – aber was liegt jetzt noch daran! Ihr würdet mir's ja doch nicht glauben. Kein Mensch glaubt's. Jeder hält mich noch für furchtbar naiv, daß ich Glauben verlange.«

»Na, beruhige dich nur, Schwager,« sagte Plötz und goß ihm sein Glas voll. »Das geht uns ja alles gar nichts an, ist nun auch alles ganz egal. Die Goltz kannst du ja doch nicht mehr kriegen, denn sie ist seit sechs Wochen verheiratet.«

»Seit sechs Monaten willst du sagen.«

»Sechs Monaten? Blech! Nimm mir's nicht übel. Die Hochzeit war vor sechs, na, es mögen sieben Wochen sein, in Fraustadt. Der Manteuffel war doch dort.«

Ewald stand langsam auf, bleich, an allen Gliedern zitternd. Er hielt sich mit beiden Händen an der Tischplatte fest und würgte hervor: »Man hat mir schon im Mai gesagt, sie sei verheiratet.«

»Dann hat man dich belogen. Herrgott, was ist dir? Schwager! Schwager!«

Ewald stand mit verzerrtem Antlitz da. »Also eine Intrigue!« keuchte er. »Ich wäre nicht zu spät gekommen.« Dann fuchtelte er wirr mit den Armen in der Luft herum und brach bewußtlos zusammen.

»Donnerwetter!« schrie Plötz. »Er hat vielleicht einen Schlag. Der arme Kerl! Hätt' ich doch mein Maul – lauf, Sabine lauf. Hol' Wasser! Ich trage ihn auf sein Bett.« –

Aber einen Schlaganfall hatte Ewald von Kleist nicht erlitten, nur die ungeheure Aufregung hatte ihn niedergeworfen. Noch ehe Frau Sabine zurückkam, erwachte er aus seiner Ohnmacht und saß mit wild blitzenden Augen aufrecht auf dem Lager, so daß sie sich über ihn entsetzten. Dann sank er zurück und lag die ganze Nacht und weit bis in den folgenden Tag apathisch da, auf keine Frage Antwort gebend, dumpf vor sich hinbrütend. Schon fürchtete das Plötzsche Ehepaar, das Schicksal seines Bruders könne sich an ihm wiederholen, und saß in ernster Beratung beisammen, was nun zu beginnen sei. Da trat er plötzlich gestiefelt und gespornt und völlig reisefertig ins Zimmer.

»Hier, Schwager, Generalvollmacht für dich!« sagte er und gab ihm ein Papier. »Tut hier, was ihr wollt. Ich reise auf der Stelle nach Berlin, denn ich habe einen Buben zu züchtigen.«

Dabei blieb er, und man mußte ihm den Willen lassen.

*

»Morbleu, Maltzahn, was will er denn noch in dieser späten Stunde? Es ist ja fast Zeit zum Souper, und ich habe heute Schwerin und Winterfeldt bei mir. Ist etwas Extraordinäres passiert?«

So fragte Prinz Heinrich von Preußen den Offizier, der seit einigen Wochen bei ihm aushilfsweise den persönlichen Dienst versah.

»Jawohl, Hoheit,« antwortete der, »und ich dachte, es würde Eurer Hoheit lieb sein, es auf der Stelle zu erfahren, ehe ein Rumor daraus wird. Der Hauptmann von Kleist bei hochdero Regiment hat einen Legationssekretär bei der sächsischen Gesandtschaft gefordert.«

»Diable! Der Kleist? Der Dichter?« rief der Prinz überrascht. »Da muß etwas Serieuses vorliegen. Weiß er Näheres?«

»Ich habe den Vorfall mit angesehen, den Grund der Forderung weiß ich nicht.«

»Na, dann rapportiere er mal, was er weiß!«

»Ich saß im Kaffeehause gegenüber dem Opernhause mit Bülow und Dewitz und Donopp. Im Hintergrunde sitzen Zivilisten bei einer Bowle und feiern das Avancement eines gewissen von Dorpowski, der nach Paris gehen soll.«

»Ah, der! Ja, der geht nach Paris, und es ist nicht schade darum,« warf der Prinz ein.

»Der Dorpowski steht eben auf und hält eine Rede in französischer Sprache und bittet uns höflich, daß wir uns zu ihm setzen sollten. Während er noch spricht, geht die Tür auf, und der Hauptmann von Kleist steht auf der Schwelle, in Zivil, wie er von der Reise kam, die Reitpeitsche in der Hand, mit einem Gesicht, Hoheit, daß alles erschrak. Dorpowski, wie er ihn sieht, stockt, wird rot und blaß, und wie Kleist ein paar Schritte nach ihm hinmacht, reißt er aus und rennt durch die Hintertür ohne Hut ins Freie. Kleist hinter ihm her, kann ihn aber nicht erwischen.«

»Geschlagen hat er ihn also nicht?«

»Nein, dazu war der Monsieur zu behende.«

»Hat er ihn sonst beleidigt?«

»Er schrie ihm zweimal das Wort Canaille nach.«

»Das dürfte stimmen,« sagte der Prinz. »Und woraus schließt er, daß er ihn gefordert hat?«

»Er nahm den Hauptmann Donopp mit, und ich hörte etwas von Hingehen und Fordern.«

»Nun, eigentlich müßte ja wohl der Pole fordern. Aber ich glaube schon, daß er recht hat. Wenn so gute Kerls wie Kleist rabiat werden, so werden sie's gründlich. Meint er, daß Kleist zu Hause ist?«

»Wohl sicherlich, Hoheit.«

»Dann schicke er eine Ordonnanz hin. Der Hauptmann von Kleist soll sofort zu mir kommen.«

»Zu Befehl, Hoheit.«

Etwa eine Stunde später betrat Ewald in Uniform das Palais. Er ward in ein Vorzimmer geführt, in dem sich sonst niemand befand. Hinter den hohen Flügeltüren, vor denen er stand, war offenbar ein festliches Gelage im Gange. Er unterschied die hohe, dünne Stimme des Franzosen Maupertuis, der irgendein witziges Poem vortrug, denn als er geendet hatte, erhob sich lautes Gelächter, und dazwischen ertönte das feine Klingen der Champagnerkelche.

Plötzlich trat der Prinz heraus. »Ah, da ist er ja,« sagte er. »Zum Donnerwetter, Kleist, was macht er für Chosen! Ist es denn wahr, daß er den sächsischen Legationssekretär kontrahiert hat? Ja? Nun hör' er mal, weiß er nicht, wie streng der König alle Renkontres mit fremden Ambassadeurs und ihren Attachés verboten hat? Wenn Seine Majestät das erfährt, kommt er auf ein Jahr nach Spandau.«

»Ich will meinetwegen Kugeln schleifen, wenn ich dem Kerl vorher den Degen durch den Leib gerannt habe,« sagte Kleist verbissen.

Der Prinz sah ihn überrascht an. »Der Tausend! Er ist ja ganz außer Rand und Band. Was ist ihm denn, und was hat er denn überhaupt? Was hat ihm der polnische Windbeutel getan?«

»Das ist eine lange Geschichte, Hoheit.«

»Die er mir nicht erzählen mag?«

»Die Eure Hoheit nur ennuyieren würde.«

»Mich ennuyiert nichts, was mit meinen Offizieren zusammenhängt, besonders mit ihm. Er interessiert mich. Also erzähle er man! Meiner Diskretion ist er sicher.«

Ewald gehorchte. Zuerst erzählte er mit den knappsten Worten, als er aber den Blick des Prinzen immer wärmer und teilnahmsvoller auf sich gerichtet sah, sprach er sich frei und offen aus, als ob er jemandem beichte. Als er geendet hatte, stieß der Prinz den Sessel, der vor ihm stand, zornig auf den Boden. »En verité eine Canaille!« sagte er. »Der Bursche hätte wohl einen Denkzettel verdient. Und doch darf das Duell nicht stattfinden, erstens, weil es der König verboten hat, zweitens, weil es total ridikül wäre. Denn man setzt nicht einen Dukaten gegen einen schmierigen Pfennig ein. So verbiete ich ihm denn, sich mit dem Kerl zu schlagen und sperre ihn zu seinem eigenen Besten ein. Er hat acht Tage Hausarrest. Parole d'honneur, daß er sein Haus nicht verläßt. Schickt ihm der Kerl seine Zeugen, so hat er mir's sogleich zu wissen zu tun. Der wird sich aber wohl hüten und froh sein, wenn er nach Paris echappieren kann. Also parole d'honneur!«

»Hoheit!«

»Wenn er's nicht gibt, lasse ich ihn zu seinem eigenen Besten arretieren und schicke ihn nach Spandau, wohin er sowieso käme, wenn der König nicht verreist wäre. Also will er? Mach' er fix!«

»Wenn Eure Hoheit befehlen, muß ich gehorchen und gebe mein Ehrenwort.«

»Gut. Er braucht dabei nicht so finster auszusehen. Nun geh er und schlafe er aus, er sieht hundemüde aus. Noch eins. Ich glaube, für ihn ist es gut, wenn er einmal aus dem Garnisonleben heraus in die Welt ausfliegen kann. Ich werde dafür sorgen, daß er auf Werbung kommt.«

»Ich danke Eurer Hoheit für die große Gnade,« erwiderte Ewald, und sein Gesicht hellte sich etwas auf. »Nur möchte ich Eurer Hoheit noch eine Bitte aussprechen.«

»Nun?«

»Man munkelt, daß es bald wieder losgehen soll. Bricht ein Krieg aus, so bitte ich Eure Hoheit, mich auf der Stelle zurückrufen zu lassen, daß ich mitkomme.«

Der Prinz trat lebhaft auf ihn zu und klopfte ihm wohlwollend auf die Schulter. »Das ist brav,« sagte er. »Er ist ein ganzer Kerl, und mein Bruder hatte neulich recht, als er ihn den getreuen Kleist nannte. Sei er versichert, dieser Wunsch wird erfüllt werden.«

I

»Wahrhaftig, es schlägt von der Thomaskirche schon acht Uhr, und hören Sie? die Glocke von Sankt Matthäi fällt auch schon ein. Na, es ist ja auch stockdunkel draußen an diesem schönen Januarabend und auf den Stiegen Ihrer Wohnung noch dunkler. Ich bin froh, mir nicht den Hals gebrochen zu haben. Ich begreife es nicht, Herr Magister Lessing, warum Sie in die Feuerkugel gezogen sind. Da war doch Ihr früheres Losament ein ganz ander Ding.«

Der junge Mann, der so sprach, war eben in die ziemlich große, aber niedrige Stube eingetreten, die der etwa zehn Jahre ältere Dichter und Schriftsteller Gotthold Ephraim Lessing in Leipzig bewohnte.

Der Angeredete lachte. »Ja, mein lieber Herr von Brawe, wenn ich mit einer so wohlgespickten Geldbörse versehen wäre wie Sie, dann würde ich mir auch eine Prunkwohnung auf der Grimmaischen Gasse leisten,« sagte er heiter. »Aber hören Sie einmal zu!« Er zog seinen Geldbeutel aus der Tasche und schwang ihn hin und her. »Ein dünner Klang! Nicht wahr?«

»Aber Sie haben doch als Mentor und Reisemarschall des Monsieur Winkler eine höchst lukrative Stellung?«

»Hatte ich, mein Bester. Es hat sich ausgementort.«

»Wie? Sie haben die Stellung aufgegeben?«

»Wenn man es euphemistisch ausdrücken wollte, dann würde man so sagen. Bleibt man aber der Wahrheit getreu, so muß man rite zugeben: Ich bin hinausgeworfen worden.«

Der junge Edelmann, der zu des Dichters eifrigsten Bewunderern gehörte, machte ein so verblüfftes Gesicht und öffnete dabei den Mund so weit, daß Lessing noch kräftiger lachte als zuvor.

»Ja, ja, mein Herr von Brawe, es ist so. Wären Sie übrigens nicht erst heute nach Leipzig aus den Ferien zurückgekehrt, so wüßten Sie es sicher schon, denn man spricht in der Stadt davon.«

»Aber um des Himmels Willen, wie ist denn das zu erklären?« rief Brawe. »Der grüne junge Fant, der lächerliche Protz erfrecht sich –«

»Eigentlich war's wohl mehr sein Onkel« – schaltete Lessing ein.

»Erfrecht sich, einen Mann wie Sie, einen Mann, den die ganze gebildete Welt kennt, den Dichter der ›Miß Sara Sampson‹, aus seiner Wohnung zu verweisen? Wie ist denn das möglich?«

»Ach, den Banausen ist es ganz egal, wer und was ich bin,« erwiderte Lessing. »Ich glaube, sie sind sogar heilfroh, daß sie einen Grund fanden, mich hinauszuwerfen. Denn Leute dieser Art wissen insgeheim ja nur zu gut, daß all ihr Ansehen in der Welt nur auf dem ererbten Geldsack beruht. Verschwände der einmal – wer würde sich viel um sie kümmern? Darum ist ihnen ein Mensch, der durch sich selbst was ist, ein Mann von Geist in ihrer Umgebung immer unbehaglich. Er geniert sie, denn er erinnert sie an ihre eigene Erbärmlichkeit.«

»Sehr wahr,« versetzte Brawe. »Aber was war denn nun der bestimmte Grund, der den Monsieur und seinen sauberen Onkel zu dieser unerhörten Impertinenz veranlaßte?«

»Er lag in meiner Freundschaft, oder sagen wir Intimität mit Kleist und überhaupt in meinem Verkehr mit den preußischen Offizieren, die hier in Leipzig liegen. Ehrlich gesagt, ich kann es ja meinen lieben Landsleuten, den Leipziger Kaufherren, nicht so besonders verargen, wenn sie dem alten Fritzen nicht eben grün sind. Der König hat Sachsen nun schon seit mehr als zwei Jahren okkupiert, den Kurfürsten in sein Scheinkönigreich Polen gejagt, und nun saugt er das reiche Land aus. Er muß es ja, denn er braucht Geld, Geld und nochmals Geld, um sich gegen die Österreicher und Russen und Franzosen im Felde behaupten zu können. Aber für die Betroffenen ist es sehr schmerzlich. So schimpft man denn in diesen Kreisen, wenn man unter sich ist, ganz mörderisch auf die Preußen – laut getraut man sich's nicht, da sie die Herren des Landes sind –, und natürlich verlangte man von mir, ich sollte mitschimpfen. Wie dürfte auch ein bezahlter Diener des Hauses eine eigene Meinung haben? Der muß sich nach dem Sprichworte richten: Wes Brot ich eß, des Lied ich sing.«

Er lächelte sarkastisch und aus den großen grauen Augen blitzte der Spott.

Brawe brach in ein lautes Gelächter aus. »Da ist man bei Ihnen gerade an den Rechten gekommen.«

»In der Tat,« sagte Lessing trocken. »Es war mir ein besonderes Vergnügen, die erbosten Pfeffersäcke zu ärgern, und ich habe es toll genug getrieben. Ich empfing in meiner Wohnung preußische Offiziere, ich traf in den Weinstuben mit ihnen zusammen und nahm auch meinen Eleven mit, was mir der Herr Onkel und die ganze Sippe weidlich verübelten. Ich hielt bei Tische stets dem Könige die Stange, wenn über ihn hergezogen wurde, und erklärte ihn für den größten Feldherrn und Staatsmann, den die Erde trägt. Dafür nannte mich der liebe Onkel einen Renegaten, und er hatte damit nicht so ganz unrecht, denn Sie wissen, ich bin ein sächsischer Pfarrerssohn.«

»Ach!« rief Brawe, »was kommt es darauf an! Ich bin ja ein geborener Sachse wie Sie, aber wir alle sind doch Deutsche und freuen uns, daß der Held des Jahrhunderts ein Deutscher ist. Ich kenne Leute im Weimarischen und Gothaischen und in den Reichsstädten, die nach der Schlacht bei Kollin vor Ärger und Verdruß krank geworden sind, weil sie dachten, es sei nun aus mit Friedrich. Ja, ich habe es mit eigenen Ohren in Weißenfels gehört, wie gefangene Offiziere von der Reichsarmee dem großen Friedrich ein Vivat ausgebracht haben, weil er die verdammten Franzosen einmal tüchtig ausgeklopft habe. In der Bewunderung Friedrichs sind ja eigentlich alle Deutschen einig.«

»Hier in Sachsen doch nicht alle. Wenigstens geben sie dem geheimen Wohlgefallen, das sie vielleicht an ihm haben, keinen Ausdruck. Sie wagen es wohl voreinander nicht. Übrigens gingen mir meine Lobsprüche auf den König noch hin. Ganz verdorben hatte ich's mit dem Onkel und dem Neffen erst durch meine Freundschaft mit Kleist.«

»Der Tausend! Wieso? Wer kann etwas gegen den liebenswürdigen Dichter des »Frühlings« haben?« rief Brawe erstaunt. »Ich freue mich ja schon seit Wochen darauf, daß Sie mich heute bei ihm introduzieren wollen!«

»Sie werden nicht enttäuscht sein. Kleist ist ein Prachtmensch, ja, der Mensch Kleist ist noch viel, viel mehr wert als der Dichter Kleist. In ihm vereinigt sich die edelste Humanität mit der feurigsten Bravour in einer Weise, wie ich das noch nie gesehen, wie ich es nicht für möglich gehalten hätte. Wir sind in kürzester Zeit genaue Freunde geworden.«

»Das ist mir gar nicht wunderbar. Aber was hatten denn die Herren Winkler gegen ihn? Etwa eine persönliche Affäre?«

»Nein, das nicht. Ha, es ist zum Lachen! Der junge Mensch fühlt sich in seiner schweizerischen Nationalität durch Kleist beleidigt. Er ist ja Schweizer. Sie wissen wohl nicht, daß Kleist eine Zeitlang als Werbeoffizier in Zürich war. Dort hat er mit Bodmer und Breitinger keine Seide gesponnen. Die beiden alten Herren hatten ja ohne Zweifel Tage, wo sie sich sehr verdient machten. Das war damals, als sie den unausstehlichen Literaturpapst Gottsched von seiner angemaßten Höhe herabstürzten. Seitdem sind sie nun aber selbst zwei arrogante Literaturpäpste geworden, die verlangen, daß alle Welt nach ihrer Pfeife und ihren langweiligen Melodien tanzen soll. Das hat Herr von Kleist nicht getan, ebensowenig wie vor ihm Herr Klopstock, und deshalb sind beide in Ungnade gefallen. Auch sonst hat er in Zürich mancherlei Unerfreuliches erlebt. Darum hat er auf die ungehobelten Schweizer ein paar beißende Epigramme verfaßt, und das hat man ihm im Lande des Kuhreigens höllisch übelgenommen.«

»Ha ha ha!« lachte Brawe. »Das ist ja kindisch. Und der Winklersche Onkel? Fühlt der sich in der Person seines Schweizer-Neffen mit beleidigt?«

»Der ist nun wieder als Sachse über Kleist empört. Denn Kleist ist nicht mir der Inspekteur des großen hiesigen Lazaretts, er kommandiert auch als Major ein Bataillon, das zumeist aus gepreßten, zum preußischen Dienst gezwungenen Sachsen besteht. Da versucht denn nun der Onkel, dieser alte Esel, einen Kerl freizukriegen, indem er dem Major Geld bietet. In der nächsten Minute warf ihn der Kleistsche Bediente die Treppe hinunter. Hinkend, fluchend, voller Gift und Galle kam er nach Hause!«

»Er konnte noch froh sein,« bemerkte Brawe, »daß ihn Herr von Kleist nicht hat einsperren lassen oder ihn eigenhändig verhauen hat.«

»Gewiß. Ganz dasselbe sagte ich ihm des Mittags bei Tisch. Die Folge war, daß ich mich plötzlich im Freien befand. Mit Not und Mühe erhielt ich meine Sachen ausgehändigt und zog hierher.«

»Mein Gott!« rief Brawe aufspringend. »Sie sind doch nicht etwa in Bedrängnis? Sonst –«

»Nein, nein. Ich habe auch sofort Klage beim Rate erhoben wegen des rückständigen Salärs und hoffe, es in den nächsten Tagen zu erhalten. Übrigens, mein Bester, ist es jetzt Zeit, zu Herrn von Kleist zu gehen. Die Tafelrunde versammelt sich gegen halb neun Uhr.«

»Herr von Kleist wohnt am Markte?«

»Ja, im Hause des Kammerrates Faber hinter der Wache.«

»Ei, da haben wir noch viele Zeit! Man geht von hier bis dahin nicht viel mehr als fünf Minuten.«

»Besser etwas zu früh als zu spät, Herr von Kleist liebt sehr die Pünktlichkeit. Darin ist er ganz Militär.«

Brawe seufzte. »Ich empfinde es doch als eine arge Dreistigkeit, ungeladen zu einem berühmten Manne einzudringen.«

»Possen!« sagte Lessing. »Ich konnte Kleist ja vorher mitteilen, daß ich Sie mitbringen würde, habe es aber, wie ich Ihnen schon sagte, rein vergessen. Doch Sie sind auch uneingeladen willkommen und nicht nur, weil ich Sie einführe. Kleist hat mit Interesse Ihren »Freigeist« gelesen, und für einen jungen Mann, der noch studiert, wie Sie, ist das Drama in der Tat eine sehr respektable Leistung. Aber nun, mein Wertester, nehmen Sie Ihren Überrock, denn es regnet.«

Er hing sich seinen Mantel um und war eben im Begriff, das Licht zu löschen, als an der Tür gepocht ward. Auf sein Herein traten drei Herren in das Zimmer, deren einer in feierliches Schwarz gekleidet war, während die beiden anderen die Tracht vornehmer Studenten trugen.

»Ah,« sagte Lessing, »das ist aber liebenswürdig von Ihnen. Sie wollen uns gewiß zu Herrn von Kleist abholen. Darf ich die Herren miteinander bekannt machen? Dies hier ist Herr von Brawe, dessen Namen Ihnen ja wohl bekannt ist, weil bei Nicolais Preisausschreiben sein Drama rühmende Erwähnung erhielt. Dieser Herr hier, der sich wie ein Prediger zu kleiden liebt, ist mein Freund, Herr Christian Felix Weiße, den Sie, lieber Brawe, ja aus seinem Streite mit Gottsched kennen. Er hat seinen Telemach mitgebracht, den Herrn Grafen von Geyersberg. Und endlich dieser junge Herr ist Herr von Thümmel, der fast jedesmal von seinem Rittergute Schönefeld zu unseren Dichterabenden herüberkommt. So, das wäre gemacht. Und nun auf zu Kleist!«

»Nein,« sagte Weiße, »wir sind eben zu Ihnen gekomen, um Ihnen zu sagen, daß aus der Versammlung heute abend nichts werden kann.«

»O! Warum?«

»Herr von Kleist ist verhindert.«

»Es ist ihm doch nichts zugestoßen?«

»Nein, aber er hat Besuch erhalten. Ein Prediger war bei ihm, Garbrecht oder so ähnlich war sein Name. Er kam aus seiner Heimat und hat ihm wohl eine unangenehme Nachricht gebracht – es scheint sich um Familienangelegenheiten zu handeln. Herr von Kleist sah ganz ergriffen aus. Ich glaube, einer seiner Verwandten ist gestorben. Um einen Todesfall handelte es sich sicherlich.«

»Ach,« rief Lessing. »Dann ist es gewiß sein Bruder. Das wäre ja eher zu wünschen als zu beklagen, denn der arme Mensch war unheilbar schwermütig. Immerhin wird es Kleist, der alle seine Verwandten zärtlich liebt, sehr herumreißen, und ich will sogleich zu ihm.«

»Er läßt Sie bitten, erst morgen früh zu ihm zu kommen. Bis elf Uhr sei er frei. Einstweilen sendet er Ihnen ein Gedicht, das er schon für Sie zurechtgelegt hatte, ehe wir kamen.«

Lessing nahm das Kuvert, das Weiße ihm hinreichte, erbrach es und trat an das Licht heran. Während er las, prägte sich immer mehr eine tiefe Bewegtheit in seinen Zügen aus, und als er das Blatt sinken ließ, erglänzten Tränen in seinen Augen. Alle blickten erstaunt auf ihn, denn den kühlen, ironischen Mann, der selten jemanden in sein Herz blicken ließ, hatte noch keiner so gesehen.

»Freunde,« sagte Lessing, nachdem er sich gesammelt hatte, »dieses Gedicht müßte man eigentlich bei einem Glase alten Rheinweines genießen. Da ich aber nicht weiß, was unsern Kleist betroffen hat, so habe ich keine Stimmung dazu, heute noch in einen Keller oder in eine Wirtschaft zu gehen. Sie werden wohl alle ähnlich denken. Doch will ich Ihnen dies Gedicht nicht vorenthalten und werde es Ihnen gleich vorlesen. Hören Sie es an mit dem Bewußtsein, daß Sie etwas Unsterbliches hören, das so sicher auf die Nachwelt kommt, wie ich Gotthold Ephraim Lessing heiße. Denn hier ist alles Wahrheit, alles erlebt und in einer wunderbaren Weise der Geist abgespiegelt, der den edelsten Kern des preußischen Heeres beseelt.«

Er ergriff das Blatt und las mit der feurigen Lebendigkeit, die ihm eigen war:

Ode an die preußische Armee.

Unüberwundenes Heer, mit dem Tod und Verderben
In Legionen Feinde dringt.
Um das der frohe Sieg die goldnen Flügel schwingt,
O Heer, bereit zum Siegen und zum Sterben!
Sieh, Feinde, deren Last die Hügel fast versinken.
Den Erdkreis beben macht,
Ziehn gegen dich und drohn mit Qual und ew'ger Nacht;
Das Wasser fehlt, wo ihre Rosse trinken.
Der dürre schiele Neid treibt niederträcht'ge Scharen
Aus West und Süd heraus,
Und Nordens Höhlen spein, so wie des Osts,
Barbaren Und Ungeheur, dich zu verschlingen, aus.
Verdopple deinen Mut! Der Feinde wilde Fluten
Hemmt Friedrich und dein starker Arm,
Und die Gerechtigkeit verjagt den tollen Schwarm,
Sie blitzt durch dich auf ihn, und seine Rücken bluten.
Die Nachwelt wird auf dich als auf ein Muster sehen;
Die künft'gen Helden ehren dich,
Ziehn dich den Römern vor, dem Cäsar Friedrich,
Und Böhmens Felsen sind dir ewige Trophäen.
Nur schone, wie bisher, im Lauf von großen Taten
Den Landmann, der dein Feind nicht ist!
Hilf seiner Not, wenn du von Not entfernet bist!
Das Rauben überlaß den Feigen und Kroaten!
Ich seh', ich sehe schon – freut euch, o Preußens Freunde! –
Die Tage deines Ruhms sich nahn.
In Ungewittern ziehn die Wilden stolz heran,
Doch Friedrich winket dir – wo sind sie nun, die Feinde?
Du eilest ihnen nach und drückst in schweren Eisen
Den Tod tief ihren Schädeln ein
Und kehrst voll Ruhm zurück, die Deinen zu erfreun,
Die jauchzend dich empfahn und ihre Retter preisen.
Auch ich, ich werde noch – vergönn' es mir, o Himmel! –
Einher vor wenig Helden ziehn.
Ich seh' dich, stolzer Feind, den kleinen Haufen fliehn
Und find' Ehr' oder Tod im rasenden Getümmel.

Ganz in sich versunken stand Lessing noch eine Weile da, als er geendet hatte. Auch von den andern brach niemand das feierliche Schweigen. Dann legte er das Blatt auf den Tisch und sagte: »Das ist Kleists größtes Gedicht. So redet ein Held. Ich denke, Freunde, wir stören den großen Eindruck nicht durch Worte und sagen uns für heute Gute Nacht.«

II

Als Lessing in der Frühe des folgenden Morgens Kleists Wohnung betrat, fand er den Freund nicht vor. Statt seiner kam ihm ein kleiner grauhaariger Mann entgegen, der an seinem glattrasierten Gesichte und dem langen schwarzen Rock sogleich als Geistlicher zu erkennen war. Er schritt auf den Eintretenden mit Lebhaftigkeit zu, streckte ihm die Hand hin und rief: »Nicht wahr, ich habe die Ehre, Herrn Magister Lessing vor mir zu sehen? Sie können den Major nicht gleich sprechen, denn er ist zu Herrn Oberst von Tauentzien befohlen. Nehmen Sie einstweilen mit meiner unbedeutenden Person fürlieb. Ich bin der Prediger Garbrecht aus Groß-Poplow in Pommern. Übrigens freue ich mich sehr, Ihre werte Bekanntschaft zu machen und Sie einmal von Gesicht zu sehen. Sie sind ja ein berühmter Mann.«

»Wie? Sie kennen mich?«

»Aber das versteht sich. Wundert Sie das? Meinten Sie, Ihr Ruhm sei bis nach Pommern noch nicht gedrungen?«

»Das dachte ich allerdings, und ich glaube, ich dachte richtig. Sie werden wohl eine Ausnahme bilden, Herr Pastor. Sie sind ein Freund der schönen Literatur?«

»Ja, das bin ich. Und die Anregung dazu verdanke ich in eigentümlicher Weise dem Herrn Major. Ich erwischte ihn nämlich vor langen Jahren, als er noch mein Eleve war, beim Lesen von Romanen. Damals war ich ganz entsetzt darüber, denn ich hielt alle Dichtung, soweit sie nicht frommen Zwecken diente oder in den alten Sprachen abgefaßt war, für Narrheit, ja sogar für Seelengift. Als ich dann auf meiner einsamen Pfarre saß, fiel mir der Vorgang wieder ein, und ich beschloß, auch einmal solche Bücher zu lesen. Und sieh da – neben vielem Törichten fand ich doch auch viel Schönes, und besonders in dem letzten Jahrzehnt produzieren die Herren Poeten mehr Großartiges, als vorher in einem ganzen Jahrhundert produziert worden ist.«

Lessing lachte. »Ja, wenn doch jeder erst einmal das lesen wollte, was ihm lächerlich oder verächtlich ist! Wie viele Vorurteile würden dann hinfallen! Aber sagen Sie, Herr Pastor, welcher Art ist denn die Nachricht, die Sie Herrn von Kleist überbracht haben? Sie soll eine betrübende gewesen sein. Ist etwa sein unglücklicher Bruder gestorben?«

»Nein, der lebt noch. Aber allerdings hat Herrn von Kleist ein sehr schwerer Verlust betroffen. Die Russen haben seinen Oheim, meinen sehr würdigen Kirchenpatron, Herrn von Manteuffel auf Groß-Poplow, umgebracht. Als höhere Offiziere kamen und die betrunkene, plündernde Bande verjagten, war es schon zu spät. Die Schurken hatten ihm so viele Stiche versetzt, daß keine Rettung mehr war. Er lebte noch einige Stunden, ich durfte ihm noch das heilige Abendmahl reichen, und er beauftragte mich, seinem Neffen einige wichtige Dokumente selbst zu überbringen.« Während er noch redete, trat der Major ins Zimmer. Lessing eilte auf ihn zu und ergriff seine Hand. »Armer, armer Freund!« rief er. »Ich höre eben mit dem tiefsten Mitleid, welch einen Verlust Sie zu beklagen haben! O, was für Opfer fordert doch dieser gräßliche Krieg mit den Barbarenhorden!«

Kleists Augen füllten sich mit Tränen. »Er ist in der Tat eines der edelsten dieser Opfer. Er war einer von denen, die ich aus meiner ganzen Familie am meisten ästimiert habe, die Redlichkeit und der Verstand selber und die Zuflucht aller Armen aus seiner ganzen Gegend. Er hatte ein schneeweißes Haupt und ein so ehrwürdiges Ansehen, daß ein Wolf ihn respektiert hätte, nur kein Russe. Wenn es der Himmel fügen sollte, daß ich noch einmal im Felde diesen Canaillen entgegenträte« – er ballte die Fäuste, und seine Augen funkelten –, »wahrlich, dann will ich daran denken, was sie an diesem Greise verübt haben! Das sind wilde Tiere, keine Menschen.«

Er stand eine Weile schweigend und rang mit seinem Zorn. Dann fuhr er mit heiserer Stimme fort: »Sehen Sie, Freund, so fällt mit der Zeit alles ab, was mich ans Leben fesselt. Bald wird mir nichts mehr bleiben als mein König, und dem kann ich nicht besser dienen, als daß ich mein Blut für ihn verspritze. Gott weiß es, wie oft mich danach sehnlich verlangt!«

Lessing faßte noch einmal seine Hand. »Sprechen Sie nicht so,« bat er. »Ich will nicht sagen, daß Sie leben sollen um Ihrer Freunde willen, obgleich Ihr Tod uns als der schrecklichste Schlag treffen würde. Aber Sie haben der Welt noch so viel zu geben! Sie haben ein großes und schönes Talent. Was Sie können, habe ich gestern erst wieder gesehen, denn Ihre erhabene Ode ist unübertrefflich. Sie erreichen darin nicht nur Gleims Grenadierlieder, obwohl sie bei weitem das Beste und Kräftigste sind, was er geschrieben, Sie übertreffen sogar den preußischen Grenadier. Müssen Sie also für den König sterben? Leben Sie doch für ihn! Singen Sie seinen Ruhm! Werden Sie Preußens Tyrtäos, Sie sind der Mann dazu.«

»Ach, liebster Lessing, ich möchte nicht mehr Worte machen, sondern Taten möcht' ich tun!«

»Worte sind oft Taten. Sie können schärfer treffen als Schwerter.«

»Ohne Frage. Aber gleichviel, ich halte das Leben hier nicht lange mehr aus, ich ersticke daran. Wird mir nur einmal Gelegenheit gegeben, an den Feind zu kommen? Kann ich mich irgendwie auszeichnen? Was für Kerlchens tragen den Pour le mérite! Und ich? Immer muß ich hinten stehen, niemals komm' ich in die Front. Gleim singt von Halberstadt aus prächtige Lieder zu Ehren des Königs, aber schon hört man die und jene sagen, wer weit vom Schusse sei, könne leicht von Todesbegeisterung reden. Wird mir's denn anders gehen, wenn meine Ode bekannt wird? Sitze ich nicht hier auch in guter Ruhe weit vom Schusse?«

»Sie sind hier auf Befehl des Königs,« sagte Lessing ernst. »Ich denke, Friedrichs unvergleichliche Kunst, die rechten Männer auf die rechte Stelle zu setzen, bewährt sich auch hier. Ursprünglich sollte ein General das große Lazarett beaufsichtigen, aber der König bestimmt persönlich Sie dazu. Warum? Weil der edelste und humanste Offizier seiner Armee sich zu solch einem Amte am besten schickt. Ist das nicht eine Ehre für Sie? Ich meine, es ist eine hohe Ehre, von Friedrich so gekannt und gewürdigt zu werden. Vielleicht auch meint der König, es sei schade um Ihr Leben, denn hauen und stechen könne jeder, und solche Leute kriege er immer wieder, aber ein Kleist sei schwer zu ersetzen.«

»Das wäre der Teufel!« rief Kleist. »Da wäre mir ja die Gnade Seiner Majestät verderblich, denn sie schlösse mich von der höchsten Ehre aus.«

»Kleist!« rief Lessing halb schmerzlich, halb unwillig. »Sie sind heute ganz rabiat, und es ist nichts mit Ihnen anzufangen. Begreifen Sie denn wirklich nicht, daß Sie mehr sind als bloßes Kanonenfutter?«

»Nein,« erwiderte Kleist hartnäckig. »Ich begreife nur das eine, daß es das Höchste ist, für König und Vaterland zu fechten und zu sterben, und daß man den ärmsten Kerl beneiden muß, der solch einen Tod findet. – Lassen Sie mir diese Stimmung, lieber Freund!« setzte er hinzu und legte den Arm um Lessings Nacken. »Erst seit ich in ihr lebe, seit sie mich ganz erfüllt, bin ich ein harmonischer Mensch. Früher dichtete ich schmachtende Lieder an Doris und Phyllis und besang die zarten Reize der Natur, und das war doch immerhin verwunderlich bei einem Offizier des Königs. Jetzt ist Lied und Leben eins. Was ich etwa noch singe, wird ein Schlachtgesang sein. Wollen Sie mich darum tadeln?«

»Ich Sie tadeln?« rief Lessing und umarmte ihn heftig. »Ach, ich verstehe Sie ja so gut! Heil dem Menschen, der sich mit Leib und Seele an etwas hingeben kann, was größer ist als er selbst! Er erst lebt wahrhaftig, die anderen vegetieren. Sollt' ich also Ihre Begeisterung schelten? Nein, ich bewundere sie und freue mich ihrer. Nur das eine versprechen Sie mir: daß Sie sich nicht mutwillig der Gefahr exponieren. Mutig und gelassen sterben können, wenn gestorben sein muß, ist groß und rühmenswert. Aber ohne Not den Tod suchen und mit dem Leben spielen, ist immer überspannt.«

»Seien Sie versichert, daß ich nicht wie ein Narr handeln werde,« gab Kleist zur Antwort, indem er ihm die Hand schüttelte. »Komm ich ins Feld, und einmal wird's ja doch werden, so werde ich meine Pflicht tun ohne Rücksicht auf den Tod, ihn nicht suchen, ihm freilich auch nicht aus dem Wege gehen. – Nun, was gibt's?« wandte er sich an den Diener, der ins Zimmer getreten war.

»Es ist eine Dame draußen, Herr Obristwachtmeister.«

»Eine Dame? In der frühen Stunde? Wie sieht sie denn aus?«

»Alles schwarz, Kleid und Schleier.«

»Ah, das wird die Witwe des trefflichen Majors von Blumenthal sein, der neulich leider Gottes gefallen ist. Ist sie jung?«

»Eine ganz alte,« erwiderte der treue Jacques mit einer wegwerfenden Handbewegung.

»Dann ist sie's nicht,« versetzte Kleist verwundert. »Wer mag es sein? Führe die Dame in den Salon und sage ihr, ich käme gleich. Und Sie, lieber Lessing, bitte ich, heute mittag auf einen Löffel Suppe mein Gast zu sein. Herr Obrist von Tauentzien gibt mir die Ehre, und er möchte Sie gern kennen lernen. Einstweilen tun Sie mir wohl die Liebe und führen meinen alten Lehrer und Freund ein wenig in Leipzig umher.«

»Kommen Sie, Herr Pastor, ich werde Ihnen die Sehenswürdigkeiten der Stadt zeigen,« sagte Lessing. »Und zuletzt führe ich Sie in Auerbachs Keller und erzähle Ihnen die Geschichte, wie dort der Doktor Faust auf einem Fasse mit dem Teufel die Treppen hinaufgeritten ist. Sie sehen aus, als ob Sie sich nicht vor dem Teufel, aber auch nicht vor dem Fasse fürchteten.« –

Als Kleist in das Zimmer eintrat, das ihm der Hauswirt als Empfangssalon zur Verfügung gestellt hatte, sah er sich einer völlig verschleierten Dame gegenüber. Sie erhob sich bei seinem Eintritt, und er sah mit Befremden, daß sie zitterte. »Gewiß eine arme Offizierswitwe, die um meine Verwendung beim Prinzen nachsuchen will,« dachte er, und sehr höflich fragte er: »Mit wem habe ich die Ehre, Madame?«

Da schlug sie den Schleier zurück, und er sah sich Frau von der Goltz gegenüber.

»Mein Gott! Sie, gnädige Frau?« stammelte er und fuhr zurück. »Sie, Sie kommen zu mir?« Beinah hätte er hinzugesetzt: Und wie sehen Sie aus? Denn mit Erschrecken nahm er wahr, wie alt und hinfällig sie geworden war. Fältchen neben Fältchen stand auf der Stirn, die Augen waren ohne Glanz, wie bei denen, die viel weinen, und um den feinen Mund lag ein Zug des Grames. Die ganze Erscheinung machte den Eindruck müder Hilflosigkeit.

Das alles sah er auf den ersten Blick, und ein tiefes Mitleid stieg in seinem Herzen empor. Er ergriff freundlich ihre Hand und sagte: »Fassen Sie sich, gnädige Frau, und bitte, nehmen Sie wieder Platz. Sagen Sie mir, was Sie zu mir führt, ich stehe gern zu Ihren Diensten.«

Frau von der Goltz setzte sich in einen der hohen Lehnstühle, aber sie war zunächst zum Sprechen unfähig. Sie schwieg eine ganze Weile, als müsse sie mühsam ihre Gedanken sammeln. Dann begann sie leise: »Sie haben mir vor einigen Monaten ein Bändchen Ihrer Gedichte gesandt und zugeeignet, Herr von Kleist. Warum haben Sie das getan?«

»Weil ich von meiner Tante Manteuffel gehört hatte, wie – nun wie alles gekommen ist mit Wil – mit Ihrer Tochter. Ich hörte gleichzeitig, daß Sie meiner mit großem Wohlwollen gedächten, ja, daß Sie sich sehr liebevoll über mich geäußert hätten. Und da dachte ich daran, wie Sie sich vor langer Zeit die Beförderung meines Glückes angelegen sein ließen, und wie dann das Schicksal es anders gewollt hat als Sie und wir alle. Es sollte Ihnen ein Zeichen dafür geben, daß auch ich Ihrer freundlich und ohne Groll gedenke. Was Sie taten, das taten Sie ja nur aus Pflichtgefühl.«

Frau von der Goltz hatte, während er sprach, den Kopf tief auf die Brust herniedersinken lassen. Zwei große Tränen rollten über ihre hageren Wangen.

»Sie wußten, wie unglücklich ich bin?« flüsterte sie.

»Da ich Ihr mütterliches Herz kenne, mußte ich Sie für sehr unglücklich halten.«

»Ach, und doch können Sie nicht ahnen, wie sehr ich's bin! Was ich gelitten habe, was meine Tochter gelitten hat in dieser Ehe, die von den Flitterwochen an nichts war als eine Kette von Brutalitäten, empörenden Roheiten und Bosheiten, ein Martyrium« – sie brach ab, denn sie konnte vor Schluchzen nicht weiter reden.

Kleist war erblaßt in seinen Sessel zurückgesunken. Ihre Worte trafen ihn wie Hammerschläge. Gerechter Himmel! Das war aus dem Mädchen seiner Liebe geworden! Das hatte sie erleiden müssen? Er hatte wohl gehört, daß sie mit ihrem Manne in unglücklicher Ehe lebe, aber daß es so weit gekommen war, das hatte er nicht geahnt. Ein unbeschreibliches Gefühl, halb Schmerz, halb Ekel und Bitterkeit ergriff ihn. Er lehnte sein Haupt in den Sessel zurück und bedeckte das Gesicht mit den Händen, während Frau von der Goltz fortfuhr: »Lubowiecki war reich, als er meine Tochter heiratete, aber er war ein Spieler. Die größten Summen rannen nur so dahin, und es dauerte einige Jahre, da stand er vor dem Konkurse. Die Erbschaft der Tante Stephanie, die meine Tochter damals machte, gestattete ihm, sich zu rangieren, aber das bare Geld war wiederum bald durchgebracht, und daß er den Grundbesitz belastete, litt Wilhelmine nicht um ihres Kindes willen. Sie blieb auch fest, er mochte tun, was er wollte, und er machte ihr die Hölle auf Erden, quälte und marterte sie, wie er nur konnte. Als ich Dresden, wo sie lebten, eine Zeitlang verlassen mußte, kam es zum Äußersten. Er hat sie eingesperrt und gemißhandelt.« –

Kleist stöhnte. Dann fuhr er plötzlich auf. »Madame, warum foltern Sie mich damit? Was wollen Sie von mir? Was soll ich tun? Soll ich den Elenden vor meine Pistole fordern?«

»Das hat mein ältester Sohn bereits getan, als er die Schurkerei erfuhr. Lubowiecki ist so von ihm getroffen worden, daß er lange in Italien leben muß, um noch einmal zu genesen. Meine Tochter ist schon seit mehreren

Monaten mit ihrem kleinen Mädchen bei mir. Die Scheidung der Ehe ist auch schon eingeleitet.«

»Gott sei Dank!« rief Kleist aufatmend. »Aber um so weniger verstehe ich, gnädige Frau, weshalb Sie zu mir gekommen sind.«

Frau von der Goltz sah ihm voll ins Gesicht. »Sie sollen meiner Tochter den Frieden bringen.«

»Ich? Wie könnte ich das?«

»Herr von Kleist,« hub die alte Dame an, »wir wissen jetzt alles und sehen ganz klar. Wir wissen, daß Sie das Opfer einer niederträchtigen Intrige gewesen sind. Der elende Dorpowski kam vor sechs Monaten aus Paris nach. Dresden zurück, an einer schändlichen Krankheit leidend, die ihn aufs Sterbelager warf. Er ließ uns zu sich rufen, mich und meine Tochter, und hat uns alles enthüllt, um nicht mit der unvergebenen Sünde auf der Seele in den Tod zu gehen. Seitdem weiß Wilhelmine, daß sie um ihr Glück betrogen worden ist, und daß sie jahrelang den Mann, den sie allein wahrhaft geliebt hat, durch einen niedrigen Verdacht entwürdigte. Sie hat an Ihre Untreue geglaubt, Herr von Kleist. Und sehen Sie, das kann sie sich nicht verzeihen. Sie quält sich Tag und Nacht damit ab, daß sie an Ihnen zweifeln konnte, daß sie schlecht und treulos an Ihnen gehandelt hat, und sehnt sich nur nach einem, nach Ihrer Vergebung.«

Kleist faßte ihre beiden Hände. »Die gewähre ich ihr von ganzem Herzen. Sagen Sie ihr das.«

»Und wenn ich Sie nun bäte, Herr von Kleist, das meiner Tochter selbst zu sagen?« begann Frau von der Goltz, und als sie sah, daß er von neuem erblaßte und zusammenzuckte, fuhr sie eifrig und leidenschaftlich fort: »Ich habe nie an Ihrer Treue gezweifelt. Niemals; ich glaubte nur, Sie könnten meine Tochter nicht heimführen, deshalb löste ich das Verlöbnis. Aber ich habe die Geschichte von jener Komödiantin stets als eine Lüge angesehen, denn o, ich kenne Sie durch und durch! Sie können nicht aufhören,, das zu lieben, was Sie einmal ins Herz geschlossen haben, Sie können nicht untreu sein. Sie lieben auch meine unglückliche Tochter noch immer, das weiß ich, und deshalb habe ich es gewagt, zu Ihnen zu kommen und bitte Sie nun und flehe: Sagen Sie meiner Tochter, daß Sie ihr vergeben haben. Geben Sie ihr den Frieden der Seele zurück!«

Kleist war aufgesprungen und stand in höchster Erregung vor ihr. »Nein, Madame, nein! Das ist unmöglich, das kann ich nicht!« rief er mit bebender Stimme. »Wie können Sie mir das zumuten? Sie glauben, ich liebe Ihre Tochter noch und ach, Sie haben recht! Ich kann ja nicht vergessen! Und da verlangen Sie, ich soll sie wiedersehen, als die Frau eines anderen? Denken Sie denn, ich sei von Stein? Mein Gott, wenn ich diese Augen wieder auf mich gerichtet sähe — —«

Frau von der Goltz hob das Antlitz zu ihm empor, und aus ihren Augen brachen wieder die Tränen. »Ach, Kleist,« sagte sie, und ihre Lippen zuckten in tiefstem Weh. »Sie machen sich ein falsches Bild. Sie ist nicht mehr das schöne, begehrenswerte Mädchen, das Sie kannten, sie ist jetzt ein armes, vergrämtes und dabei todkrankes Weib.«

»Krank?« schrie Kleist auf.

»Unheilbar lungenleidend. Sie ahnt nicht, wie es um sie steht, sie meint, sie werde leben. Ich aber weiß es« – ihre Stimme sank zum Flüstern hinab –, »ich weiß es, daß sie schon vom Tode gezeichnet ist und bald sterben muß.«

Eine tiefe Stille entstand. Dann sprach Kleist mit schwerem, müdem Ton in der Stimme: »Gnädige Frau, ich stehe hier im Dienste des Königs und bin nicht mein eigener Herr. Es kann mich auch keiner der Generale beurlauben, denn ich bin Seiner Hoheit direkt unterstellt. Aber in vier oder fünf Tagen kommt Prinz Heinrich hierher. Er ist ein gnädiger Herr und wird meine Bitte nicht abschlagen. Auf zwei Tage kann ich wohl hier abkommen, und ich eile dann mit Relais nach Dresden.«

Frau von der Goltz erhob sich rasch, erfaßte seine Hand, und ehe er es zu verhindern vermochte, drückte sie einen Kuß darauf. »Dank, o tausend Dank!« stammelte sie. Dann ließ sie den Schleier wieder hinab und wankte aus dem Zimmer.

III

In der Abenddämmerung des übernächsten Tages trat Lessing bei Kleist ein. Er stellte sich vor ihn hin, blickte ihm forschend ins Gesicht und sagte dann: »Erlauben Sie mir eine Frage ohne alle Umschweife, lieber Kleist. Was ist mit Ihnen? Sie sehen aus wie ein Kranker. Als ich Sie heute auf der Straße sah – Sie bemerkten mich gar nicht, denn Sie hielten den Blick auf die Erde geheftet –, da erschrak ich heftig über Ihr Aussehen. Der Tod Ihres alten Oheims kann Sie doch nicht so erschüttert haben. Auf jeden Fall bitte ich Sie als Ihr Freund: Konsultieren Sie einmal den Regimentsarzt.«

Kleist machte eine abwehrende Bewegung. »Den Regimentsarzt? Was soll mir der? Ich bin nicht krank. Wenigstens ist mein Leiden nicht körperlich.«

»Also doch der Gram um den Tod Ihres würdigen Oheims. Ach lieber Freund, bedenken Sie, er war ein Siebziger, und ihm ist nun wohl. Er ruht in Frieden.«

»Jawohl,« erwiderte Kleist. »Glücklich, wer so weit ist! Nein, Lessing, darüber bin ich, so tief mich's schmerzt, hinweg. Aber mich bekümmert das Schicksal jemandes, der noch nicht in Frieden ruht.«

Lessing schüttelte den Kopf. »Sie sprechen in Rätseln, Freund.«

»Ich will sie Ihnen lösen, Sie sollen alles wissen. Es ist gar sonderbar. Erst ganz vor kurzem verlangte Gleim von mir Angaben über meinen Lebenslauf, den er veröffentlichen will. Ich schrieb ihm da unter anderem die Geschichte meiner Liebe, die mich einst sehr gequält hat, schrieb das als etwas Überwundenes, gänzlich Abgetanes, was ich für immer tot wähnte. Und nun ist alles mit einem Male wieder aufgetaucht, und ich werde von neuem in den Wirbel hineingerissen. So hören Sie denn! Ich erzähle Ihnen die jammervolle Geschichte als meinem Freund und brauche Ihnen nicht erst zu sagen, daß sie auf ewig in Ihrer Brust begraben sein muß.« –

»Diese Episode Ihres Lebens war mir bisher ganz unbekannt,« sprach Lessing, als Kleist geendet hatte. »Aber ich gestehe, sie gibt mir erst den Schlüssel zu vielem in Ihrem Wesen. Ich muß es Ihnen sagen: Ich habe oftmals darüber nachgedacht, woher die tiefe Schwermut kommt, die Sie zuweilen niederdrückt, und die sich auch in so vielen Ihrer Gedichte spiegelt. Nun verwundert mich das nicht mehr, denn wer Ihr Herz kennt, der kann ja ahnen, was Sie unter dem allen gelitten haben müssen. Und Donnerwetter!« – er schlug mit der Faust auf den Tisch – »manchmal wird man doch geradezu irre an der göttlichen Weltordnung. Ich kenne eine Menge Schurken, denen es jahraus jahrein gut geht, und keine Plage naht sich ihrer Hütte, und Sie, nicht nur einer der edelsten, sondern schlechthin der edelste Mensch, der mir begegnet ist, Sie haben Ihr Glück durch eine Büberei verloren.«

»Sie sehen mit den Augen der Freundschaft,« entgegnete Kleist. »Deshalb übertreiben sie. Ich bin so edel nicht, wie Sie mich machen. Was aber etwa gut ist an mir, das ist in der harten Schule des Lebens so geworden. Dazu müssen wir Schweres tragen, daß wir besser werden. Gott will uns dadurch für ein höheres Dasein reif machen. Das ist mein fester Glaube. Ich weiß wohl, Lessing, daß Sie über viele Sätze der Religion anders und sehr frei denken, aber diesen Glauben haben wir, so hoffe ich, gemeinsam.« »Ja, mir lief nur einmal die Galle über beim Gedanken an Ihr Ungemach. Ich teile Ihren Glauben vollkommen. Ich sage noch mehr: Wer nicht in seinem Leben das Walten einer ewigen Vernunft und eines guten Willens erkennt, den trennt nur eine dünne Wand vom Irrsinn. Denn wer in Welt und Leben keine Vernunft mehr sieht, der hat die seine schon halb verloren.«

»Übrigens«, fuhr Kleist fort, »bin ich nicht unglücklich. Der Stern der Liebe ist mir untergegangen, aber die Poesie, die Freundschaft, die Begeisterung für meinen König – dies Dreigestirn leuchtet mir noch. Wie könnt' ich da unglücklich sein? Die Schwermut ist mütterliches Erbteil, sie liegt mir im Blute, aber ich kämpfe dagegen an.«

»So haben Sie überwunden?«

»Das trotzdem nicht. Zu tief hatte ich dieses Weib geliebt, als daß ich es je hätte vergessen können. Aber ich hatte mich mit meinem Schicksale abgefunden, ich hatte vollkommen verzichtet. Nun soll ich sie wiedersehen! Ach, Freund, mir graut davor, eben weil ich nie aufgehört habe, sie zu lieben.«

Lessing legte ihm die Hand auf den Arm. »Kleist!« sagte er, »gehen Sie nicht nach Dresden! – Gehen Sie nicht nach Dresden!« wiederholte er nachdrücklich. »Schreiben Sie ein Billet mit allem Lieben und Guten, das muß ja denselben Dienst tun. Was, um des Himmelswillen, wollen Sie eigentlich dort? Sie werden sich furchtbar erregen, Sie werden sich das Herz zerreißen lassen, Sie werden vielleicht gar krank werden. Und wozu das alles? Was können Sie persönlich nützen? Gar nichts. Im Gegenteil. Sie werden der Kranken durch Ihr Erscheinen nur schaden. Denn auch sie scheint ja nicht aufgehört zu haben, Sie zu lieben.«

»Das alles hat mir mein Verstand schon gesagt, aber mein Herz spricht anders,« versetzte Kleist. »Übrigens hat Frau von der Goltz mein Wort.«

»Das ist denn doch wohl eine zu rigorose Auffassung des gegebenen Wortes,« erwiderte Lessing. »Sie haben ihr versprochen, ihrer Tochter zu sagen, daß Sie ihr vergeben haben. Das kann schriftlich ebensogut wie mündlich geschehen. Ach, Kleist, folgen Sie in diesem Falle einmal nicht Ihrem vortrefflichen Herzen, folgen Sie dem unbequemen Mahner, dem Verstande! Es kann bei dieser Reise nichts Gutes für Sie herauskommen. Wenn Ihnen die Schwermut im Blut liegt, wie Sie sagen, so müssen Sie die trübseligen und jämmerlichen Eindrücke nicht suchen, sondern fliehen.«

»Ordonnanz Seiner Hoheit des Prinzen Heinrich!« meldete der Diener, der mit Licht in der Tür erschien.

»Sie soll hereinkommen!«

Ein schnauzbärtiger Husarenunteroffizier trat ins Zimmer und übergab einen versiegelten Brief, in dem Kleist zu seinem Erstaunen ein Handschreiben des Prinzen erkannte.

Er las es durch und sagte: »Es ist gut. Er kann abtreten. Du sorgst dafür, Jacques, daß der Mann Essen und Trinken und ein gutes Nachtlager erhält.« – Dann wandte er sich an Lessing. »Die Antwort auf das, was Sie sagten, erteilt das Schicksal selbst. Seine Hoheit befiehlt mich nach Dresden. Morgen früh reise ich ab, der Prinz kommt morgen abend dort an, und übermorgen vormittag habe ich eine Audienz. Kann es da noch eine Frage sein, was ich zu tun habe?«

Lessing blickte ihn betroffen an. »Das ist allerdings ein seltsamer Zufall,« sagte er. »Fast sieht es aus, als wäre es ein Wink des Schicksals. Es dürfte unnütz sein, Ihnen nun weiter abzureden. Sie scheinen entschlossen.«

»Ja, ich bin fest entschlossen.«

»Dann bleibt mir nur noch der Wunsch übrig, daß der Himmel alles für Sie zum Besten wenden möge! Ich verlasse Sie jetzt, lieber Kleist, denn Sie werden noch mancherlei vorzubereiten haben. Doch halt!« Er nahm ein kleines Buch aus der Rocktasche und legte es auf den Tisch. »Sie äußerten neulich den Gedanken, daß Sie ein Heldengedicht schreiben möchten. Nun habe ich hier einen kleinen Band historischer Miszellen aufgetrieben und darin, wie ich glaube, einen vorzüglichen Stoff dafür gefunden. Es ist die Geschichte von Cissides und Paches, den beiden Mazedoniern, die sich für ihr Vaterland aufopfern. Jetzt sind Sie natürlich nicht in der Gemütsstimmung, das zu lesen und es sich durch den Kopf gehen zu lassen. Aber hoffentlich kommt bald die Stunde, wo Sie sich mit freiem Herzen der Dichtkunst wieder zuwenden. Bis dahin heben Sie es auf.«

Kleist trat auf ihn zu und umarmte ihn. »Lessing, zürnen Sie mir, weil ich in dieser Sache nicht Ihrer Weisheit folge, sondern meinem Herzen?«

»Nein, Ihnen zürne ich nicht. Aber Ihrem Schicksal möchte ich fast zürnen. Leben Sie wohl und kehren Sie nicht allzu unglücklich zurück.« –

Am folgenden Nachmittag kam Kleist in Dresden an und meldete sich bei dem General von Itzenplitz, dem Gouverneur der Stadt.

»Ich weiß schon, daß er zu Seiner Hoheit beordert ist,« sagte der General. »Er soll im Brühlschen Palais, wo auch der Prinz logiert, Quartier erhalten und morgen zehn Uhr vorgelassen werden. Weiß er, was er bei Seiner Hoheit soll?«

»Nein, Exzellenz.«

»Hm. So. Merveilleux, sehr merveilleux. Na, man wird es schon erfahren. Für heute kann er tun und lassen, was er will. Unteroffizier Lüdecke!« schrie er zur Tür hinaus. »Führe er den Herrn Major von Kleist in sein Quartier!« –

In einem der prunkvollen Gemächer, in denen der ungekrönte Herrscher Sachsens früher sein zwischen Intrigue und Schwelgerei geteiltes Leben zu verbringen pflegte, ward Ewald von Kleist einlogiert. An den Wänden hingen wundervolle italienische und französische Gemälde auf seidenen Tapeten, vergoldete Amorettenköpfe blickten von der Decke hernieder, und die kostbarsten persischen Teppiche bedeckten den Fußboden. Aber Kleist hatte kein Auge für den raffinierten Luxus, der ihn umgab. »Kennt er hier eine verwitwete Freifrau von der Goltz?« fragte er den Unteroffizier, der ihn geleitet hatte.

»Nein, Herr Obristwachtmeister.«

»So schaffe er mir jemanden zur Stelle, der in der Stadt bekannt ist.«

»Zu Befehl, Herr Obristwachtmeister. Da ist unten der Kammerlakai Förster, den seine Herrschaft hier gelassen hat. Der ist seit zwanzig Jahren in Dresden und kennt alle Welt.«

»Hol' er mir den Mann!«

Ein paar Minuten später erschien auf der Schwelle ein kleiner zierlicher Greis in Dienertracht mit listig blickenden Äuglein und einem ausgesprochenen Fuchsgesicht, der sich höchst affektiert wieder und wieder verbeugte und mit erstaunlicher Zungenfertigkeit zu reden begann: »Madame von der Goltz? O certainement weiß ich sie wohnen. Die gnädige Frau wohnte früher im Palais Gryszczynski, aber seitdem sie die gnädige Frau von Poeschkowski beerbt hat, wohnt sie in ihrem Hause an der Ecke der Salzgasse nahe bei der Frauenkirche.« »So führ' er mich zu der Dame.«

Der Diener verbeugte sich von neuem, machte aber ein etwas verlegenes Gesicht. »Wenn Euer Gnaden einen untertänigsten Rat annehmen wollten?« sagte er in devoter Haltung.

»Nun?«

»Im Hause der Madame von der Goltz ist eine schwerkranke Tochter. Ich habe gehört, daß der Kaplan vom Schlosse heute früh, noch ehe es hell war, mit den Sterbesakramenten dorthin gerufen worden ist. Die gnädige Frau Tochter der Frau von der Goltz nämlich –«

Er brach ab und verstummte, denn aus den Augen des preußischen Offiziers traf ihn ein Blick, der ihn zusammenfahren ließ.

»Allons! Er führt mich! Auf der Stelle!«

In wenigen Minuten war das Haus erreicht. Kleist warf dem Diener ein Geldstück zu und trat ein. Kein Mensch kam ihm entgegen, tiefe Stille im Vorraume.

»Holla!« rief Kleist. Aber niemand antwortete.

Eine Weile stand er unschlüssig und wartete. Dann stieg er langsam die Treppe empor. Auch auf dem oberen Vorsaale war niemand zu sehen. Nur ein Wachtelhündchen erhob sich aus dem Korbe, in dem es geruht hatte, sah den Eindringling mißtrauisch an und trottete dann einen breiten Korridor entlang bis zu einer Tür, vor der es leise winselnd und kratzend stehen blieb.

Fast mechanisch war Kleist dem Tiere gefolgt. Eine angstvolle Beklemmung, wie er sie noch nie gefühlt, schnürte ihm die Brust zusammen.

Die Tür war nur angelehnt, und es gelang dem kleinen Tierchen, sich in den Spalt zu zwängen. Nun ging der eine der beiden Flügel knarrend weit auf, Kleist blickte in das Gemach und stand, wie vom Blitze getroffen, starr und versteinert da.

Denn da lag auf einem Ruhebette in der Mitte des Zimmers, aufgebahrt zwischen vielen Blumen und Kränzen, eine Tote. Links und rechts von ihr brannten Wachskerzen auf hohen Kandelabern, zu Häupten der Lagerstätte stand ein Kruzifix aus Ebenholz, und schwerer Weihrauchduft erfüllte das Zimmer.

Kleist vermochte kein Glied zu rühren, und sein stierer Blick haftete wie gebannt auf dem schneeweißen Antlitz, das da auf dem schwarzen Sammetkissen lag. Das war seine Wilhelmine! Oder war sie es nicht? Äffte ihn ein entsetzlicher Traum? Konnte die tote Frau mit den eingesunkenen Wangen, den scharfen Zügen dieselbe sein, die er einst als blühendes Mädchen im Arm gehalten hatte? Nichts erinnerte mehr an die Schönheit vergangener Tage als die üppige Flut goldblonder Haare, die noch jetzt im Lichte der Totenkerzen glänzten und flimmerten. Plötzlich war es ihm, als beginne sich alles um ihn her im Kreise zu drehen und als senke sich die Decke des Gemaches auf ihn herab. Er umklammerte den Türpfosten, um nicht zu Boden zu sinken, und aus seiner Brust drang ein dumpfer Laut.

Da erhob sich hinter dem Sarge eine zusammengesunkene Frauengestalt und schwankte ihm zu. »Kleist!« rief sie mit erstickter Stimme. »Zu spät. Heute früh ist sie entschlafen!«

»Mein Gott!« ächzte er. »O mein Gott! Ich konnte ja nicht früher kommen.«

»Sie hat sich so nach Ihnen gesehnt,« stieß die alte Dame schluchzend hervor. Bei jedem Tritt draußen vor der Tür fuhr sie auf und dachte, Sie kämen. Da überfiel sie vorige Nacht ein Blutsturz und –« sie konnte nicht weiterreden und lehnte sich wie Hilfe suchend an ihn. Auch aus seinen Augen schossen die Tränen. Er umfaßte die zitternde Gestalt der alten Dame, und so weinten sie zusammen wie Mutter und Sohn, die ein gemeinsames schweres Leid betroffen hat. –

»Sie hat Ihnen noch etwas hinterlassen,« sagte endlich Frau von der Goltz. »Kommen Sie.« Sie zog ihn nach dem Nebengemach, das offenbar Wilhelmines Zimmer gewesen war, und nahm aus einem Schränkchen ein kleines Paket. »Es enthält ihr Tagebuch der letzten Jahre und eine Haarlocke von ihr. Als ich von Leipzig zurückkam und sie so viel kränker wurde, bestimmte sie es Ihnen. Und dann habe ich Ihnen noch eine Bitte von unserer Entschlafenen auszurichten.«

Sie ließ sich in einem Fauteuil nieder und lud auch ihn zum Sitzen ein. »Sie wissen, es ist ein Kind aus Wilhelmines Ehe vorhanden. Die kleine Wanda ist jetzt sieben Jahre alt. Sie gleicht im Äußeren frappant ihrer Mutter. Ich habe sie in diesen Tagen bei Freunden untergebracht, denn ich habe keine Kraft mich ihrer anzunehmen, auch soll sie die tote Mutter nicht immer vor Augen haben. Dies Kind bleibt mir, das Gericht hat es dem Vater abgesprochen. Nun wollte meine Tochter selbst Sie bitten, als sie sich zuletzt dem Tode nahe fühlte, Sie sollten ihres Töchterchens Vormund werden.«

»Liebe gnädige Frau!« rief Kleist. »Das ist ganz unmöglich, denn ich stehe im Felde. Gott weiß, wo ich in der nächsten Woche sein werde, und ob mich nicht schon bald die Kugel trifft, die allem ein Ende macht. Nein, solch eine Pflicht kann und darf ich jetzt nicht auf mich nehmen. Mein Leben ist nicht mehr mein.«

»Ich habe mir's gedacht,« sagte die alte Dame leise.

»Sie haben Ihren Sohn Franz. Das ist ein tüchtiger Mann. Warum soll er nicht Vormund sein?«

»Ich will das Kind protestantisch erziehen lassen. Es ist aber katholisch getauft. Wohnte ich mit ihm in Preußisch-Polen, so würden es die Priester reklamieren, denn sie sind dort allmächtig. Auch hier fühle ich mich nicht recht sicher.«

»Ich glaube, Sie können hier ganz sicher sein. Meinen Sie aber nicht, so ziehen Sie nach Berlin, Sie haben ja dort so viele Freunde und Bekannte. Kehre ich dereinst nach Berlin oder Potsdam zurück, wenn dieser Krieg ein Ende hat, dann wissen Sie ja, daß ich Ihnen und Ihrer Enkelin jederzeit zur Verfügung stehe, wenn Sie irgendeinen Dienst von mir verlangen. Aber eine Vormundschaft würde ich auch dann noch zurückweisen. Denn Ihre und meine Verwandtschaft weiß, wie ich einst zu Ihrer Tochter gestanden habe. Es würde, wie die Welt nun einmal ist, viel törichtes und ekelhaftes Nachreden entstehen. Und das will ich um der Toten willen nicht.«

Er erhob sich und fuhr fort: »Ich werde deshalb auch dem Begräbnis fern bleiben. Als was sollt' ich auch erscheinen? Ich will nicht, daß man um dieses Grab zischelt und tuschelt und etwa gar ihre Ehre begeifert. Darum will ich jetzt Abschied von ihr nehmen.«

Er bot der alten Dame den Arm und führte sie wieder zurück in das Gemach, wo Wilhelmine lag. Dort stand er lange, in den Anblick der Entschlafenen versunken, während die Mutter an seiner Seite leise weinte. Dann trat er an die Tote heran, beugte sich nieder und küßte sie auf die Stirn. »Lebe wohl, schlaf in Frieden!« murmelte er, drückte ihrer Mutter noch einmal die Hand und verließ mit schnellen Schritten das Gemach.

IV

Als Kleist in sein Quartier zurückkam, war die Dunkelheit hereingebrochen. Er traf vor seinem Zimmer einen Lakaien an, der sich mit tiefem Bückling erkundigte, wann er dem Herrn Major das Souper servieren dürfe.

»Ich speise heute nicht mehr,« erwiderte er. »Ebenso wünsche ich niemanden zu empfangen. Ich verbitte mir strengstens jede Störung, außer wenn etwas Dienstliches an mich gebracht werden muß. Steck' er neue Kerzen auf, wenn die alten nicht frisch sind, denn ich habe zu tun. Besorg' er den Kamin, dann kann er gehen.«

Als Kleist allein war, verriegelte er die Tür, schob einen Tisch und einen Sessel an das Kaminfeuer heran und öffnete das Päckchen, das ihm Frau von der Goltz gegeben hatte. Obenauf lag, in blaue Seide gewickelt, die Locke der Verstorbenen. Er zog sie hervor und hielt sie gegen das Licht des Armleuchters, der vor ihm stand, und es kam ihm plötzlich die Erinnerung, wie einst vor langen Jahren die Sonne im Parke von Battrow auf diesem Goldhaar geflimmert hatte, als ihm Wilhelmine zum ersten Male als erwachsenes Mädchen im Glänze ihrer vollerblühten Schönheit entgegentrat. Er schloß die Augen und träumte, wie er es so oft als Knabe und Jüngling getan hatte, und wie er als Mann nur selten noch zu träumen vermochte, so, daß er der Gegenwart und Umgebung gänzlich entrückt war und nur da lebte, wohin sein Traum ihn trug. Bis in die kleinsten Einzelheiten hinein entsann er sich der Zeit, die er in jenen Tagen durchlebt hatte, alle ihre Wonnen und Qualen empfand er noch einmal so deutlich und lebendig, als wäre alles, was dazwischen lag, ausgelöscht aus seinem Herzen, und als wäre er noch der blutjunge Leutnant von damals und nicht der lebens- und leidgeprüfte Mann, der er seitdem geworden war.

Endlich erwachte er aus seinem Traum. Er nestelte das silberne Medaillon hervor, das er von seiner Mutter geerbt hatte und stets an einer seidenen Schnur auf der Brust trug. Dahinein barg er die Locke und griff dann mit einem schweren Aufseufzen nach dem kleinen, in rotes Leder gebundenen Buche, das vor ihm lag, und aus dem die Tote noch einmal zu ihm, dem Überlebenden, reden sollte.

Und er vernahm in der Tat ihre Stimme, wie er sie noch nie vernommen hatte. Ihr ganzes Wesen enthüllte sich ihm, ihre ganze Seele entschleierte sich vor seinen Blicken. Ach, es war keine große Seele, das erkannte er wohl; sie war in vielen Stücken kleiner und schwächer, als er in seiner Begeisterung gedacht hatte. Viel Eitelkeit haftete ihr an, viel kindischer Trotz und Eigensinn hatte in ihr gelegen, sie war in manchem zeitlebens ein verzogenes Kind geblieben. Aber auch das erkannte er klar: Sie hatte niemals einen anderen geliebt als ihn. So mächtig war ihre Liebe nicht gewesen, daß sie dem Ränkespiel hätte trotzen können, das gegen sie gespielt worden war: das letzte, höchste Vertrauen hatte gefehlt. Aber trotzdem sie von seiner Untreue überzeugt war, hatte sie doch niemals innerlich von ihm losgekonnt. Mit der Liebe zu ihm im Herzen war sie die Gattin jenes Mannes geworden, den sie geheiratet hatte auf das Drängen der Ihren hin und in dem Wunsche, reich und glänzend versorgt zu sein. Lubowiecki war ihr im Anfang nicht unsympathisch gewesen, bald aber war er ihr durch seine Bigotterie und seine brutale Sinnlichkeit widerwärtig geworden, und dieses Gefühl hatte sich im Laufe der Jahre immer mehr vertieft. Die trübsten Bilder aus dem Zusammenleben der beiden entrollte das Buch, und dazwischen kehrte immer die Wendung wieder: »So hätte K. nie zu handeln vermocht,« oder »dazu war K. zu vornehm gewesen«; auch fanden sich oftmals Klagen wie die: »Hätte ich über die vielleicht verzeihliche Untreue K.s hinweggesehen, und wäre ich fest geblieben, so wäre ich wahrscheinlich jetzt ebenso glücklich, wie ich unglücklich bin.« Bis dann am Schlusse des Buches die kurze Eintragung zu lesen war: »Nun weiß ich alles. Verraten war ich und verkauft, belogen und betrogen, von zwei Schurken verkuppelt und um mein Lebensglück gebracht!« Dann hatte sie nicht mehr in ihr Tagebuch geschrieben.

So hatte sie nie aufgehört, ihn zu lieben, sie hatte sich eigentlich immer nach ihm gesehnt, wie er nach ihr. Das sah er mit grausamer Deutlichkeit aus diesen Blättern, und tiefes Erbarmen über ihr unglückliches und zerstörtes Leben erfüllte sein Herz.

Daneben aber erkannte er mit Schmerz und Schrecken, wie fremd sie ihm innerlich gewesen war. Von dem Idealbilde, das er sich einst von ihr gemacht hatte, blieb wenig übrig. Sie hatte ihn nicht nur durch ihre Schönheit, sondern auch durch ihre Anmut, ihren lebhaften Geist gefesselt und entzückt, und natürlicher Scharfsinn und Esprit zeigte sich auch in ihrem Tagebuche oft in Fülle. Aber geistige Interessen fehlten ganz und gar. Von allen Künsten liebte sie bloß die Musik, aber auch nur die leichte und seichte Musik der italienischen Opern. Für die Dichtkunst hatte sie gar nichts übrig; sein Dichterruhm, von dem sie natürlich auch hörte, war ihr peinlich, denn sie fürchtete, daß ihre Bekannten und Verwandten über den Poeten und Träumer ihre Glossen machen könnten. Überhaupt war sie in einer erschrecklichen Weise abhängig von dem Urteil ihrer Umgebung, und nichts bewies so deutlich ihre Liebe zu ihm als die Tatsache, daß sie in diesem einen Falle doch jahrelang, trotz aller Einflüsterungen ihrer Angehörigen, an ihm festgehalten hatte. In allen anderen Dingen erschien sie fast als ein Spielball in den Händen anderer Leute.

Was ihn aber am meisten befremdete und abstieß, das war ihr religiöser Standpunkt. Sie war leicht und gern übergetreten, die ästhetische Schönheit des katholischen Kultus hatte ihr's ja schon als Kind angetan. Dann freilich kam eine Zeit der Ernüchterung, ja fast der Abkehr. Die ihr anerzogene weibliche Sittsamkeit sträubte sich gegen das widerliche Ausgefragtwerden in der Beichte. Sie hatte sehr heftige Ausführungen gegen diese Einrichtung zu Papier gebracht. Kleist las zum Beispiel den merkwürdigen Satz: »In der Bibel steht fast nichts davon. Und wie hätte Christus die Ohrenbeichte befehlen können, der seine Jünger beten lehrte: Führe uns nicht in Versuchung? Liegt nicht in der Beichte eine Versuchung, der bei der Schwäche der menschlichen Natur fast jeder erliegen muß? Der Beichtende wird genötigt, sich selbst zu entwürdigen; der die Beichte hört, wird zum wahnsinnigsten Hochmut gereizt und zum Mißbrauch der Schwäche anderer.« –

Aber solche Auslassungen wurden gegen Ende des Buches immer seltener, sie hatte sich schließlich auch mit dieser Einrichtung ihrer Kirche abgefunden. Sie war immer mehr zur Katholikin geworden, ja sie hatte zuletzt in gehäuften Gebeten und Bußübungen den Frieden gesucht, den sie doch nimmermehr finden konnte.

Als Kleist das Buch zu Ende gelesen hatte, starrte er lange Zeit düster vor sich hin. Dann ergriff er den Schürhaken, fachte die schon halb erloschene Glut von neuem an und legte frisches Holz darauf. Als die Flammen wieder kräftig aufprasselten, legte er den kleinen roten Band mitten hinein. Denn auf diesen Bekenntnissen der Verstorbenen sollte nie wieder ein menschliches Auge ruhen. Er sah zu, wie die züngelnden Flammen an dem Buche emporleckten, wie der Deckel verschwelte, wie dann die einzelnen Blätter im Feuer sich umlegten, als würden sie von Geisterhand umgewandt, und wie Seite für Seite knisternd zu Rauch und Asche ward.

Und während er so dem Spiele der Flammen zuschaute, ging ihm in seinem Innern immer heller die Erkenntnis auf, wie gut und weise die Vorsehung gehandelt hatte, als sie ihm einst den glühendsten Wunsch seines Lebens versagte. Wäre Wilhelmine die Seine geworden, so wäre das für ihn und sie kein Glück gewesen, sie hätten beide mit Notwendigkeit unglücklich werden müssen. Denn sie hätte an seinem inneren Leben keinen Teil gewinnen können, dem, was ihn begeisterte und das Herz erhob, hätte sie ewig fremd und kalt gegenübergestanden. Das hätte er nun und nimmermehr ertragen am Weibe seiner Liebe; es wäre ein qualvolles Leben geworden, zumal in den engen Verhältnissen, in die er sie hätte einführen müssen, wo ein Glück nur dann möglich war, wenn man in der innigsten Gemeinschaft der Seele lebte.

Nun war sie gestorben, und auch das war gut so. Es überwältigte ihn plötzlich der Gedanke, welch ein Glück für die Menschen es ist, daß es ein Sterben gibt. Die allermeisten sind unglücklich und friedlos durch eigene und durch fremde Schuld, die sich oft wunderbar verketten, wissen sich auch nicht herauszufinden und zu lösen aus den Fäden des Irrtums, die sie, je mehr sie sich zu befreien trachten, nur um so unentwirrbarer und unzerreißbarer einspinnen. Da sendet ihnen die gnädige Gottheit einen Erlöser, der sie frei macht, sie einführt in tiefen, heiligen Frieden und ihnen die

Möglichkeit eröffnet, unter neuen Bedingungen ein neues Leben zu beginnen.

»Das letzte Glück des Lebens ist der Tod,« sprach er laut vor sich hin. Und dieses Glück hatte nun auch sie gefunden, die so elend gewesen war, und die auf dem Wege, den sie einmal eingeschlagen hatte, nur immer elender hätte werden müssen. Er wußte sie nun frei und vor allem Leid geborgen, und eine wunderbare Ruhe kam über ihn.

Er stand auf, öffnete ein Fenster und sog tiefatmend die kalte Winterluft ein, die hereinströmte. Dann setzte er sich wieder in den Lehnstuhl und sann und grübelte, bis ihn endlich der Schlaf übermannte, als die Kerzen heruntergebrannt waren und das blasse Morgenlicht durch die Scheiben blickte. –

Einige Stunden später stand er vor seinem erlauchten Chef. Der Prinz stutzte bei seinem Anblick und musterte ihn scharf, unterdrückte aber zunächst jede persönliche Bemerkung und begann sogleich mit ihm über neue Requisitionen zu sprechen, die leider in Sachsen nötig wurden, denn der König brauche Geld. Er ließ sich von ihm die Stimmung und Lage der Leipziger Bürgerschaft schildern und sonst noch einiges und sagte dann: »Er hat die Requisitionen im Bernburgischen sehr comme il faut geleitet. Ich bin sehr kontent mit ihm. Hat er denn auch für sich selbst etwas Ordentliches erübrigt?«

»Nein, Hoheit.«

»Nicht? Na, ich hab' ihm doch extra gesagt, daß er sich tüchtige Douceurgelder solle geben lassen. Warum hat er denn das nicht getan?«

»Ich kann's nicht, Hoheit, es ist mir nicht gegeben. Ich vermag den Leuten nichts abzunehmen außer dem, was wir ganz nötig brauchen.«

Der Prinz schüttelte mißbilligend den Kopf. »Er ist zu human. Ich bin sicher auch dafür, daß der Krieg ohne cruauté geführt wird, aber den feisten Kornbauern an der Saale hätte es nichts geschadet, wenn sie einem braven Offizier des Königs von ihrem Fette etwas hätten ablassen müssen.«

Er trat vor Kleist hin und faßte ihn am Rockknopf. »Da. liegt ihm wohl auch gar nichts daran, wenn ich ihm die Requisitionen in Sachsen übertrage? Ich denke, es müßte für ihn gut sein, wenn er aus dem Garnisonleben herauskäme. Er sieht méchant aus. Ist er denn krank?«

»Nein, Euer Hoheit, das bin ich nicht. Aber wenn mir Eure Hoheit ein paar Worte permittieren wollten?«

»Sprech' er immerzu!«

Kleist richtete seine Augen fest auf den Prinzen und sprach: »Hoheit, ich diene meinem gnädigen König, wo er mich hinstellt. Aber Eure Hoheit haben ganz recht gesehn: Das Garnisonleben taugt mir nicht. Ich sehne mich nach dem Leben im Felde und nach der Schlacht. Hoheit halten zu Gnaden, wenn ich's aussprechе: Ein Mann wie ich gehört dahin, wo die Gefahr am größten ist. Denn ich habe nicht Weib und Kind, stehe ganz allein, lasse in der Welt nur ein paar Freunde zurück. Die werden mein Gedächtnis in Ehren halten, aber meinen Verlust verschmerzen. Ich suche den Tod wahrlich nicht, aber ich habe ein Recht, ihn vollkommen zu verachten. Und so ist es denn meine flehentliche Bitte an Eure Hoheit, daß Sie mich ins Feld zur Armee senden möchten.«

Der Prinz blickte ihm, während er sprach, unverwandt ins Gesicht, und hin und wieder blitzte es in seinen Augen auf. »Ich verstehe ihn,« murmelte er. Dann fragte er nach kurzem Schweigen: »Antworte er mir ganz ehrlich: Ist das Hausensche Regiment nach seiner Meinung in der Kondition, daß es ins Feld kann?«

»Wie ich in einer untertänigsten Supplik schon zu bemerken wagte, sind ja wohl einige Desertionen zu befürchten, denn es sind viele Sachsen darunter. Im ganzen aber wird es sich so gut schlagen wie jedes andere Regiment, das im Felde steht.«

»Dann werde ich meinen Bruder, den König, bitten, daß er das Regiment ins Feld rücken läßt. Damit wäre denn sein Wunsch erfüllt, den ich gutheiße. Jetzt kann er mit mir dejeunieren.« –

Am anderen Morgen fuhr Kleist nach Leipzig zurück. »Lessing,« sagte er am Abend, als er noch spät bei dem Freunde eintrat, »nun beklagen Sie mich nicht mehr, sie die ich liebte, ist im Frieden.«

»Sie kamen an ihr Sterbelager?«

»Ich fand sie tot. Und, Freund, wie danke ich Gott, daß er ihr die Ruhe gegeben hat! Ich habe viel erfahren, aber lassen Sie mich schweigen. Über solche Dinge kann man nicht reden.«

Lessing drückte ihm die Hand. »Sie haben recht. Es gibt Dinge, die der Mensch einsam tragen und verarbeiten muß, auch wenn er umgeben ist von guten Freunden.«

»Ferner habe ich Ihnen zu melden«, fuhr Kleist nach einer Pause fort, »daß wir bald marschieren werden. Wie Prinz Heinrich meinte, würde das Hausensche Regiment bald Ordre bekommen, und so stehe ich vielleicht schon in einem Monat unter den Augen meines großen Königs.«

»Wunderbar!« rief Lessing und holte ein Schreiben aus der Brusttasche. »Auch ich muß Leipzig verlassen, und zwar noch früher als Sie. Sie wissen, ich muß mir eine Existenz gründen. Nicolai und Mendelssohn bieten mir die Grundlagen dazu, und so gehe ich nach Berlin. – So führt uns denn das Leben weit auseinander, ehe wir es gedacht hätten«, setzte er bewegt hinzu. »O Kleist, wie werden Sie mir fehlen! Wie werde ich Sie vermissen! Niemand ist mir im Leben so nahe gekommen wie Sie.«

Kleist umarmte ihn. »Wohin uns auch das Leben reißt, im Geiste bleiben wir doch stets vereint.«

V

[Letter] Im Lager bei Zeschdorf, den 10. August 1759.

Liebster teuerster Lessing!

Seit einem Monat habe ich keine Zeile von Ihnen. Warum? Sind Sie, was der Himmel verhüten möge, krank? Oder denken Sie nicht mehr an mich? Ach, da möchte ich doch lieber, Sie wären krank, denn Ihre und Gleims Freundschaft ist mir das unschätzbarste Gut, und ich möchte lieber tot sein, als sie verlieren. Ich will also zu meinem Troste annehmen, daß Briefe von Ihnen auf der Post verloren gegangen sind, und das wäre kein Wunder, denn wir sind in wenig mehr als einer Woche von Torgau hierher bis vor Frankfurt marschiert, das sind wohl an die vierzig Meilen, und einen solchen Marsch soll dem Finckschen Korps eine andere Truppe erst einmal nachmachen.

Der König hat nun seine ganze Armee vor Frankfurt zusammengezogen, und morgen oder übermorgen überschreiten wir die Oder, um die Russen anzugreifen. Sie sind mit dem Laudonschen Korps, das bei ihnen ist, gegen achtzigtausend Mann stark und stehen zwischen der Stadt und dem Dorfe Kunersdorf in sehr fester Position. Der König hat kaum fünfzigtausend Mann, aber er ist eben Friedrich, und bei Leuthen waren ihm ja die Österreicher an Zahl noch viel mehr überlegen.

Lessing, teuerster Freund, endlich, endlich bin ich so weit! Es wird eine Hauptschlacht geben, und ich darf dabei sein! Monatelang bin ich darauf entbrannt gewesen, für meinen König zu fechten, aber nichts gönnte mir das Schicksal als elende Scharmützel mit Pandurenhaufen, die sogleich flohen, wenn wir sie attackierten. Ob ich den pour le mérite bekomme, weiß ich ja nicht, aber ich will mich so halten, daß keiner ihn mehr verdient haben soll als ich. – Von meinem liebsten Gleim hörte ich zuletzt in Torgau, aber da er Ihnen ja selbst schreiben wollte, brauche ich nicht herzusetzen, wie's ihm geht. Es war mir ein wahres Labsal, von ihm zu erfahren, daß ihm mein »Cissides und Paches« so gut gefällt. Ich hätte es nicht vermutet, manches, hatte ich gedacht, würde ihm zu fürchterlich sein, denn der gute Gleim hat ein weiches Gemüt. Von Ihnen wundert's mich viel weniger, daß Sie zufrieden sind. Wie sollten Sie auch nicht damit zufrieden sein? Das Gedicht ist ja eigentlich von Ihnen, nicht von mir, denn Sie haben mir alles dazu geschenkt, die Fabel, das Versmaß, den Aufbau; und der Geist, der darin lebt, ist so recht Geist von Ihrem Geiste.

Ich sende Ihnen anbei, liebster Freund, eine Hymne, die ich erst vor wenigen Tagen gedichtet habe: »Groß ist der Herr! Die Himmel ohne Zahl – Sind seine Wohnungen usw.« ›Wie? Eine Hymne? Warum nicht ein Kriegslied? Das Leben im Felde müßte ihn doch eigentlich zu Schlachtgesängen begeistern.‹ So höre ich Sie ausrufen. Aber sehen Sie, auch diese

Hymne ist eine Frucht meines Kriegerlebens, und ich verdanke sie recht eigentlich meinen Soldaten. Jeden Morgen vor dem Ausrücken singen sie zuerst geistliche Lieder, ehe sie die Lieder auf den König anstimmen. Das rührte mich eines Tages so, daß ich vorausritt und heftig weinte und die Hymne dichtete. Sie hat noch ihre Härten, das weiß ich wohl, aber im Feldlager kann man nicht viel bessern und feilen.

Ich bin sehr begierig zu hören, wie es Ihnen ergehet und wie Sie mit Nicolai auskommen. Leben Sie wohl, liebster Freund, und schreiben Sie mir doch wieder einmal. Ich bin lebenslang

Ihr getreuester Kleist [/letter]

Einen sonderbaren Traum muß ich Ihnen noch erzählen, liebster Lessing. Heute früh war ich, während wir zum Rekognoszieren an die Oder ritten, auf meinem Pferde eingeschlafen. Da träumte ich, es wäre eine große Schlacht. Der Oberst und der Oberstleutnant waren verwundet, und ein Major kommandierte das Regiment. Ich war gar nicht dabei, weiß aber auch nicht, wo ich war. Da weckte mich der Adjutant, der neben mir ritt, und ich konnte nicht mehr träumen, was mit mir wurde. Was sagen Sie dazu?« –

Kleist war noch damit beschäftigt, dieses Schreiben zu versiegeln, als sich sporenklirrende Tritte seinem Zelte nahten und der General von Finck, sein Korpskommandeur, hereintrat. Der korpulente Herr war sichtlich außer Atem und schnappte nach Luft. »Hier, bester Kleist, ein schriftlicher Rapport an Seine Majestät. Ich habe den Adjutanten weggeschickt und kann nicht warten, bis er zurückkommt, denn es ist sehr wichtig. Es ist ein russisches Streifkorps bei Seelow beobachtet worden. Das sieht fast aus, als wolle man uns zernieren. Reite er sogleich hinüber nach Wulkow zum König und überbringe er ihm das.«

»Zu Befehl, Herr General!« erwiderte Kleist, und sein Gesicht strahlte. Zwei Jahre lang hatte er den König nicht gesehen, nun sollte er vor das Antlitz des Bewunderten treten und seine Stimme vernehmen. Das Herz schlug ihm schon jetzt höher bei dem Gedanken.

Er ließ sich sein Pferd satteln und ritt hinüber in das Hauptlager. Die Zeltreihen der Preußen standen zwischen den Dörfern Wulkow und Boosen auf einem niedrigen Höhenzuge, der sich nur wenige Ellen hoch über das flache Feld erhob und nach Osten hin von einem Bache umspült wurde. Jenseits des Baches waren die Vorposten aufgestellt, und Kavalleriepatrouillen ritten beständig hin und her, um das Lager gegen den Fluß hin zu sichern, auf dessen jenseitigem Ufer die Feinde sich gelagert hatten. Hie und da konnte man im Lichte der untergehenden Sonne die Spitzen der russischen Zelte herüberblicken sehen. Auch die Häuser des kleinen Dorfes Wulkow waren von oben bis unten mit Soldaten angefüllt, und in einem der größten Gehöfte hatte sich König Friedrich selbst einquartiert. Der wachthabende Offizier bedeutete dem Major, daß Seine Majestät ausgeritten sei, aber jede Minute zurückerwartet werde, Und forderte ihn auf, einstweilen in den Hof zu treten. Kleist band sein Pferd an einen großen Birnbaum, der neben der Haustür stand, und setzte sich auf eine kleine danebenstehende Lattenbank, um so den König zu erwarten.

Aus dem offenstehenden Fenster über ihm erklangen Stimmen, aber Worte vermochte er zunächst nicht zu unterscheiden, denn die Dorfstraße herauf kam eine Kompanie marschiert, die aus rauhen Kehlen das Lied auf die Zorndorfer Schlacht sang:

Friederikus, König, großer Held,
 Den Teufel haun wir aus dem Feld,
 Tust du uns kommandieren!
Schaust du nur drein und sprichst ein Wort,
 Franzosen, Russen müssen fort, Wir lehren sie retirieren.

Als die Soldaten vorüber waren, hörte Kleist, wie drin jemand sagte: »Niemand ist bei Seiner Majestät, als Itzenplitz und Puttkammer und drei oder vier Husaren. Meiner Seel', der König spielt mit der Gefahr. Wie leicht kann ihm auf solch einem Ritte etwas Menschliches zustoßen!«

Kleist kannte den nicht, der so sprach. Jetzt aber klang eine Stimme an sein Ohr, die ihn unwillkürlich auffahren ließ. Es war der General von Seydlitz, der Held von Roßbach und Zorndorf, der in trocknem, wie es Kleist schien, etwas spöttischem Tone erwiderte: »Euer Liebden mögen beruhigt sein. Dem stößt nichts zu.«

»Eh, eh! Neulich wäre er beinah von einem Panduren erschossen worden.«

»Beinah!« gab Seydlitz zurück. »Für den König ist keine Kugel gegossen.«

»Aber lieber General! Es wird einem Schüler Voltaires schwer, den Aberglauben der Soldaten zu teilen. Halten Sie denn den König für kugelfest?«

»Jawohl, Euer Liebden. Freilich in einem anderen Sinne als unsere wackeren Soldaten. Ich bin des Glaubens: Der Himmel schützt seine Helden. Wer sind denn Friedrichs Feinde? Die Russen, außer ein paar hundert Offizieren, sind Vieh. Die Österreicher repräsentieren die gemütliche pfäffische Dummheit, die Franzosen die Liederlichkeit. Und solchen Feinden sollte der König erliegen? Das kann man dem lieben Gott doch nicht zutrauen. Wissen Euer Liebden, an dem Tage, an dem der König fiele, schösse ich mir selber eine Kugel vor den Kopf; dann hörte nämlich für mich alle Räson in der Weltordnung auf.«

In dem Moment zeigte sich das feine, etwas bleiche Gesicht des Sprechenden am Fenster. Er unterbrach sich und winkte Kleist zu sich heran. »Was will er hier? Wartet er auf Seine Majestät?«

»Ich habe einen schriftlichen Rapport des Herrn Generals von Finck bei mir, Euer Exzellenz.«

»Weiß er, was darin steht?«

»Der General sprach davon, daß Russen bei Seelow rekognosziert seien.«

»Das wäre!« rief Seydlitz erstaunt. »Da hätten sie ja die Oder durchschwommen. Ich werde da gleich einmal selbst zu meinen Leuten hinausreiten. Melde er Seiner Majestät, daß ich in einer halben Stunde Fincks Rapport vervollständigen werde.«

Gleich darauf trat der große Reitergeneral mit dem Prinzen von Württemberg aus dem Hause. Er nickte Kleist freundlich zu, schwang sich aufs Pferd und war blitzschnell um die Ecke verschwunden.

Kleist trat in das Hoftor und blickte ihm sinnend nach. Plötzlich entstand am entgegengesetzten Ende der Dorfstraße eine große Bewegung. Der König kam heran.

Sogleich stürzten aus allen Häusern und Höfen die Soldaten auf die Straße, so daß sie mit einem Male ganz von Menschen angefüllt war. Sie schwenkten ihre Hüte und schrien Hoch und Vivat, einige traten auch ganz ungeniert an ihn heran und schienen ihm ein Anliegen vorzutragen. Friedrich mußte jeden Augenblick sein Pferd anhalten und tat das auch mit der größten Geduld, so daß er nur ganz langsam vorwärts kommen konnte.

Kleist traten bei diesem Anblick die Tränen in die Augen, und ein unbeschreibliches Gefühl der Rührung und Ehrfurcht ergriff sein Herz. Der Mann, der da gebeugt, ermüdet und bestaubt auf dem Pferde saß und so freundlich und leutselig mit dem Geringsten seiner Soldaten redete, das war der größte Monarch, den zurzeit die Erde trug, der Held, von dem man in ganz Europa, ja selbst in fremden Weltteilen mit Erstaunen und Bewunderung sprach. Er war der Mann, den man um seiner Taten willen überall mit Cäsar und Alexander verglich. Und wahrlich, auch das hatte er mit jenen Helden der Vorzeit gemein, daß er mit seinem Heere lebte, alle Mühseligkeiten, Entbehrungen und Strapazen mit ihm teilte, nicht wie ein Gott über seinen Kriegern thronte, sondern ihnen menschlich nahe und jedem zugänglich war. Es wollte dem glühenden Verehrer Friedrichs scheinen, als entschleiere sich ihm jetzt erst das ganze Geheimnis der Größe seines Königs; sie bestand nicht nur darin, daß er an Geist und Willenskraft alle Zeitgenossen überragte, sondern auch darin, daß er es verstand, die Genossen seiner Feldzüge durch das Band der Liebe und Treue fest an seine Person zu ketten. Sie nannten ihn den alten Fritz, was nicht sehr respektvoll klang, sie schimpften hie und da auch einmal kräftig über ihn, wenn er ihnen drückende Strapazen zumutete oder das Plündern verbot, aber dabei liebten sie ihn wie einen Vater und verehrten ihn wie einen Gott. Sie fühlten sich beglückt, wenn nur ein Strahl aus seinen Augen sie traf, sie beneideten einander um eine kurze Anrede aus seinem Munde, und ihres Helden Namen auf den Lippen gingen Offiziere wie Gemeine begeistert in Kampf und Tod.

An das alles dachte Kleist, als er den König so wiedersah, und es überwältigte ihn. Nur mit Mühe vermochte er sich zu fassen und seine Haltung wiederzufinden, ehe der König in den Torweg einbog, in dem er stand.

Friedrich erkannte ihn auf der Stelle. »Ah,« Kleist!« sagte er. »Messieurs, gehen Sie ins Haus. Schöning, komme er her, helf er mir vom Pferde!«

Er setzte sich auf dieselbe Bank unter dem Birnbaum, auf der Kleist vorher gesessen und winkte ihm. »Nun? Was hat er? Einen Rapport? Gebe er her!«

Kleist meldete nun auch, was Seydlitz ihm aufgetragen hatte. »C'est bien,« erwiderte der König. »Dann sagte er dem Finck, er brauche sich nicht weiter zu efforcieren. Der Seydlitz wird's schon machen. – Na, Kleist,« fügte er hinzu und blickte ihn ungemein gnädig an, »ist er denn nun kontent mit mir? Ich meine, daß er im Felde ist und dreinhauen darf?«

»Ich bin Eurer Majestät von Herzen dankbar dafür.«

»Hm, hm. Ich wußte gar nicht, daß ich einen solchen enragierten spadassin an ihm besitze. Apropos, Monsieur, wie steht es denn mit seiner Dichterei?«

Kleist sah den König so verwundert an, daß der lächelte. Dann aber wurde sein Antlitz mit einem Male sehr ernst, und er sagte nachdrücklich: »Alle Welt glaubt, daß ich die deutsche Literatur nicht leiden mag. Das ist nur zum Teil richtig. Ich habe in meiner Jugend nur miserables Zeug im Deutschen zu lesen gekriegt und später nicht viel Besseres. Aber ich würde mich freuen, wenn die deutschen Autoren den Auswärtigen den Rang streitig machen wollten. Notabene, mein Lieber, ein König macht sich surtout um die Wissenschaft und Dichtung dadurch verdient, daß er die Leute machen läßt, sich gar nicht hineinmischt und sich nicht darum zu kümmern scheint, was sie tun und treiben. Dadurch tut er mehr, als wenn er was erzwingen will. So hab' ich's gehalten. Aber Notiz nehmen will ich nun einmal von einigen Poeten, und da tout le monde sein Lob singt, mein Bruder Henri an der Spitze, so soll er der erste sein. Ich hoffe,« er sah ihn durchdringend an und sprach mit scharfer Betonung – »nach der Bataille wird mir der Oberstleutnant Kleist einige seiner Gedichte rezitieren. Jetzt geh er und richt' er seinen Rapport an Finck aus!«

VI

»Mein Herr General! Die Bataille ist so gut wie gewonnen. Seine Majestät fertigen schon Kuriere nach Berlin ab. Lassen Sie Ihre Bataillone gegen den Kuhgrund vorgehen, damit wir den Feind aus Kunersdorf herauswerfen!«

So rief am Nachmittag des 12. August der Generalleutnant von Finck dem Generalmajor von Klitzing zu, der mit vier Bataillonen am Großen Eisbusche stand, eine Viertelstunde vor dem Dorfe Kunersdorf. Das Dorf war schon niedergebrannt, denn der Kampf währte bereits vier Stunden, aber die Trümmer und den festen Kirchhof behaupteten die Russen, hielten auch noch die Anhöhen vor dem Dorfe besetzt, und den Kuhgrund verteidigte das österreichische Regiment Baden-Baden.

»Zu Befehl!« entgegnete Klitzing, und während Finck in der Richtung des Kuhberges mit seinem Adjutanten davonsprengte, ritt er vor die Front seiner Truppen.

»Soldaten!« schrie er mit seiner mächtigen Stimme und zog den Degen. »Soldaten! Unser großer König siegt. Es lebe der König!«

Ein donnerndes, tausendstimmiges Vivatgeschrei antwortete ihm.

»Lehnwaldt und Zastrow attackieren hier links den Kuhgrund! Braun und Hausen! Hier rechts die breite Schlucht hinauf! Mit den Bajonetten zur Attacke, marsch!«

Langsam, in schnurgeraden Linien wie auf dem Paradefelde rückten die Preußen vor. Klitzing selbst war vom Pferde gestiegen und schritt seinen Leuten voran, den Degen hoch in die Höhe haltend, daß er im Sonnenlichte funkelte.

Schon war der Rand des kleinen Hügelrückens erreicht, der Kunersdorf nach Nordwesten deckt. Der Feind, der drohen stand, rührte sich nicht. Kein Schuß dröhnte, kein Ruf ward laut.

»En avant!« schrie Klitzing. »Im Sturmschritt marsch marsch!« und er stürmte selbst mit mächtigen Sätzen aufwärts.

Da erschollen droben einige kurze russische Kommandorufe und eine furchtbare Salve von Flinten- und Kartätschenkugeln schlug in die preußischen Reihen ein. Sie stutzen. Eine zweite noch schrecklichere Salve reißt fürchterliche Lücken. Hundert Schwerverwundete und Sterbende wälzen sich schreiend und ächzend in ihrem Blute. Noch einmal knattert's und pfeift's von oben – die preußischen Reihen lösen sich auf –, schnell, immer schneller stürzen die Truppen den Abhang hinunter, dem Eisbusch zu.

Der Führer Klitzing, von mehreren Kugeln durchbohrt, lehnt unten an einem Weidenstumpf. Schmerz und Verzweiflung prägen sich auf seinem Antlitz aus. »Zurück! halt!« will er rufen, aber seine Stimme erreicht nur noch die Nächsten. Da winkt er dem nächsten Offizier, der sich den Fliehenden entgegenstellt. »Kleist, formier' er das Bataillon, und vorwärts! Da drüben steht der König.« Ewald von Kleist richtet sich hoch empor. Er fühlt's, die große Stunde seines Lebens ist gekommen. Er schwingt sich wieder aufs Pferd, von dem er abgesprungen war, um sich den Flüchtlingen entgegenzustellen, und gellend und durchdringend klingt sein Ruf: »Leute halt! Stillgestanden! Da drüben kommt der König.«

Das Wort wirkt Wunder. Die Masse kommt mit einem Male zurück, steht, und da der Feind nicht nachdrängt, gelingt es, neue Sturmkolonnen zu formieren.

»Fähnrich! Her zu mir!« ruft Kleist dem Fahnenjunker zu, der schon zwei Fahnen trägt, da sein Kamerad tot auf der Erde liegt. »Und nun noch einmal: En avant! Wer ein guter Preuße ist, folgt mir. Vorwärts, mit Gott für den König!« Von neuem Mute beseelt, stürzt alles dem voranreitenden Führer nach, den sanft ansteigenden Hügel hinauf. Da, dreißig Schritte vor der feindlichen Reihe, trifft eine Kugel Kleists rechte Hand. Er nimmt den Degen in die Linke. Auch die wird durch einen Schuß in den Arm gelähmt. Mühselig faßt er noch einmal den Degen mit zwei Fingern der rechten Hand und schreit: »Vorwärts, vorwärts!« Da zerschmettert eine Kartätschenkugel das rechte Bein – er gleitet vom Pferde herab –, will sich wieder aufschwingen, die Kräfte versagen.

Auf ein Knie gestützt, hebt er sich noch von der Erde auf und schreit wieder und wieder: »Vorwärts, vorwärts!« Mit Todesverachtung stürmen die Preußen vorwärts. Die Russen weichen langsam auf Kunersdorf zurück.

Zwei Soldaten fassen den Major, tragen ihn hinter die Front und legen ihn am Eisbusche nieder.

»Geht!« ruft Kleist mit seiner letzten Kraft. »Es wird ein Sieg. Geht und verlaßt den König nicht!«

Dann sinkt er ohnmächtig zusammen.

*

Zwei Tage später saßen im Hinterzimmer eines Patrizierhauses zu Frankfurt an der Oder zwei Männer bei einem Glase Aquavit zusammen. Der eine, ein langer, steifer Herr in schwarzem Hausrock und großer Perücke, war der hochwürdige, hochgelehrte Professor Theologiä Gottlob Samuel Nicolai, der andere, ein bewegliches Männchen mit lebhaften Augen und einer hastigen, sich überstürzenden Sprechweise, war der Arzt Doktor Krünitz, der ihn zu besuchen gekommen war. Denn der Professor hatte das Unglück gehabt, die Treppe hinabzufallen. Zwar war es nur eine leichte Kontusion, die er davongetragen hatte, aber wer konnte wissen, was eventuell daraus entstand? Und in diesen hochbetrübten Zeiten hatte man doppelt die Pflicht, sich der Wissenschaft und seiner Familie zu erhalten.

Das hatte der würdige Mann eben mit den breitesten Worten auseinandergesetzt, aber der Arzt war offenbar ganz wo anders mit seinen Gedanken. »Untersuchen?« sagte er. »Noch einmal untersuchen? Nonsens, mit Verlaub zu sagen.« Er stürzte das zweite Gläschen mit einem Zuge hinunter. »Halten Sie sich ruhig, dann ist morgen nichts mehr zu sehen.« Er hielt den Rohrstock mit dem großen silbernen Knopf gewichtig an seine Nase. »Da gibt's mehr zu tun, wertgeschätztester Herr Gevatter, viel mehr. Die ganze Stadt liegt ja voll von Blessierten und Sterbenden, Russen, Österreicher und Preußen, alles durcheinander. Ich bin die ganze letzte Nacht nicht aus den Kleidern gekommen. Hören Sie? Da schellt es unten. Ich möchte wetten, daß mich wieder einer sucht.«

Sporenklirrende Tritte kamen die Treppe empor. Die Magd öffnete die Tür, und ohne anzuklopfen trat ein hochgewachsener russischer Offizier ins Zimmer. Doktor und Professor schnellten von ihren Sitzen empor, denn die Russen waren ja die Herren und Sieger, hatten bei Kunersdorf nach furchtbarem blutigen Ringen den König geschlagen und geboten jetzt unumschränkt in der guten Stadt Frankfurt.

Der Russe blickte die beiden prüfend, aber nicht unfreundlich an und fragte dann auf deutsch mit schnarrender Stimme: »Er ist der Wundarzt?«

»Zu Befehl, Euer Gnaden,« erwiderte Krünitz.

Der Offizier berührte nachlässig seinen Hut. »Baron von Stackelberg aus Kurland,« sagte er. »Komm er mal mit! Er soll seine Kunst bei einem Landsmann ausüben. Ich habe gestern einen schwerverwundeten preußischen Major auf dem Schlachtfelde aufgelesen, und es liegt mir viel daran, daß er wieder gesund wird. Er ist ein großer Dichter.«

»Herrgott, Kleist!« entfuhr es dem Professor, und er blickte dem Russen schreckensbleich ins Gesicht.

»Kleist, der Dichter des ›Frühlings‹!« bestätigte der Offizier. »Kennt er ihn etwa persönlich?« »Das nicht. Aber er ist ein Freund des Herrn Lessing und meines Bruders in Berlin. Ach, Euer Gnaden, würden Sie gestatten, daß er in mein Haus gebracht wird? Ich würde ihn mit meiner Frau aufs gewissenhafteste pflegen.«

»Wenn er zu transportieren ist,« warf der Arzt ein.

»Das kann er ja konstatieren,« sagte der Russe. »Die Wunden waren wohl nicht so gefährlich, aber er ist von den Kosaken ausgeplündert worden, und hat eine ganze Nacht fast nackt am Rande eines Morastes gelegen.« Er legte dem Professor die Hand auf die Schulter und sah ihn wohlwollend an. Es wäre mir sehr lieb, wenn er zu ihm käme. Wenn er ein Freund seiner Freunde ist, so wird er ihn wohl gut verpflegen. Und es ist mir, wie gesagt, sehr viel daran gelegen, daß er nicht stirbt. Ich bin ein eifriger Freund der deutschen Literatur und schätze den Dichter des ›Frühlings‹ höher als alle, die jetzt leben.« –

So geschah es, daß der todwunde Kleist in ein befreundetes Haus kam und von Freundeshand gepflegt wurde. Er selbst freilich merkte zunächst gar nichts davon, denn er lag Tage und Nächte lang im heftigsten Wundfieber. Als er endlich daraus erwachte, war er ganz apathisch und gab auf keine Frage eine Antwort. Plötzlich richtete er sich wild empor und schrie: »Der König! Wo ist der König? Lebt er? Und wie geht es der Armee?«

»Ihr König lebt,« sagte Stackelberg, der eben ins Zimmer trat. »Er steht nur wenige Meilen von hier in Fürstenwalde.«

Kleists Züge belebten sich. »Und die Armee?«

»Geh' er einmal hinaus!« wandte sich der Russe an den Professor. Dann setzte er sich an das Bett des Kranken und ergriff seine Hand. »Herr von Kleist, was ich Ihnen jetzt sage, das sage ich auf parole d'honneur als die volle Wahrheit. Wir werden Ihren König nicht verfolgen, denn wir bedauern, gegen ihn fechten zu müssen. Auch in unseren Augen ist er der größte Mann der Zeit. General Soltikow ist sein persönlicher Verehrer, und zudem weiß er bestimmt: Kommt der Zarewitsch zur Regierung – und wie lange kann das noch dauern –, so verfault der Vernichter des Großen Friedrich in den Kasematten von Peter-Paul, oder er geht nach Sibirien. So, nun wissen Sie's und seien Sie ruhig über Ihren König. Ein Genie, wie der, geht an keiner verlorenen Schlacht zugrunde.«

Kleist sah ihn mit glänzenden Augen an. »Baron, Sie sind ein Gentilhomme vom Scheitel bis zur Sohle. Ihrem Worte glaube ich. Und nun erst haben Sie mich gerettet. Nun will ich leben.«

Die nächsten Tage war er heiter und aufgeräumt, scherzte und lachte trotz seiner Schmerzen, empfing Besuche in seinem Krankenzimmer und schmiedete Pläne, wie er Gleim und Lessing herkommen lassen könne. Alle waren voller Freude und glaubten an seine baldige Genesung, nur einer nicht, sein Arzt. Als der am Abend des dreiundzwanzigsten August den Kranken verließ, trat ihm Nicolai auf dem Vorsaal entgegen und rief vergnügt: »Nun, was sagen Sie zu unserem Patienten? Geht es ihm nicht gut?«

»Gut?« Der Arzt lachte trocken auf und polterte dann in seiner derben Weise: »Gut? Paperlapapp, mein Wertester! Der Mann hat Fieber, sehr hohes Fieber. Ich fürchte für die Nacht das Schlimmste. Wachen Sie und schicken Sie gleich zu mir, wenn ein Kollaps eintritt. Ich bliebe gern hier, kann aber nicht. Und, Wertester, quälen Sie ihn nicht etwa mit langen Gebeten. Kleist braucht das nicht. Der kommt ohnedies in den Himmel!«

*

König Friedrich ließ sich in Fürstenwalde, wo er sein Hauptquartier genommen hatte, täglich eine halbe Stunde Bachsche Musik vorspielen. Er war so niedergedrückten Gemütes, wie noch nie in seinem Leben, voller Sorge um die Zukunft des Staates und voller Trauer um die vielen

Tapferen, die auf dem Schlachtfelde von Kunersdorf verblutet waren. Dabei lag eine ungeheure Arbeitslast auf ihm, denn die zersprengte Armee mußte wieder gesammelt, geordnet, zusammengeschweißt werden. So suchte er denn seine Erholung in den Tönen des gewaltigen Meisters; wenigstens vorübergehend trugen sie auf ihren Schwingen seine Seele aufwärts über alles Leid der Erde zu lichteren Höhen empor.

Auch gegen Abend des sechsundzwanzigsten August suchte er die schöne Domkirche auf, um sich so erbauen zu lassen. Drinnen präludierte schon der kunstreiche Organist, der Diener hatte die Pforte geöffnet, und der König war eben im Begriff einzutreten, als er hinter sich Hufschlag auf dem Pflaster vernahm. Er wandte sich um und sah einen Offizier mit seinem Reitknecht herankommen, beide ermattet und bestaubt.

Der Offizier sprang vom Pferde und warf dem Reitknechte die Zügel zu. Es war der tapfere Prittwitz, der als Rittmeister dem Könige bei Kunersdorf das Leben oder doch wenigstens die Freiheit gerettet hatte, indem er ihn mit vierzig Husaren aus einer erdrückenden Übermacht heraushieb. Nun war er Major und trug den Pour le merite.

Der König war sogleich umgekehrt und trat lebhaft auf ihn zu. »Na, Prittwitz, ist's geglückt? Ist Kleist ausgewechselt, und kann er transportiert werden?«

Über das gebräunte ehrliche Soldatengesicht des Majors senkte sich ein tiefer Schatten. »Majestät,« sagte er mit stockender Stimme, »Kleist ist tot. Er ist vorgestern in der Nacht ganz schnell und ruhig gestorben. Ich komme von seinem Leichenbegängnis.«

Der König sah ihn starr an und erwiderte kein Wort. Daher fuhr Prittwitz fort zu rapportieren:

»Die Russen haben ihn mit allen Honneurs begraben. Da kein preußischer Degen da war, legte ein russischer Major den seinen auf den Sarg. Er liegt neben dem Fürsten Lubomirsky.«

Der König erwiderte noch immer nichts und blickte stumm, auf seinen Krückstock gestützt, vor sich nieder. Als der Offizier ihn ansah, erschrak er über den steinernen Ausdruck, den sein Antlitz trug.

Endlich bewegte Friedrich die Lippen und murmelte vor sich hin: »Keith, Schwerin, Winterfeldt und wie viele andere! Nun auch der! Und gerade, als ich was aus ihm machen wollte. Es hätte noch so viel aus ihm werden können.«

Dann fuhr er auf: »Prittwitz, gehe er auf den Chor! Sage er dem Menschen, ich will heute keine Fugen hören. Er soll drei Verse spielen von dem Liede: Valet will ich dir geben. Dann holt er mich ab, hör' er!«

Mit müden Schritten ging der König in das Gotteshaus und setzte sich auf eine der vorderen Bänke. Bald darauf fluteten die herrlichen Klänge des alten Chorals durch den weiten, halb schon im Dämmerlicht liegenden Raum der Kirche.

Als die Melodie zu Ende war und der Organist nur noch ein leises Nachspiel folgen ließ, trat Prittwitz auf den König zu. Aber wenige Schritte vor ihm blieb er plötzlich wie angewurzelt stehen, und es durchzuckte ihn wie ein Schlag. Denn er sah, was wohl noch wenige Sterbliche gesehen hatten: König Friedrich hatte sein Angesicht tief auf die Brust hinabsinken lassen und weinte. Große Tränen standen in seinen Augen und liefen über das verwitterte und vergrämte Gesicht.

Der Major war ein harter Kriegsmann, und so leicht rührte ihn nichts. Das aber überwältigte ihn ganz und gar. Er verlor alle Haltung, umfaßte einen Pfeiler, der vor ihm stand, und schluchzte dumpf auf.

Friedrich indessen hatte schon seine Fassung wiedergewonnen. Er erhob sich und stieß ihn leicht mit der Krücke seines Stockes gegen die Schulter. »Komm er, Prittwitz!« sagte er. »Das Flennen hilft uns nichts. Wir müssen leben und arbeiten, damit alle diese Braven und Treuen *nicht umsonst gestorben sind.*«

Printed in Poland
by Amazon Fulfillment
Poland Sp. z o.o., Wrocław